Char, het medium

CHAR
HET MEDIUM

Char Margolis
met Victoria St. George

SPIRIT

SPIRIT

www.kosmoszk.nl   www.kosmoszk.be
www.boekenwereld.com
www.char.net

Met de grootste waardering en liefde voor mijn geweldige gezin – Herbie, Ida, Alicia en Elaine – die me zowel wortels als vleugels hebben gegeven. Speciale dank aan mijn vriend Mark, die me geholpen heeft die vleugels te herstellen nadat ze gebroken waren.

Twintigste druk

Oorspronkelijke titel: *Questions from Earth, Answers from Heaven*
Uitgegeven door: St. Martin's Press, New York
© 1999 Char Communications, Inc.
© 2002, 2004 Nederlandse editie: Kosmos-Z&K Uitgevers B.V., Utrecht
Alle rechten voorbehouden

Vertaling: Peter de Rijk
Omslagontwerp: Teo van Gerwen Design
Foto omslag: *Gentle Look*, Chris van de Vooren
Typografie: Julius de Goede

ISBN 90 215 4445 8
D/2004/0108/286
NUR 720

Inhoud

DEEL 3
INTUÏTIE IN DE PRAKTIJK

Voorwoord aan de Nederlandse lezers

Dierbare Nederlandse vrienden,

Al sinds mijn kindertijd heb ik een speciale band met Nederland.

Toen ik acht jaar was, moesten we van onze onderwijzer op de basisschool een verslag over een bepaald land maken. Van alle landen op de wereld kreeg ik Nederland toegewezen. Ik raakte gefascineerd door verhalen over dingen die Amerikanen als typisch Nederlands beschouwen: tulpen, windmolens, kanalen en de opgewekte mensen. De beelden van die opdracht zijn altijd in mijn hart en hoofd blijven zitten. Ik wist niet waarom, maar ik bleef me er steeds van bewust.

Toen ik meer dan twintig jaar geleden in Los Angeles kwam voor een van mijn eerste tv-optredens, ontmoette ik een man die een diepe indruk op mij maakte. Het was Peter Herkos, het beroemde Nederlandse medium. Hij was bijzonder vriendelijk en gul, en omdat het de eerste keer was dat ik met een Nederlander contact had, werd mijn positieve indruk van een land waar ik nog nooit geweest was, nog versterkt. Peter gaf me een cadeautje: een ingelijste Delfts blauwe tegel, een prachtig kunstwerkje. Zijn vriendelijkheid stimuleerde me zo dat ik de tegel en mijn herinnering aan hem altijd in mijn hart bleef meedragen. Ik wist niet waarom, maar zo was het.

Jaren later, toen mijn boek *Char, het medium* in Nederland uitkwam, werd ik uitgenodigd om naar Amsterdam te komen. Ik was erg opgetogen over de reis en in het vliegtuig kwamen er weer herinneringen bij me naar boven over dat werkstuk op de basisschool en over Peter Herkos.

Direct toen ik in Amsterdam aankwam, had ik het gevoel dat ik thuiskwam. Mensen die ik net had ontmoet, leken wel oude vrienden. Heel veel Nederlanders die ik ontmoet heb, staan open voor nieuwe indrukken en willen meer over het leven en het leven na de dood weten. Ik heb gemerkt dat een groot deel van de Nederlandse bevolking intuïtie vanzelfsprekend als een zesde zintuig accepteert.

Dit gaat zeker niet op voor tal van andere landen en zegt veel over het karakter van het Nederlandse volk.

Ik begrijp nu dat mijn voortlevende herinneringen aan Nederland en Peter Herkos een manier waren om mij in verbinding te brengen met de energie van dit prachtige land.

In mijn cursussen, workshops en boeken draag ik steeds uit dat het belangrijk is om mededogen en empathie voor anderen te tonen als je een intuïtief mens wilt zijn. Dat Nederland zo trots is op het beroemde Anne Frank Huis bewijst hoe begaan de Nederlanders zijn met dit tragische levensverhaal. Ik denk dat mededogen en empathie aangeboren eigenschappen van de Nederlanders zijn. Zonder dat jullie het beseffen, maakt het gezegde 'wie goed doet, goed ontmoet' deel uit van het collectieve bewustzijn van Nederlanders.

Nu ik van Nederland en de Nederlanders ben gaan houden en mijn enthousiasme voor de spreekwoordelijke tulpen en windmolens is verdiept tot een oprechte genegenheid voor de inwoners, zie ik dat meer mensen hier zich bewust zijn van hun intuïtieve bewustzijn. Jullie treden anderen steeds met empathie tegemoet. Nederland is een land waar mensen niet direct over anderen oordelen en een land dat mensen van elke huidskleur met open armen ontvangt. Ik heb ervaren dat Nederlanders openstaan voor nieuwe ideeën en dat mensen er hun doelen bereiken door naar de goddelijke gids in ons allemaal te luisteren.

Het vermogen van de geesten om met hun dierbaren te communiceren, is heel sterk. Hoewel ik geen Nederlands spreek, kunnen de geesten toch luid en duidelijk doorkomen als ik met al die sympathieke Nederlanders aan het werk ben. Dat laat ons duidelijk zien dat er nooit een einde komt aan liefde en dat er geen echte communicatiebarrières zijn.

Door mijn persoonlijke ervaringen, mijn tv-optredens en de enthousiaste lezers van mijn boek, weet ik dat ik erop kan vertrouwen dat jullie mij met warmte ontvangen. Ik weet dat dit werk mijn levensmissie is. Jullie geven me de kans mijn doel op de planeet aarde te vervullen. Woorden schieten tekort om mijn waardering voor jullie gastvrijheid en vriendschap uit te drukken. Jullie zijn letterlijk hartverwarmend!

Het gaat niet zozeer om het voorspellen van de toekomst, maar over de keuzes die we onderweg maken; dat is sinds het schrijven van mijn boek een van de belangrijkste ideeën geweest die me bezighielden. Ik wens jullie allemaal de wijsheid om naar je intuïtie te luisteren, zodat jullie heilzame keuzes kunnen maken en opdat het leven aan al je verwachtingen beantwoordt.

Liefs en bedankt,

Char

Dankbetuiging

In de loop der jaren heb ik heel veel steun van familie, vrienden, cliënten, studenten, kijkers en vertegenwoordigers van de media gekregen. Het is onmogelijk hen allemaal te bedanken, maar ik wil enkelen bij naam noemen van de velen die me in mijn leven en missie hebben geholpen.

Veel dank aan mijn ouders Herbert en Ida Margolis (mijn engelen op aarde – mijn moeder is nog altijd gezond; God zegene haar!), mijn zussen Alicia en Elaine en hun echtgenoten Paul Tisdale en David Lippitt. Dank aan mijn nichten en neven – Ronna, Linda, Lenny en zijn vrouw Cari en Larry en zijn vrouw Carolyn – evenals hun kinderen Jason, Jordan, Rachel, Lauren en Ryan. En speciale dank aan Katherine Jeffrey, die me hielp grootbrengen.

Niemands leven is compleet zonder vrienden die steun bieden, en ik ben blij dat mijn lijst met vrienden heel lang is. Dank aan Malcolm Mills, Bob Sher en Mark Hundahl, drie mannen die me steun en advies hebben gegeven en me voortdurend hebben aangemoedigd. Veel liefde voor Diana Basehart en haar gezin, die hun huis in Los Angeles vrijwel direct bij mijn binnenkomst voor me openstelden. Laat ik Diana's moeder Gwenyth Snyder niet vergeten. Dank aan al mijn vrienden uit Michigan, vooral Mary en Harold Sarko en de mensen met wie ik opgroeide en die nog altijd deel uitmaken van mijn leven, onder wie mijn 'beste vriendinnetje' Becky Geyer. Ik ben werkelijk bevoorrecht dat ik in de loop der jaren zoveel geweldige vrienden heb gehad, en van hen moet ik speciaal noemen: Raleigh Robinson, Jonathan Hirsh, Garth Ancier, Alana Emhardt, Gary en Sandy Hughes, Ilene en David Techner, Sidney Altman, Dorothy Lucey, Maryann Mitchell, Martha Gresham, Mary en Gary Lycan, Danny en Jeff Fantich, Julee Roth, mijn vriendinnen Michelle Kluck en Cindy Cowan, de geweldige danseres Ann Miller, Craig Tomashoff, Denise Gordon, Jennifer Bassie, Ricci Martin en zijn gezin, Bobbie Fisher, Robert Fleisher en Edgar Castillo. En verder wil ik al mijn andere vrienden in New York, Los Angeles, Michigan en alle plaatsen daartussen en die op wat voor manier dan ook deel uitmaken van mijn leven hartelijk bedanken!

Toen ik met dit werk op televisie en radio begon, heb ik veel uiterst talentvolle mensen leren kennen die zowel voor als achter de camera en de microfoon werken, te beginnen met Regis Philbin, die me mijn eerste optreden in Los Angeles gaf. Ik ben ook de tv-producenten en anderen eeuwig dankbaar die mij in al die jaren tijd in de ether gunden en ondertussen mijn vrienden werden, zoals mijn loyale vrienden Lora Wiley, Joanne Saltzman, Gail Yancosek en Tisi Alyward, evenals Randy Barone (een van de eerste producers die me uitzendtijd gaf), Glen Meehan, Bradly Bessey, Mark Itkin, Janet Stevens (producer van het ochtendprogramma in Cleveland), José Rios, Pat Piper, David Armour, Mindy Moore, Renata Joy, Leslie Gustat, Ron Ziskin, Gail Steinberg, Steve Antionetti, Mark Lipinsky, Eric Schotz, Isabel Rivera, Laura Wadsworth, Faith Beth Lamont, Valerie Schaer (programmadirecteur bij ABC) en Jordan Schwartz, Morley Nirenberg en alle medewerkers van CTV in Canada. Hartelijk dank aan alle presentatoren zoals Suzanne Somers, Cheryl Washington, Steve Edwards van *Good Day Los Angeles*, Vicky Lawrence, Rolanda Watts, Tawny Little, Ann Martin, Paul Moyer, Harold Green, Susan Estrich, Marilyn Kagan, Stephanie Miller, Dini Petti en Camilla Scott en de medewerkers van hun shows, Ru Paul, Larry King, Ricki Lake, Sally Jesse Raphael, Cindy Garvey, Christina Ferarre, Alan Thicke, Garry Shandling (een groot talent), Joan Lunden, Debbie Matenopoulos, Donny en Marie Osmond (en Mary Ellen DiPrisco, Melanie Chilek en Zachary Van Amberg, uitvoerend producenten bij Columbia) en speciale dank aan Barbara Walters, Meredith Viera en iedereen van *The View*. Dank ook aan de medewerkers van de gedrukte media, met name Larry Jordan van *Midwest Today*, en Stephanie Sable (hoofdredacteur van *Woman's World*) en Allison Nemetz. Ik ben ook mijn goede vriend Stuart Krasnow erg dankbaar voor zijn creatieve inspanningen, evenals Rick Jacobson en alle mensen die bij 20th Television met me samengewerkt hebben.

Op het zakelijk vlak word ik door een buitengewoon goed team bijgestaan. Tom Estey, mijn publiciteitsagent en vriend, opent deuren voor me die niemand anders zou kunnen openen. Ik heb grote waardering voor de loyaliteit van Cathy Klarr, die mijn financiën op orde houdt, en Janie Hendrick, die alle andere zaken soepel laat verlopen. Dank ook aan Audrey Belpasso en Carol Lawson omdat ze deel uit willen maken van mijn zakelijk team en mijn grote waardering voor mijn juridisch adviseurs David Rudich en Chase Mellen III met hun medewerkers Keri, Gail en Kathleen.

Dit boek zou nooit verschenen zijn zonder de steun en hulp van mensen die net als ik geloofden dat dit werk belangrijk is. Om te beginnen: als Mark Hundahl er niet was geweest, was ik nooit met het schrijven van dit boek begonnen. Brian en Carol Weiss hebben me door de jaren heen aangemoedigd op te schrijven wat ik doe. George Evans is begonnen met het basiswerk en Iris Martin heeft me in contact gebracht met mijn geweldige literair agent Wendy Keller (Wendy, bedankt; je had het direct vanaf het begin 'te pakken'). Ik heb grote waardering voor het werk van Victoria St. George van Just Write, de beste ghostwriter die een medium zich kan wensen! Dank ook aan Jennifer Enderlin, mijn redacteur (ik bewonder haar bijzonder) evenals alle andere medewerkers van St. Martin's Press, met name Sally Richardson, Jeff Capshew, Steve Cohen, John Murphy, Jenny Dworkin en Michael Storings vanwege hun geweldige teamwork en steun. Het zijn creatieve giganten en de beste vrienden die een auteur zich kan wensen, omdat ze je onvoorwaardelijk steunen. Speciale dank aan alle cliënten en studenten die zich bereid verklaarden in dit boek geïnterviewd of geciteerd te worden: Mike Blackman, Chris Blackman, Chantale Bruno, Patty Cimine, commandant Joel Dobis, Jeffrey Fantich, Hope Neff Grant, Martha Gresham, Cheryl Herbeck, Jackie, Tami Howard, Gary Hughes, Mark Hundahl, Larry Jordan, Wendy Keller, Stuart Krasnow, Julie Krull, Elaine Lippitt, Bob Lorsch, Malcolm Mills, Ricci Martin, Gordon Meltzer, Sandra Messinger, Robin Nemeth, Nancy Newton, Dr. Mary Sarko, Nancy Spinelli, Jeannie Starrs-Goldizen, Tarrah Sterling, Lois Steup, Alicia Tisdale en Debby White. Jullie verhalen over intuïtie in de praktijk zullen duizenden anderen helpen zich ervan bewust te worden hoeveel er in hun eigen leven mogelijk is.

Tot slot mijn oprechte dank aan al mijn cliënten en studenten door de jaren heen. Ik kan niet iedereen bij naam noemen, maar jullie hebben me allemaal geholpen te leren en te groeien en waren daarom een essentieel onderdeel van dit boek. En iedereen die ik mogelijk vergeten ben, bied ik mijn excuses aan; mijn dank gaat zeker ook naar jullie uit!

Inleiding
Het tijdperk van bewustzijn

Wij hebben allemaal vragen die we God willen stellen. Waarom is mijn leven zo moeilijk? Waarom moest mijn geliefde sterven? Waarom heb ik geen succes? Waarom voel ik me zo ontheemd? Waarom ben ik ziek geworden? Waarom is er zoveel onrecht? Hoe kan ik een betere band met mezelf en mijn dierbaren krijgen? Wat gebeurt er als ik doodga? Zal ik mijn dierbaren in het hiernamaals terugzien? Is er wel een hiernamaals en hoe ziet dat eruit? Bestaat de hemel? Hoe zit het met reïncarnatie en hartsvrienden? Bestaat er oneindige kennis in het universum waarmee ik in contact kan komen zodat mijn leven hier op aarde verbetert of ben ik niet meer dan een toevallig bijproduct van het chemische proces dat we leven noemen?

Al sinds de prehistorie zoekt de mensheid antwoorden op deze vragen. Sommige van de antwoorden zijn gebaseerd op geloof, andere op wetenschappelijk onderzoek, weer andere op fantasie. Maar er zijn ook enkele antwoorden die gebaseerd zijn op ervaringen uit gebieden buiten de bekende fysieke wereld, waar we rechtstreeks met energieën die we 'geesten' noemen kunnen spreken, en – belangrijker nog – waar we rechtstreeks in contact kunnen komen met het hoogste niveau van de universele, oneindige liefde en wijsheid, ofwel met God.

We maken met deze andere gebieden verbinding via ons aangeboren zesde zintuig, onze intuïtie. Deze door God gegeven gave is een directe verbinding tussen elke ziel en het universum. Ik had het geluk deze intuïtieve kracht al op heel jonge leeftijd te ontdekken. Als kind kon ik geesten zien, gedachten lezen en gebeurtenissen voorspellen. Eerst was ik er bang voor, omdat ik mijn gave niet begreep, maar later leerde ik die te accepteren als een geschenk van het universum. Met hulp van anderen en door mijn eigen inzet heb ik geleerd mijn intuïtie zo volledig mogelijk te ontwikkelen, en ik leer nog steeds bij. Ten slotte heb ik ook geleerd hoe ik anderen kan leren hun eigen intuïtie te ontwikkelen.

Ik ben er absoluut van overtuigd dat elke mens over intuïtie beschikt, zoals dieren instincten hebben. Dat behoort tot ons wezen, zoals we ook kunnen zien, horen, voelen, proeven en ruiken. We gebruiken onze intuïtie voortdurend en op allerlei manieren. Maar intuïtie kan veel meer betekenen dan iets dat je helpt het sieraad terug te vinden dat je kwijt bent of dat je vertelt dat je kind in gevaar verkeert. Ons intuïtieve zintuig is letterlijk een verbinding tussen deze wereld en de volgende. Het is een energiekanaal dat ons in contact brengt met dierbaren die gestorven zijn, met onze engelbewaarders en geestelijke gidsen en waardoor we zelfs het hoogste niveau van universeel bewustzijn en liefde kunnen bereiken.

Ik ben op deze planeet om anderen te helpen met het herkennen, ontwikkelen en gebruiken van hun door God gegeven intuïtieve vermogens om pijn te verlichten en te groeien in deugdzaamheid, liefde, mededogen en wijsheid. Het is mijn missie te helpen met het wegnemen van angst, zowel de angst voor de dood, door te bewijzen dat we niet sterven en onze dierbaren zullen terugzien, als de angst om te leven, door te laten zien hoe we onze eigen wijsheid kunnen gebruiken om ons leven veel gelukkiger en gemakkelijker te maken. Ik zou iedereen graag willen helpen contact te krijgen met de eeuwige liefde, die de reden van ons bestaan is.

Meer dan ooit is het belangrijk dat we ons bewust worden van de kracht van onze intuïtie, omdat ik geloof dat de mensheid een metamorfose doormaakt van een materiële naar een geestelijke wereld. We zijn op weg naar een nieuw tijdperk van spiritueel bewustzijn, een geheel nieuwe fase voor het menselijk ras, waarin we moeten leren een evenwicht te vinden tussen het spirituele en het materiële. Ik noem dit het 'tijdperk van het bewustzijn', omdat ik geloof dat het een tijd is waarin we ons allemaal bewust moeten worden van de enorme kracht die we bezitten.

In het tijdperk van het bewustzijn moet iedereen zijn verantwoordelijkheid nemen voor zijn gedachten en daden. Mensen hebben de kracht om zichzelf én de planeet te vernietigen of te behouden. We moeten leren dat de keuzen die we maken in het gehele universum hun weerslag zullen hebben; niet alleen ons eigen leven wordt erdoor beïnvloed, maar ook de levens van talloze anderen. We moeten ook leren dat onze keuzen, gedachten en daden invloed uitoefenen op wat er bij onze dood met onze geest gebeurt. En ik geloof dat we ons uiteindelijk bewust moeten worden van de immense kracht van ons eigen zesde zintuig.

Ik ben nu 25 jaar werkzaam als medium en ben vaak in verband gebracht met mensen die deel uitmaakten van de zogeheten *new age*-beweging. Eerlijk gezegd geloof ik dat een groot deel van de new age helemaal niet zo nieuw was. Mensen probeerden terug te keren naar de diepste wortels van de cultuur, godsdienst en natuur en probeerden een verbinding te maken met de kracht die ze in zichzelf en het universum voelden. Maar veel te vaak leken ze verstrikt te raken in de vormen die ze kozen. Ze herkenden niet dat alle routes naar dezelfde plaats leiden en dat de beste en kortste route naar God niet van uiterlijkheden afhankelijk is, maar van een directe verbinding met het universum vanuit onszelf; het is een verbinding die vanzelf door onze intuïtieve kanalen vloeit zolang we die niet blokkeren met twijfels, angsten en misvattingen.

Ik heb dit boek geschreven in de hoop dat zoveel mogelijk mensen het zullen lezen en zich bewust worden van hun eigen instinctieve, intuïtieve vermogens. Ik zie het niet als mijn taak iemand te 'overtuigen'. Dat hoef ik ook niet, want er zijn al duizenden goed gedocumenteerde voorbeelden van mensen die bijna-doodervaringen hebben doorgemaakt. Tal van anderen hebben geesten gezien of gehoord, zijn voor iets gewaarschuwd, of hebben hun hartsvrienden gevonden. Ik denk niet dat ik de wereld ervan moet overtuigen dat intuïtie echt bestaat. Maar voor degenen die erin geïnteresseerd zijn, die al een flauw idee hebben van dat onverklaarbare zesde zintuig en die contact willen leggen met gestorven dierbaren, hoop ik dat dit boek hun laat zien dat ze niet alleen staan of krankzinnig zijn. Ze zijn zelfs verrassend normaal, omdat iedereen een intuïtieve gave heeft.

Intuïtie is heel krachtig, en je kunt er goede en slechte dingen mee doen. Iedereen moet kiezen hoe we intuïtie in het leven gebruiken. Ik hoop dat je door het lezen van dit boek je intuïtieve gaven ontdekt en die als je beste gids naar het tijdperk van het bewustzijn gebruikt, zodat je rust, *heling* en liefde voor jezelf en anderen vindt. Vertrouw op je intuïtie, die je de antwoorden kan geven die je van de hemel verlangt.

1
Ik leef van het praten met doden

Wat zeg je als iemand vraagt: 'Wat voor werk doe jij?' Als je vrachtwagenchauffeur, directeur, kunstenaar of putjesschepper bent, dan is het gemakkelijk. Maar wat zeg je als je een beroep als het mijne uitoefent?

Soms zeg ik: 'Ik praat met de doden, en ze praten ook nog terug. Sommigen kunnen nu eenmaal nooit hun mond houden!'

De afgelopen 25 jaar heb ik voor duizenden mensen lezingen gegeven, meestal in besloten groepen, soms ook op tv en radio voor een miljoenenpubliek. De media noemen me meestal een medium, maar ik noem mezelf graag 'de toegankelijkste langeafstandsverbinding met gene zijde'. Ik breng namelijk mensen in contact met dierbaren die overleden zijn!

Ik zal nooit vergeten dat ik eens een tapijt wilde kopen en een gesprekje met de verkoper aanknoopte. Het was een aardige man, maar hij zag er nogal apart uit. Hij was lang en mager en had duidelijk een toupetje op. Hij vroeg me wat ik deed, waarop ik hem dat vertelde. Hij was lichtelijk van zijn stuk gebracht, en daarom zei ik: 'Ik zal een voorbeeld geven.' Ik noemde hem de naam van zijn grootvader, Chaim (een tamelijk ongebruikelijke naam). Dit overtuigde de verkoper ervan dat ik geen oplichter was, en vanaf dat moment liet hij me geen moment met rust! Steeds als ik om tapijtstalen vroeg, stelde hij vragen over zijn gezin, zijn gezondheid en zijn bedrijf. Nadat ik mijn tapijt besteld had, volgde hij me zelfs naar de parkeerplaats. Hij rende letterlijk achter mijn auto aan, terwijl hij riep: 'Wacht! Wacht! Moet ik die diamanten verkopen?' Ik hoef je niet te vertellen dat ik een fikse korting op dat tapijt heb gekregen.

In de loop der jaren heb ik naam gemaakt omdat ik namen, feiten, beelden en relaties kan benoemen die niemand anders kan weten dan degene voor wie ik contact leg. Tijdens live-uitzendingen op televisie en radio vertel ik mensen over hun moeder, vader, echtgenoot, verloofde of baas. De ontroerendste boodschappen zijn vaak afkomstig van overleden verwanten die de levenden willen laten weten dat de liefde die ze voor hen voelen door de dood beslist niet verdwenen is.

Onlangs heb ik een proefuitzending gemaakt voor mijn eigen televisieshow, waar ik rechtstreeks voor de camera voor mensen die ik nog nooit ontmoet had contact legde. Als voorbeeld geef ik hier mijn sessie met Lois weer, waar ook publiek bij was. Zoals bij al mijn *readings* vroeg ik Lois me op geen enkele manier te sturen maar alleen de informatie te bevestigen die ik haar gaf.

Char   Hoe heet je?

Lois   Lois.

Char   is er iemand met een J of G?

Lois   J.

Char   Een J? Overleden of nog levend?'

Lois   Levend.

Char   Is J een man?'

Lois   J is een man.

Char   Zit er een N of M in zijn naam?

Lois   In zijn achternaam.

Char   Zit er een E in zijn voornaam? Zoals Jeff, of J en E... Joseph? Joseph?

Lois   Ja, zo heet hij.

Char   Is hij familie van je?

Lois   Geweest.

Char   Is hij je ex-man?

Lois   Ja.

Char   Heeft een van jullie... jullie een probleem met een kind? Hebben jullie een kind verloren? Was dat ook zijn kind?

Lois   (Knikt driftig.)

Char   Weet je, ik heb het gevoel dat dit kind hier is, maar ik kan de naam nu niet horen. Maar dit is Josephs kind en ook jouw kind. Zit er een R in de naam? Begint die met een R of zit die erin?

Lois	Erin.
Char	Zit er een E in? Begint die met een E? Of zit E-R of R-E in de naam?
Lois	(Knikt.)
Char	Ik kan de naam niet horen. Deze persoon is er niet aan gewend met mij te praten en ik ben er niet aan gewend met hen te praten. Misschien... was er een andere overledene met een J, bijvoorbeeld in Josephs familie? Had hij een opa of vader?
Lois	Zijn vader.
Char	Heette zijn vader ook Joseph?
Lois	Ja!
Char	Ik denk dat hij hier is. Was zijn vader een sterke persoonlijkheid?
Lois	Ik kende hem niet.
Char	Ik voel dat hij een sterke persoonlijkheid is. Hij wil je laten weten... ik weet niet hoe je met deze man omging. Mocht je hem?
Lois	Ik kende hem niet.
Char	Omdat hij bij je kind is. Maar dat is dan zijn kleinkind. En hij wil je laten weten dat alles goed is met je kind. Om een of andere reden... er zit toch geen B of D in deze naam?
Lois	D.
Char	Begint die met een D en zit er een R in? Is het D-E-R? (Lois schudt nee.) Maar D-E en er zit ook een R in. Is het Deborah? Is het Deborah?
Lois	(Knikt huilend ja).
Char	Het duurt even voordat ik haar hoor. Maar ze wil je laten weten dat alles goed met haar is. O, nu zie ik de ballonnen. Heb je ballonnen voor haar opgelaten? Ze zegt dat iemand ballonnen op haar graf heeft gelegd?
Lois	(Knikt ja.)
Char	Ze laat me de ballonnen zien. Heeft iemand ook een ballon voor haar opgelaten?
Lois	Dat weet ik niet.

Char Je weet het niet. Maar ze wil dat je haar als een vrij mens ziet, met een vrije geest. Draag je misschien iets dat van Deborah was?

Lois (Knikt ja.)

Char Ze zegt: 'Mam, je draagt mijn sieraad! Laat eens kijken! (Lois haalt een ring aan een halsketting onder haar coltrui vandaan.) Was dat haar ring?

Lois Ze heeft hem nooit om gehad.

Char Ze is een goede ziel. Soms komen anderen in ons leven als leraren, en ik heb het gevoel dat Deborah hier als leraar was. Ze wilde ons over liefde leren en jou over de relatie tussen een ouder en een kind leren. Wat ik ook zeg, ze zal niet terugkomen of het hier voor jou beter maken. Het enige goede nieuws is dat zij bij je zal zijn als jij naar de andere zijde overgaat. Ze zal dan op je wachten. Ze zegt: 'Mam, ik ben in een droom bij je geweest!'

Lois (Schudt nee.)

Char Bij wie dan wel? Iemand heeft over haar gedroomd. Denk eens na.

Lois Een nicht.

Char Je nicht. Goed, misschien was het niet jouw droom maar die van een nicht. En die nicht heeft jou een boodschap van Deborah gegeven. Wat zei Deborah in die droom?

Lois Dat het goed met haar gaat.

Char Het gaat echt goed met haar! Ik verzeker je dat het goed met haar gaat. Haar opa houdt een oogje in het zeil aan gene zijde. En ook al ben je niet meer met haar vader getrouwd, toch is dat goed, want ik denk dat die opa een goede man was. Weet je, juist als we er niet echt ons best voor doen, kunnen de geesten bij ons terugkomen. En je zult haar beslist weer voelen, je zult over haar dromen en haar zien.

Na onze reading zei Lois: 'Het was adembenemend, meer dan ik verwachtte. Ik kwam hierheen in de hoop dat ik wat van Debbie zou horen, meer niet. Maar nu heb ik het gevoel dat mijn dochter in een betere wereld is.' Toen haar naar de ballonnen gevraagd werd, zei ze dat ze in de drie jaar sinds de dood van haar dochter elk jaar op Debbies verjaardag naar haar graf was gegaan en daar een ballon had neergelegd. 'Ik ben de enige die dat weet,' zei ze.

Ik doe dit werk omdat ik geloof dat het belangrijk is. Mijn cliënten vertellen me dat de informatie die ze tijdens onze readings horen hen helpt beslissingen te nemen en met het verlies om te gaan; ook ontdekken ze nog onbekende gezondheidsproblemen, ontlopen ze rampzalige ongelukken of kunnen ze een ellendige tijd doorstaan omdat ze weten dat er betere tijden aankomen. Dit zijn enkele voorbeelden van concrete resultaten. Maar het betekent ook een hoop voor me als ik een glimlach zie bij een man wiens lievelingsoma weer tegen hem praat nadat ze jarenlang door de dood gescheiden waren... of als ik de heling van een moeder voel die herenigd wordt met haar kind dat aan kanker is overleden... of het vertrouwen ervaar dat bijna iedereen voelt als je niet alleen hoopt, maar ook weet dat je nog altijd verbonden bent met degenen van wie je houdt, ook nadat hun lichaam hen heeft verlaten.

Het is natuurlijk een grapje als ik mezelf de toegankelijkste lange-afstandsverbinding noem, maar als ik voor mensen een reading houd, dan zie en hoor ik hun dierbaren werkelijk heel dichtbij. De geesten communiceren door gedachten in mijn hoofd te plaatsen die heel anders 'voelen' dan mijn eigen gedachten. Maar de manier waarop het contact wordt gelegd lijkt heel erg op de manier waarop wij allemaal indrukken opdoen die niet logisch lijken te zijn. Je hebt vast wel eens meegemaakt dat je aan iemand dacht van wie je een tijdje niets had gehoord, en dat diegene je kort daarna opbelde. En heb je nooit een onaangenaam gevoel over een reis gehad, waarna je autopech of andere problemen kreeg? En heb je nooit de aanwezigheid gevoeld van iemand van wie je hield, of die nu dood of levend was? We krijgen voortdurend informatie die ons beslist niet via de gewone, logische weg bereikt, maar die toch waar blijkt te zijn. Omdat ik het grootste deel van mijn leven op mijn intuïtie afgestemd ben, ben ik er heel goed in geworden om mijn intuïtie te gebruiken, maar feitelijk doen we het allemaal. In dit boek zul je verhalen lezen van mensen die hun intuïtie als vanzelfsprekend gebruiken, zoals je op een radiozender afstemt of een boek opent. En als je dit boek uit hebt, hoop ik dat je zelf ook dergelijke ervaringen hebt gehad.

Mijn vriend Mark, die ook medium is, noemt zijn gave 'intuïtieve intuïtie'. Iedereen weet dat dieren instincten hebben, die hoofdzakelijk gebruikt worden om te overleven. De meeste dieren kunnen gevaar op een bepaalde manier aan voelen komen, zelfs als ze de belager niet zien. Mensen beschikken ook over een soort overlevingsinstinct, maar in ons geval kan dat veel meer dan simpelweg helpen te overleven. Als we onze intuïtie vaak gebruiken en aandacht besteden aan de informatie die ons niet via onze logische linkerhersenhelft bereikt, dan kunnen we energieën en frequenties oppikken die door het universum zelf verstuurd worden. We kunnen dan afstemmen op het enorme 'veld van mogelijkheden' dat door natuurkundigen beschreven is en dat zich buiten het fysieke universum in andere dimensies, niveaus en zelfs andere tijden uitstrekt.

ZOMAAR UIT HET NIETS...

Het was echt zo'n telefoontje waar iedereen een hekel aan zou hebben. Het gebeurde in maart 1987, toen ik in Beverly Hills logeerde bij mijn goede vriendin Diana Basehart (de weduwe van de acteur Richard Basehart). Ik verdeelde mijn tijd al enkele jaren tussen Los Angeles en mijn huis in Michigan. Toen Diana zei dat er telefoon voor me was en ik de hoorn opnam, hoorde ik een wanhopige stem aan de andere kant van de lijn. 'Char? Met Scott Sandler. Shirley MacLaine zei me dat ik jou eens moest bellen. Ik weet niet of je de krant hebt gelezen over Dean Paul Martin...'

Natuurlijk wist ik waar hij het over had. Iedereen in Los Angeles wist van de verdwijning van de zoon van Dean Martin, Dean Paul, die piloot was bij de luchtmacht. Tijdens een trainingsvlucht was de F4 Phantom Jet waarin hij vloog opeens verdwenen. De luchtmacht was al vijf dagen naar hem op zoek, maar zonder resultaat.

'Dean Paul is mijn beste vriend,' zei Scott. 'Zijn familie kan het niet langer verdragen dat ze niet weten wat er gebeurd is, en daarom hebben ze besloten het heft in eigen handen te nemen. Dean Pauls moeder heeft Shirley MacLaine opgebeld, en iemand heeft u aanbevolen. Kunt u ons helpen?'

Ik zegde direct toe. Ik gebruikte op dat moment mijn gave als medium al ongeveer tien jaar als beroeps en was door de politie in Michigan en Californië al (in stilte) bij diverse vermissingszaken ingeschakeld. Die middag kwamen Scott Sandler en Dean Pauls broer Ricci naar Beverly Hills om me af te halen. We reden naar de luchtmachtbasis March in Riverside in Californië, ongeveer anderhalf uur verderop. Dean Paul was voor zijn trainingsvlucht opgestegen vanaf March en zijn laatste radiocontact was vanuit een gebied dat circa 50 kilometer in de San Bernardino Mountains lag.

We liepen met zijn drieën een grote zaal in waar tientallen officieren zaten. Een van hen kwam naar ons toe en zei zacht dat de luchtmacht al eerder mediums had geconsulteerd, maar dat ze dat liever niet aan de grote klok hingen. 'We denken graag dat we onze piloten zelf terug kunnen vinden,' vertelde hij ons.

Op dat moment was de luchtmacht al vijf dagen bezig het gebied met vliegtuigen en helikopters uit te kammen. President Ronald Reagan had zelfs toestemming gegeven enkele spionagevliegtuigen over het gebied te laten vliegen om infraroodfoto's te maken, maar ook op deze foto's was het wrak niet te zien. En nu stond ik, een burger in spijkerbroek, te midden van een hele meute luchtmachtofficieren en werd me gevraagd iets te doen wat de gehele Amerikaanse krijgsmacht nog niet gelukt was: Dean Paul Martin vinden.

Eerlijk gezegd herinner ik me vaak niet zoveel details over voorvallen of readings. Ik herinner me wel dat ik een van de officieren om een kaart van het gebied vroeg. Ricci Martin weet nog dat ik vroeg iedereen te mogen spreken die iets gehoord of gezien had dat met Dean Pauls vlucht te maken had. Een klein meisje had gemeld dat ze het lawaai van een groot vliegtuig had gehoord rond het tijdstip dat

Dean Paul voor het laatst van zich had laten horen. (Het was die dag bewolkt en winderig geweest zodat we niemand konden vinden die het toestel gezien had.) Ik sprak het meisje telefonisch. Ik sprak ook met enkele officieren. Steeds weer raadpleegde ik de kaart. Ik herinner me dat ik initialen, namen en woorden doorkreeg die verband hielden met diverse plaatsen rond de plek waar Dean Pauls laatste radiocontact had plaatsgevonden. Op zeker moment zag en voelde ik de geesten van luchtmachtofficieren uit de Eerste en Tweede Wereldoorlog in de zaal. Ik wist dat ze me allemaal wilden helpen Dean Paul te vinden.

Opeens werd alles duidelijk. 'Hier,' zei ik, naar een punt op de kaart wijzend. 'Als jullie in een helikopter of vliegtuig over deze plek vliegen, zullen jullie kunnen zien waar Dean Paul is.'

De officieren protesteerden dat ze daar al diverse malen overheen gevlogen waren. 'Dat kan wel zijn,' zei ik. 'Hij ligt op een berghelling, maar de plek waar hij is neergekomen is door een boom onzichtbaar. Als je naar die boom zoekt, dan zie je dat er iets aan hangt, en daar ligt hij.'

Ik merkte dat de aanwezigen inmiddels behoorlijk sceptisch waren geworden. Toch werd er opdracht gegeven om zoekvluchten uit te voeren boven het gebied dat ik had aangewezen.

Scott en Ricci wilden zelf met een helikopter bij die locatie gaan zoeken. Een van de officieren wilde ons wel naar Riverside Airport brengen, waar we een helikopter konden huren. 'Ik wil zelf ook graag mee,' zei hij, waar we geen bezwaar tegen hadden.

Ricci vertelde me later dat hij zich lichtelijk belachelijk voelde toen onze helikopter over de heuvels en dalen vloog, op weg naar de berg waar Dean Paul volgens mij zou liggen. 'Opeens vloog ik met de beste vriend van mijn broer en een medium dat ik nog maar een paar uur kende over de wildernis, alleen maar omdat dat medium zogenaamd wist waar mijn broer lag, en dat terwijl het Amerikaanse leger hem al vijf dagen lang niet kon vinden! Mijn broer zou hebben gezegd dat ik niet goed wijs was.'

Maar terwijl we boven die dalen en bergen vlogen, voelde ik bijna dat ik daar eerder geweest was. Ik wist precies waar we heen moesten. Ik zei tegen de piloot: 'Vlieg door deze kloof en dan hier links,' waarop hij me vertelde dat dat precies de juiste route was om op de plek te komen die ik op de kaart had aangewezen.

Opeens kwam er over de radio een oproep binnen. 'We hebben een ongeïdentificeerd voorwerp ontdekt, waarschijnlijk een vliegtuigwrak, Het luchtruim wordt gesloten en burgerluchtvaart is in dit gebied niet langer toegestaan. Herhaling: alle burgervliegtuigen moeten buiten dit gebied blijven.'

Wat konden we anders doen dan terugkeren? Ze lieten ons gelukkig op de luchtmachtbasis March landen, in plaats van ons terug te sturen naar Riverside. Scott, Ricci en ik reden naar Los Angeles terug zonder dat we wisten of ze Dean Paul gevonden hadden, al waren we daar in ons hart van overtuigd.

Enkele uren later kreeg de familie van Dean Paul het telefoontje waarin bevestigd werd dat hij bij een vliegtuigongeluk was omgekomen. Hij had met drie andere jachtvliegtuigen in formatie gevlogen in bewolkt, stormachtig weer. Zijn radio en radar werkten niet goed, zodat hij van de luchtverkeersleiding op Ontario Airport geen toestemming had kunnen krijgen om direct een hogere vlieghoogte op te zoeken. Zonder goed zicht en zonder de mogelijkheid hoger te gaan vliegen omdat hij dan het pad van lijnvliegtuigen in dat gebied zou kunnen kruisen, had Dean Paul een linkerbocht gemaakt en was tegen een berg aangevlogen. De klap was zo groot geweest dat de transponder van het toestel (die normaal gesproken een signaal uitzendt zodat het toestel na een crash te vinden is) volledig vernield was.

Diezelfde avond kreeg ik een telefoontje van een van de kapiteins op March. Het leek erop dat het wrak precies op de plek was gevonden die ik had aangewezen, en ook precies in dezelfde positie. Vanwege de overhangende boom en de totale verwoesting van het toestel zou het vrijwel onmogelijk zijn geweest het nog te ontdekken zonder exacte aanwijzingen over de te doorzoeken locatie. 'Ik wil u laten weten dat u vandaag veel sceptici hebt bekeerd,' zei hij.

Ik voelde me bedroefd en blij tegelijk. Ik was blij omdat ik had kunnen helpen, maar bedroefd omdat deze familie nu met de dood van een zoon, broer, man en vader moest leven. Gebaseerd op mijn jarenlange communicatie met de zielen van de gestorvenen, twijfelde ik er absoluut niet aan dat Dean Pauls geest nog altijd leefde, al was zijn lichaam niet langer hier. Toch begreep ik het verdriet dat deze familie zou doormaken.

Tot op de dag van vandaag ben ik blij dat ik Ricci Martin als een vriend mag beschouwen. Hij heeft me steeds weer verteld hoeveel het voor hem betekende dat ik Dean Paul had gevonden zodat er voor de familie een eind was gekomen aan alle onzekerheid. Hij heeft wel eens geklaagd dat ik nooit erkenning heb gekregen voor mijn hulp, maar daar doe ik dit werk niet voor. Ik doe het omdat ik geloof dat het belangrijk is, omdat ik weet dat wij en onze dierbaren zullen voortleven en omdat ik wil dat mensen begrijpen dat wij allemaal over deze intuïtieve gave beschikken, over dit zesde zintuig dat ons in contact brengt met zaken die we anders nooit zouden weten. En door dit boek wil ik jou ook leren hoe je dit door God gegeven instinct kunt gebruiken om een veiliger en gelukkiger leven te leiden.

2
Opgroeien als mediamiek begaafde

Mensen vragen me vaak of ik als kind al mediamiek of paranormaal begaafd was. Ik denk dat de meeste kinderen veel ontvankelijker zijn dan volwassenen. Veel ouders hebben me fascinerende verhalen verteld over hun kinderen die vertelden geesten of engelen ontmoet te hebben; soms herinneren de ouders zich zelf nog dat ze onverklaarbare lichtverschijnselen zagen of geluiden hoorden toen ze jong waren. Uit mijn eigen jeugd herinner ik me enkele bijzondere verschijnselen die je als 'paranormale fenomenen' zou kunnen beschouwen.

Ik herinner me dat ik, toen ik twee of drie was, in mijn bed stond en mijn pop naar me toe zag lopen. Mijn opa had me die prachtige pop gegeven. Als je een knop op de rug indrukte, begon die te lopen. Maar het was midden in de nacht en ik was alleen in de kamer, dus er kon niemand op de knop hebben gedrukt, en toch liep de pop over de grond op mijn bed af. Ik kan alleen maar bedenken dat een geest de pop voortbewoog of dat ik mijn jonge geest gebruikte om de pop naar me toe te laten komen.

Jarenlang heeft mijn moeder het verhaal verteld over de keer dat mijn vader en ik naar de kruidenier gingen. Toen we terugkwamen en mijn moeder de kassabon bekeek, flapte ik eruit: 'Ze hebben ons opgelicht, mama, ze hebben ons opgelicht!' Ik was niet ouder dan vier en kon nog niet eens optellen, zodat ik helemaal niet kon weten dat de rekening niet klopte. Toen mijn moeder die controleerde, bleek dat we inderdaad te veel betaald hadden. Voor mij toont dit aan hoe nuttig intuïtie is, niet alleen bij belangrijke zaken, maar ook bij kleine voorvallen. Iedereen kan zijn zesde zintuig gebruiken om een zielsverwant te vinden, maar je kunt er ook mee voorkomen dat je te veel betaalt in de supermarkt.

Mijn vader zou zichzelf nooit als 'paranormaal begaafd' hebben beschouwd, maar toch had hij pen en papier naast zijn bed liggen om getallen op te schrijven die hij in zijn dromen zag. Met die getallen wedde hij op de paardenrenbaan, waar hij vaak won! (Hij was erg vrij-gevig en gaf de winst meestal weg. En vaak wedde hij met de droom-getallen voor een arme sloeber die de winst kreeg als het paard als eerste over de streep kwam.)

Toen ik zeven of acht was, wilde ik in het park tegenover ons huis in Oak Park in Michigan gaan spelen. Alle andere kinderen uit de buurt waren daar ook plezier aan het maken, maar die dag verbood mijn vader dat. Nu zei hij nooit nee tegen mij, dus dit was erg onge-bruikelijk, vooral omdat ik heel vaak in het park speelde. Ik begon te gillen en te huilen, waarna hij uiteindelijk toegaf en me met tegenzin liet gaan.

En wat gebeurde er? Ik viel van een heuvel in het park en haalde mijn been lelijk open aan een glasscherf. In het ziekenhuis kreeg ik 22 hechtingen. Op weg naar het ziekenhuis bleef mijn vader maar zeggen: 'Ik wist dat ze niet naar het park moest gaan. Ik wist het ge-woon.' Tot op de dag van vandaag herinnert het litteken op mijn been me eraan dat ik op mijn intuïtie moet vertrouwen.

Toen ik acht jaar was, maakte ik voor het eerst iets echt 'paranor-maals' mee. Ik was als kind altijd bang voor het donker en viel moei-lijk in slaap. Omdat er enkele weken eerder bij ons was ingebroken, was ik nog banger dan gewoonlijk. Midden in de nacht werd ik in het pikkedonker wakker, maar toch kon ik een man duidelijk aan het voeteneind van mijn bed zien staan. Hij had een lange baard, was in lompen gehuld en er hing een buidel aan zijn middel. Hij pakte die in zijn hand en opende die, waarop ik mijn hoofd onder de dekens ver-borg omdat ik vreselijk bang was. Ik kneep in mijn arm om zeker te weten dat ik niet droomde.

Toen ik even later mijn hoofd weer boven de dekens stak, zag ik nog net dat de man een handvol van iets uit de tas pakte en dat naar me toewierp. Tot mijn verbazing zag ik een hele wolk glinsterende gouden lichtjes over mijn lichaam vallen. Op het moment dat ze me raakten, verdampten ze. Ik stak mijn hoofd weer onder de dekens en bleef zo liggen. Ik moet rillend toch weer in slaap zijn gevallen want het volgende dat ik me herinnerde was dat mijn arm bont en blauw was op de plek waar ik zo hard had geknepen.

Toen ik mijn ouders vertelde wat er gebeurd was, reageerden ze fantastisch; ze kleineerden me niet en zeiden niet dat ik gedroomd had of, erger nog, loog. Ze zeiden alleen maar: 'O, schat, dat was Klaas Vaak', en deden hun best me gerust te stellen. Maar ik wist dat ik meer gezien had dan Klaas Vaak. Ik wist dat wat ik gezien had, echt was, en geen droom of een product van mijn verbeelding. Tot op de dag van vandaag geloof ik dat dit een van mijn eerste ervaringen was waarin ik geesten zag.

(Veel kinderen zijn bang in het donker of vertellen hun ouders dat ze monsters onder het bed gezien hebben. Er zijn veel psychologi-sche redenen waarom kinderen bang kunnen zijn, maar het is ook mogelijk dat ze de aanwezigheid van geesten voelen en niet begrijpen wat ze voelen. Het beste dat ouders kunnen doen, is hen kalm en be-heerst geruststellen. Als kinderen zeggen dat ze iets zien, neem dan niet aan dat ze iets alleen in hun verbeelding gezien hebben of dat ze iets verzinnen. Doe alsof het een gewone, natuurlijke gebeurtenis is. Bijvoorbeeld zoals een jonge vader die ik ken, die zijn zoon van drie in bad deed. Het was rond de feestdagen. Het kind keek in een fles met doorzichtige shampoo en zei: 'Er zit een man in de fles die ca-deautjes voor me heeft'. 'Hartstikke mooi, Mikey,' zei de vader, met de gedachten van het kind meegaand. 'Vraag hem wie hij is.' 'Hij zegt dat hij Grandpa Jake heet,' antwoordde Mikey. De vader viel bijna op de grond: Jake was namelijk de vader van zijn stiefvader, die lang voor Mikey's geboorte overleden was. De vader wist zeker dat Jake's naam nooit in het bijzijn van Mikey genoemd was. Daar kwam nog bij dat Mikey inderdaad cadeautjes zou krijgen, omdat ze de volgende dag het joodse feest Chanoeka vierden. Zich herstellend zei Mikey's vader: 'Nou, Grandpa Jake houdt beslist van je als hij je cadeautjes geeft!' Daarna ging hij verder met het baden van zijn zoon.)

Eigenlijk had ik altijd wel geloofd dat er engelen en geesten be-stonden. Op zomerkamp ging ik elke zondag naar de kerk, waar ik de priester over engelen hoorde praten. Ik herinner me ook dat ik over de engel hoorde die de eerstgeboren zonen van de joden met Pasen beschermde. Zelfs als kind besefte ik al dat er meer was dan de mensen wilden erkennen. Diep van binnen wist ik altijd al dat je met geesten kon praten.

De voordelen van mediamiek zijn

Op school had ik niets aan mijn paranormale vermogens; ik kon bijvoorbeeld nooit antwoorden 'oppikken' bij een proefwerk. Maar al snel kwamen er allerlei mensen bij me voor advies. Op de middelbare school werd Becky mijn beste vriendin (en ze is nog steeds een van mijn beste vriendinnen). We hadden zo'n goede band dat we intuïtief wisten wanneer de ander zou opbellen. Ik denk dat de meesten van ons wel dergelijke ervaringen met jeugdvrienden gehad hebben. Dat geldt in elk geval voor de meeste vrouwen die ik ken!

Op een keer gingen Becky en ik met de bus naar een zangkoorwedstrijd. Ze had een tijdje naast haar vriendje John gezeten, maar kwam daarna bij mij zitten. Om de een of andere reden vertelde ik haar dat John 'ik hou van jou' op het raam van de bus zou schrijven. Een kwartiertje later ging Becky weer bij John zitten en zag wat hij daarnet geschreven had. '*Ich liebe dich*,' stond er op de beslagen ruit.

Ik was zeker niet de beste leerling ter wereld maar was wel erg goed in muziek en theater. Toen ik van de middelbare school kwam, ging ik naar Wayne State University, waar ik met gemiddeld hoge cijfers afstudeerde in de onderwijskunde. Tijdens mijn studie trouwde ik. Mijn man en ik verhuisden naar een huis met een stuk grond, waar we dieren konden houden: twee paarden, vijf katten en een hond. Ik werkte als vervanger op de plaatselijke middelbare school. Ik vond het leuk om les te geven, maar het was niet mijn ware hartstocht. Ik bleef het gevoel houden dat ik mediamieke vermogens had, maar dat ik die niet optimaal gebruikte omdat ik niet wist hoe dat moest.

Ondertussen kreeg ik steeds vaker intuïtieve ingevingen. Op een dag stal iemand de schoenen van een meisje in mijn klas. Er zaten zeker veertig kinderen in de klas, en ik had geen idee wie de schuldige was. Zonder na te denken riep ik de naam van een jongen. Hij ontkende in alle toonaarden, maar ik had nu eenmaal het gevoel dat hij de schoenen gestolen had. Ik liep op hem toe, keek hem indringend aan en zei: 'Geef die schoenen terug.' Hij stond op, pakte de schoenen (hij zat erop) en gaf ze aan me met de woorden: 'U hebt zeker ogen achter op uw hoofd'.

Op zeker moment kwam ik in contact met anderen die hun paranormale vermogens hadden ontwikkeld en geleerd te sturen. Met de nodige oefening slaagde ik er ook in naar de innerlijke boodschappen te luisteren die ik nu kon identificeren als berichten uit de wereld van de geesten. Ik leerde wat ik instinctief altijd al had geweten: dat mensen die gestorven waren nog altijd waakten over degenen die ze op aarde hadden liefgehad; en als ze de kans kregen, wilden deze geesten hun inzicht en liefdevolle zorgen graag overbrengen.

Eén bepaalde oefensessie herinner ik me nog heel duidelijk. Ik bevond me in een kamer met diverse anderen die dit werk al jaren deden. Ik zei: 'Er is hier iemand die... (een jongensnaam die ik me niet meer herinner) heet. Het is je vader en hij heeft een boodschap voor je.' Een man in de groep begon te huilen en zei: 'Dat is mijn vader! Ik wacht al twintig jaar op een boodschap van hem.' Ik kon hem een aantal details geven waarmee bevestigd werd dat de boodschap alleen van zijn vader afkomstig kon zijn.

In deze periode leerde ik vele van de technieken gebruiken die ik nu aan mensen zoals jij leer: hoe je je kunt concentreren, hoe je je voor indrukken en beelden van de andere zijde kunt openstellen, hoe je je tegen negatieve energie moet beschermen en je met licht en liefde moet omringen. Naarmate ik beter leerde ontvangen en interpreteren wat de geesten en mijn directe intuïtie me vertelden, groeide mijn vertrouwen dat ik mijn gave kon gebruiken om anderen te helpen.

'PROF' WORDEN EN ANDEREN ONDERWIJZEN

Iedereen heeft weer andere manieren om zijn intuïtie te gebruiken om 'af te stemmen'. (Ik zal het daarover nog vaak hebben als ik in deel twee mijn eigen methode beschrijf om toegang te krijgen tot je hogere zelf.) Ik krijg gewoonlijk letters uit het alfabet en namen van mensen door, zowel van levenden als overledenen. (Ik geloof dat het Sally Jesse Raphael was die me 'de alfabetsoepparagnost' noemde.) Niemand heeft me die techniek geleerd; het kwam gewoon vanzelf. Maar vanaf het allereerste moment heb ik mijn gave verder ontwikkeld. Ik heb altijd geweten dat ik heel specifieke informatie wilde doorgeven. Heel veel mensen denken dat paragnostische sessies onzin zijn omdat de doorgegeven informatie erg algemeen is. En ik ben er helaas van overtuigd dat er zogenaamde paragnosten zijn die readings geven die uitsluitend op het betere giswerk gebaseerd zijn. Maar ik wist van binnen dat de informatie die ik kreeg anders was. Ik kon mensen namen, data, plaatsen, relaties en geheimen geven die zij als enigen kenden en die ik onmogelijk had kunnen weten.

Ik wilde mijn gave zo volledig mogelijk ontwikkelen. Het werd een obsessie voor me om zoveel mogelijk van wie dan ook te leren. Ik bezocht diverse paragnosten om te zien hoe ze werkten. Ik belde voortdurend andere mediamiek begaafden met vragen op: 'Stel dat dit gebeurt? Stel dat dat gebeurt?' Ik putte er veel vertrouwen uit anderen te zien werken, vooral omdat ik vaak zorgvuldiger was dan zij! En hoe meer ik ervan overtuigd raakte dat ik het kon, des te sterker leek de communicatie van gene zijde te worden.

Toch kan ik je wel vertellen dat het nogal wat merkwaardige gevolgen kan hebben als je geesten kunt horen. Ik was bijvoorbeeld op een bepaald moment in mijn leven gescheiden. (Op de dag van mijn bruiloft was ik al gewaarschuwd dat mijn huwelijk geen succes zou worden, maar daarover vertel ik je later nog.) Op een avond had ik met een vriendin een afspraakje met twee mannen. Mijn vriendin wist dat ik een medium was en geloofde erin, maar toen haar vriendje hoorde wat ik deed, was hij erg sceptisch.

Tijdens het eten fluisterde ik tegen mijn vriendin: 'Vraag aan je vriend of hij een overleden grootmoeder heeft die Rose heet.' Dat was zo, zei ze ietwat verrast. Ik fluisterde tegen haar: 'Zeg tegen hem dat zijn grootmoeder Rose boos op hem is omdat zij haar hele leven kosjer heeft gegeten terwijl hij dat nu niet doet!' Die jongen sloeg opeens de schrik om het hart omdat ik dat helemaal niet kon weten. (Mijn vriendin en ik vonden zijn reactie zelfs hysterisch.)

Binnen enkele jaren begon ik beroepsmatig readings te geven. Dat was een grote stap voor me, en ik bleef naar bevestiging zoeken dat ik de juiste weg had gekozen. In het eerste jaar gaf ik een reading aan een oudere vrouw die me vertelde: 'Ik heb al heel wat readings van verschillende mensen gehad. Een aantal jaren geleden had ik zelfs het geluk een reading te krijgen van Edgar Cayne, een van de bekendste mediums van Amerika, en jouw reading was vergelijkbaar met de zijne. Ik ben diep onder de indruk.' Het was voor mij een hele opsteker dat een cliënt van Edgar Cayne mij zo'n groot compliment gaf. Dit leek ook de boodschap te zijn waarnaar ik op zoek was en die bevestigde dat ik mijn loopbaan als medium moest voortzetten.

Door referenties en mond-tot-mond-reclame werd mijn lijst particuliere cliënten steeds langer. Op zeker moment kreeg ik een uitnodiging van de lokale radiozender WWJ om aan een live-uitzending mee te doen. De man die me interviewde was volkomen verbijsterd over de precisie van mijn readings. Andere radio- en tv-programma's in Michigan begonnen me ook te vragen om aan uitzendingen mee te werken, waardoor mijn cliëntenlijst nog langer werd, maar ik had nu eenmaal het gevoel dat het mijn missie op aarde was om zoveel mogelijk mensen te bereiken met de boodschap dat we niet sterven, dat onze dierbaren vanaf de andere zijde met ons willen praten en dat we allemaal een intuïtief talent hebben dat ons helpt contact te krijgen met een bron van wijsheid die groter is dan wijzelf. Daarom stelde ik mezelf de vraag: 'Waar kan ik de meeste mensen bereiken?' Het antwoord kwam uit het niets: Los Angeles!

Ik was al enkele malen te gast geweest in een tv-ontbijtshow in Detroit, en daarom vroeg ik een van de producenten: 'Is er ook een ontbijtshow in Los Angeles?' 'Natuurlijk,' zei hij, 'dat is AM Los Angeles, een van de best bekeken lokale programma's van het land.'

Thuisgekomen belde ik Inlichtingen in Los Angeles. 'Kan ik het nummer krijgen van AM Los Angeles?' vroeg ik de telefonist.

'Ik denk dat u KABC bedoelt, want dat is de omroep die dat programma produceert,' antwoordde de telefonist. Ik vertel dit om te laten zien hoe naïef ik was; zelfs de telefonist in Los Angeles wist meer over de show dan ikzelf!

Ik belde KABC en vroeg de producent van het programma te spreken. Hij vertelde me later dat hij nooit telefoontjes aanneemt van mensen die hij niet kent, maar dat hij het gevoel had dat hij mij wel te woord moest staan. Ik zei: 'Ik zal u maar heel even lastigvallen. Ik ben medium en ben bij *Kelly and Company* in Detroit geweest. Ik wil graag in AM *Los Angeles* te gast zijn.' Hij vroeg me een reading te geven voor zijn collega-producente, die versteld stond over de bijzonderheden die ik haar kon geven. Ze zei: 'Wanneer kunt u naar Los Angeles vliegen om in het programma te komen?'

Enkele weken later was ik, een eenvoudig meisje uit het Midwesten, voor het eerst in Los Angeles, waar ik in het Beverly Wilshire Hotel logeerde (op kosten van de omroep) en per limousine naar een van de best bekeken lokale praatprogramma's van Amerika werd gebracht! Ik was erg nerveus. Iemand had tegen me gezegd: 'Als Regis Philbin (de medepresentator van de show) je aardig vindt, dan wordt het een succes. Zo niet, dan wordt het niks met je.' Ik was weliswaar nerveus, maar toch vol zelfvertrouwen. Ik wist zeker dat als ik eenmaal in de show was, ik zeker een reading zou kunnen houden, en dat was ook zo. Regis vond me aardig en dat eerste optreden kreeg vele vervolgen in AM *Los Angeles* en vanaf dat moment in talkshows over de hele wereld.

Dit succes was geheel te danken aan mijn geloof in mijn gaven en mijn missie. Ik wist niets van de amusementswereld, alleen dat het belangrijk voor me was om anderen te laten weten wat ik wist over intuïtie en onze aangeboren mediamieke vermogens. Ik wilde het medium zijn dat mensen hielp begrijpen dat hun overleden dierbaren nog altijd geestelijk verder leefden en vanaf gene zijde over hen waakten.

'Ik ben geen goeroe!'
Anderen leren hun intuïtie te gebruiken

Ik bleef doorgaan met het geven van readings, waarbij ik merkte dat sommige cliënten erg afhankelijk van me werden. Zelfs voor de geringste beslissingen belden ze me om advies. Dat was beslist niet de bedoeling. Ik geloof dat we allemaal ons eigen lot creëren en dat we voor onze eigen keuzen verantwoordelijk moeten zijn. Ik was zeker niet van plan iemands 'goeroe' te worden. Je hebt zelf je leven in handen, niet een medium, geest of je dierbaren aan gene zijde. Het is aan jou om je leven zo in te richten als jij het wilt.

Ik had mensen altijd verteld dat ze me niet meer dan tweemaal per jaar konden bellen voor readings. Als ze op andere tijdstippen advies wilden, dan moesten ze in hun eigen hart kijken, of waar ze hun eigen innerlijke wijsheid dachten te vinden. 'Luister naar je intuïtie,' zei ik dan tegen hen. 'Die is zelfs nog veel accurater dan ik. Je zult tot de ontdekking komen dat je eigen instincten meestal juist zijn.'

Gelukkig luisterden mijn cliënten naar me en begonnen ze hun eigen intuïtie te gebruiken om een richtlijn voor hun eigen leven te vinden. Dat gold bijvoorbeeld voor mijn goede vriend Gary Hughes. Toen ik Gary twintig jaar geleden ontmoette, was hij constructeur van zwembaden en had hij last van 'een combinatie van een midlifecrisis en een overmaat aan zelfmedelijden', zoals hij het nu omschrijft. Ik zei tegen hem dat hij ander werk zou vinden, zou verhuizen en meer geld dan ooit tevoren zou verdienen, waarbij hij door het hele land zou reizen. Ik voelde ook dat hij heel intuïtief was ingesteld en raadde hem aan zijn eigen gave te ontwikkelen. In de jaren daarop verhuisde Gary van Los Angeles naar Sedona in Arizona, stapte hij uit de zwembadenbusiness en werd hij vennoot bij een timeshare-firma. Na veel ups en downs en voortdurend reizen verkocht hij de zaak voor 34 miljoen dollar aan investeerders in New York en San Francisco.

Als Gary nu een belangrijke beslissing neemt, luistert hij zowel naar zijn intuïtie als zijn verstand. 'Char heeft me geleerd dat we deze kennis allemaal bezitten, maar dat we erop getraind zijn die te negeren,' zei hij onlangs. 'We beginnen ermee alleen de logica te gebruiken, waardoor eenvoudige dingen ingewikkeld worden. Als ik nu een overeenkomst moet sluiten, luister ik eerst naar mijn intuïtie en laat dan pas de rede toe. Als mijn gevoel zegt dat ik het niet moet doen, let ik daarop. En tot nu toe ben ik zeer succesvol daarin geweest.'

Het behoort tot mijn missie hier op aarde anderen te leren hoe ze hun intuïtie kunnen ontwikkelen en gebruiken. Iedereen is paranormaal begaafd; iedereen heeft intuïtie. Het is ons door God gegeven, natuurlijke zesde zintuig, dat ons leven evenzeer of zelfs nog meer kan verrijken dan de andere vijf zintuigen bij elkaar. Als je eenmaal leert je intuïtie te gebruiken, wordt het leven niet per se gemakkelijker – we moeten tenslotte allemaal onze lessen leren – maar het wordt wel wat minder chaotisch en zeker veel leuker.

Ik heb dit boek geschreven om je te helpen met het ontwikkelen van je eigen intuïtieve gave. Ik hoop dat je het onbevangen en nieuwsgierig leest en de oefeningen in de volgende hoofdstukken wilt uitproberen. Wellicht ontdek je een nieuwe manier om tot een oplossing te komen als je een moeilijke beslissing moet nemen. Misschien zul je gevaren kunnen ontlopen door eerder naar je gevoel dan naar je verstand te luisteren. Misschien zul je leren te 'lezen' wat er met je partner of kind aan de hand is. Misschien kun je je sleutels gemakkelijker vinden! En misschien, heel misschien, ontdek je een nieuwe zekerheid in je eigen hart over de liefde die in jou en om je heen aanwezig is, die op je afstraalt vanuit geesten en gidsen die je niet kunt zien maar die heel veel om je geven. Ik geloof dat dat een van de mooiste, duurzaamste geschenken is die je intuïtie je te bieden heeft.

3
Paranormale o6-lijnen, of waarom ik 'de kans van mijn leven' liet lopen

Rond 1988, nog voor de opkomst van telefonische advieslijnen op paranormaal gebied, nam Bob Lorsch, die me bij AM *Los Angeles* had gezien, contact met me op. Bob was een van de eersten die ontdekte hoe je informatie en amusement kon brengen via door de beller betaalde telefoondiensten. Hij had al programma's gedaan voor diverse ondernemingen die zich op consumenten richtten en voor tv-omroepen en filmstudio's.

Bob zei tegen me: 'Char, ik heb begrepen dat je over bijzondere gaven beschikt en dat je voorspellingen verbazingwekkend accuraat zijn. Wat dacht je ervan een o6-lijn te beginnen waar mensen readings kunnen krijgen?'

Hij verzekerde me dat hij beslist een kwalitatief hoogstaand product zou leveren, maar ik weigerde. Ik was er niet in geïnteresseerd mijn naam te verbinden aan een netwerk waar mensen een hele ploeg mediums konden bellen om een reading te krijgen. Niet dat ik dacht dat er iets mis was met telefonische readings, maar ik wilde niet bij iets betrokken worden waar ik niet zelf met elke beller contact had.

Hoewel ik Bobs aanbod afwees (evenals vele andere aanbiedingen die ik in de loop der jaren voor een eigen o6-lijn kreeg), bleven we contact houden. Enkele jaren later belde Bob me weer en zei: 'Wist je dat je miljoenen had kunnen verdienen als je mijn aanbod had aangenomen?' Ik zei: 'Bob, dat kan me niet schelen. Geld is voor mij niet zo belangrijk. Ik heb er gewoon niet voor gekozen mijn gave op die manier te gebruiken.'

Ik heb bijzonder uitgesproken meningen over intuïtie. Ik denk dat het belangrijk is dat iedereen zijn eigen talenten ontwikkelt en niet afhankelijk wordt van een ander voor adviezen. En ik heb tegen paranormale o6-lijnen diverse bezwaren, die laten zien dat onze cultuur aan onjuiste inzichten over intuïtie lijdt.

1. Paranormale o6-lijnen leiden tot een mentaliteit van hebben en niet hebben: zij hebben intuïtie, jij niet.

'Bel ons als je behoefte hebt aan antwoorden!' 'Wij beschikken over de beste mediums!' 'Jemig, ze wist zo ontzettend veel over me...' In de Verenigde Staten hoor je geregeld dergelijke reclames voor paranormale *hotlines*. Maar jij en ik weten dat het daarbij alleen om geld te doen is. Ik denk niet dat er iets mis mee is om geld te vragen voor een reading, want een goede reading kan je waardevolle adviezen geven. Maar paranormale telefoonlijnen zijn opgezet om de mensen te laten geloven dat juist deze mediums de enigen zijn die je die adviezen kunnen geven. Daarom bellen mensen ze steeds weer en besteden ze er een hoop geld aan.

Eerlijk gezegd word ik nogal boos over die benadering. Ik geloof dat iedereen over intuïtie beschikt. We krijgen allemaal boodschappen uit het universum door. We hebben allemaal dierbaren aan gene zijde die met ons willen spreken, ons willen helpen en hun advies aanbieden (dat we al dan niet kunnen aannemen; zie verder hoofdstuk 6). Intuïtie is net zoiets als atletische vermogens. De meesten van ons kunnen lopen of rennen, maar als we niet regelmatig rennen, kan het moeilijk zijn dat lang vol te houden. Maar als we geregeld trainen en elke dag een eind rennen, worden we er steeds beter in. Zo gaat het ook met intuïtie. Hoe meer je die gebruikt, des te gemakkelijker kun je erop afstemmen.

Sommigen beschikken over grotere atletische vermogens dan anderen, zoals atleet Carl Lewis of basketballer Michael Jordan. Als ze getraind worden of zelf hun vaardigheden ontwikkelen, kunnen deze atleten superstersterren in de sport van hun keuze worden. Op dezelfde manier worden sommige mensen geboren met een groter vermogen om hun intuïtie aan te spreken. Maar ik geloof beslist dat iedereen er een zeker talent voor heeft, en door aandacht en oefening kan iedereen een goede mediamieke 'atleet' worden.

De media, sommige mediums en de bedrijven die van de commerciële telefoonlijnen profiteren, hebben mediamieke vermogens tot iets veel mysterieuzers gemaakt dan ze werkelijk zijn. Toen ik mijn intuïtie bewust leerde gebruiken, kreeg ik te horen dat ik een gave had. Ja, het is inderdaad een gave, op dezelfde manier als het een gave is als je goed kunt hardlopen, zingen of dansen. Het is een talent dat ik bestudeerd, ontwikkeld en geoefend heb. Ik zie het niet als iets vanzelfsprekends, maar ik weet dat het niet uniek is. Jij hebt het, je buurman of buurvrouw heeft het en zelfs de mensen die de telefonische hulplijnen bezitten hebben het. En iedereen kan leren zijn intuïtie te ontwikkelen.

Ik heb veel tijd besteed aan het verzamelen van verhalen over de manieren waarop mijn leerlingen en cliënten hun eigen mediamieke vermogens gebruikt hebben. Dit boek bevat diverse verslagen over mijn eigen readings, en ik hoop dat je eruit kunt opmaken wat er allemaal mogelijk is als we met de geesten spreken. Maar je zult ook een hoop verhalen lezen over mensen zoals jij, die hun intuïtie gebruiken om in contact te komen met overleden dierbaren, om gevaren en rampen te ontlopen, beter afgestemd te zijn op hun werk of in persoonlijke relaties, hun eigen gezondheid of die van anderen in de gaten te houden en nog veel meer.

2. Paranormale hulplijnen kunnen een afhankelijke relatie scheppen.

Op een keer liet ik een vrouw mijn kantoor bellen om een reading af te spreken. Toen ik haar op de afgesproken tijd terugbelde, was het eerste dat ze zei: 'Mijn man zou me vermoorden als hij wist dat ik met u sprak. Het afgelopen jaar heb ik 10.000 dollar besteed aan telefonische hulplijnen.' Ik stond perplex en vroeg. 'Waarom belt u me dan?' Ze antwoordde: 'Ik zag u op televisie en dacht dat u me wel kon helpen.'

Ik zei tegen haar: 'Ten eerste kan ik uw man niets kwalijk nemen. Ten tweede: als u werkelijk mijn hulp wilt, dan zal ik een reading voor u doen omdat ik zeker wil weten dat u accurate informatie krijgt.' Maar na de reading zei ik: 'Ik maak nu een aantekening in mijn computer dat u me niet meer mag bellen tot u een therapie hebt gevolgd om te leren uw eigen beslissingen te nemen. Als ik weet dat u niet langer van mij of een ander medium afhankelijk bent om keuzen in het leven te maken, dan zal ik erover denken weer een reading voor u te houden.'

Veel mensen zijn niet bereid hun eigen beslissingen te nemen; ze willen dat iemand anders dat voor hen doet. Dat geldt vooral voor mensen die in een uitzonderlijk kwetsbare positie verkeren, bijvoorbeeld omdat ze een dierbare verloren hebben, een slechte relatie hebben of grote problemen hebben gehad. Ze zijn op zoek naar antwoorden en hebben grote behoefte aan een schouder om op te leunen. Voor deze mensen zijn de telefonische hulplijnen een grote steunpilaar, waar ze vaak verslaafd aan raken, zoals alcoholisten aan drank verslaafd zijn.

Ik ben niet van plan barkeeper te spelen voor deze arme mensen. Ik geloof dat dit werk mensen moet helpen problemen te voorkomen en doelen te bereiken. Ik wil dat ze de waarheid onder ogen zien, niet dat ze zich ervoor verbergen. Een mediamieke reading kan een buitengewoon intieme ervaring zijn, waarbij we onze problemen als in een spiegel kunnen aanschouwen. Veel mensen ontkennen hun problemen en willen de waarheid niet onder ogen zien, en ze geven zo sterk aan hun angsten toe dat ze de hulp die ze nodig hebben niet krijgen. Als ik denk dat dat het geval is, vertel ik mijn cliënten dat ze me niet voor een reading mogen bellen totdat ze in therapie zijn gegaan, naar een arts zijn geweest of met mij besproken hebben hoe ze met een bepaald probleem omgaan.

Ik wil niet dat iemand afhankelijk wordt van de goede raad van een ander, ook niet van mij. Ik ben geïnteresseerd in mensen die hun leven in eigen hand nemen en hun intuïtie gebruiken om hun eigen lot te bepalen. En tenzij we onszelf genezen hebben, bijvoorbeeld door therapie of door zelf op te krabbelen uit een destructieve situatie, lopen we het risico te veel van anderen afhankelijk te worden.

Ik zeg niet dat je geen reading van een medium moet nemen. Maar een sessie bij een werkelijk goed medium moet hetzelfde zijn als een bezoek aan de dokter. Wanneer gaan de meeste mensen naar de dokter? Als er een verandering in hun fysieke gesteldheid is of voor een periodieke controle. Zo zou je ook een medium kunnen raadplegen als er een verandering in je leven plaatsvindt – een sterf-geval in de familie, een nieuwe baan of relatie – of als je wilt weten of alles in orde is. De dokter geeft je advies over je gezondheid, maar als je verstandig bent, vergelijk je dat advies toch met je eigen ideeën over je fysieke en psychische gezondheid, nietwaar? Op dezelfde manier zou je het advies dat het medium je geeft met je eigen intuïtie en enige gezonde scepsis moeten beoordelen.

Als je van mediums afhankelijk bent om je leven te kunnen leiden, dan is dat hetzelfde als een hypochonder die telkens als hij of zij een echte of ingebeelde klacht heeft, naar de dokter gaat. Gezonde mensen doen dat niet. Ze proberen gezond te blijven door goede voeding, lichaamsbeweging en vitaminen. Door hun gezonde verstand en hun intuïtie te gebruiken kunnen ze meestal redelijk goed bepalen wat hen mankeert. Hetzelfde geldt voor het richting geven aan je leven. Het is jouw eigen verantwoordelijkheid, niet die van je dokter, niet die van je therapeut, en zeker niet van je medium.

3. Als je een hulplijn belt, weet je niet wie er aan de andere kant van de lijn zit, welke opleiding diegene heeft en hoe accuraat diegene is.

Alle paranormale hulplijnen zeggen: 'We hebben de beste mediums!' en natuurlijk laten ze mensen zien die geweldige readings ontvangen. Maar jij weet helemaal niet wie er aan de andere kant zit als je belt. Je hebt geen idee of en hoe de ander is opgeleid. Dat weet je niet tot je een paar dollar per minuut hebt betaald voor iemand die enkele al dan niet gefundeerde gissingen over jou en je leven heeft gemaakt.

Toen de telefonische hulplijnen opkwamen, belde ik die wel eens om een reading van een medium te krijgen. De nauwkeurigheid ervan was ietwat wisselend, op zijn zachtst gezegd! Een vrouw vertelde me dat ik een loopbaan in de mode moest beginnen of kledingadviseuse moest worden. Tja, als je weet dat ik altijd aan mijn vriendinnen moest vragen met me te gaan winkelen omdat ik absoluut geen kleren kan uitkiezen, dan was die voorspelling niet bepaald een schot in de roos.

Jeannie, een van mijn cliënten en studenten, is een echte vrije geest. Enkele jaren geleden volgde ze mijn workshop en ontwikkelde bij haar vrienden al snel een reputatie als zeer accuraat medium. Op een avond kreeg ze zomaar een telefoontje van een vrouw die zei: 'Hallo, ik werk voor die-en-die; ik heb gehoord dat u readings geeft. Wilt u voor onze telefonische hulplijn werken?' Jeannie besloot er voor de grap op in te gaan.

Jeannie is goed in readings, dus ik weet dat de mensen die haar belden het erg getroffen hadden. Maar ik was geschokt (maar niet verrast) door haar opmerkingen over de manier waarop deze hulplijn werd gedreven. Ze zei dat alle mediums te horen kregen dat ze de mensen zo lang mogelijk aan de telefoon moesten zien te houden. Ze werd zelfs betaald op basis van de lengte van elk telefoontje. (Omdat Jeannie er niets voor voelde de mensen aan het lijntje te houden, ver- diende ze niet veel.) Ze ontdekte ook dat geen van de zogenaamde mediums ooit getest werd; van kwaliteitscontrole was geen sprake. Erger nog, het bedrijf gaf Jeannie een script waarin stond hoe ze vra- gen in het algemeen moest beantwoorden, hoe ze zo moest formule- ren dat de beller je het antwoord al gaf en hoe ze mensen moest over- halen zo lang mogelijk aan de lijn te blijven. 'Uiteraard volgde ik hun script nooit,' zei Jeannie lachend tegen me.

Het droevigste waren Jeannies verhalen over de mensen die bel- den. Er was een man die erg opgewonden leek, bij wie Jeannie voort- durend het woord 'ziekte' in haar hoofd hoorde. Opeens kreeg ze door: 'Deze man heeft aids.' Een vrouw belde op en zei: 'Ik kreeg een brief over een loterij in de post. Hoeveel geld ga ik winnen?' 'U wint helemaal niets!' zei Jeannie tegen haar. Daarna vroeg Jeannie of de jongste dochter van de vrouw gehandicapt was. Het bleef even stil, waarna de vrouw antwoordde: 'Ik heb al heel vaak gebeld, maar u bent de enige dat heeft opgepakt.'

Jeannie nam ten slotte ontslag toen ze met een man gesproken had van wie ze wist dat er iets ernstig mis met hem was. 'Ik kreeg steeds 'krankzinnig' door, maar ik kon er mijn vinger niet op leggen. Uiteindelijk viel het kwartje: hij was een paranoïde schizofreen die zijn medicijnen niet innam. Ik zei tegen hem: "U moet uw medicijnen innemen; ga direct naar de dokter." Ik legde de telefoon neer en zei tegen mijn vriendin: "Ik kan dit niet meer aan." Stel dat die man iemand te spreken had gekregen die hem zo lang mogelijk aan het lijntje wilde houden?'

Ik zeg niet dat de mensen die bij telefonische hulplijnen werken geen enkele gave hebben; sommige beschikken daar waarschijnlijk wel degelijk over. En ik geloof dat er mediums bij de hulplijnen werken die werkelijk nobele motieven hebben. Maar je moet je afvragen hoeveel mensen schade oplopen door onjuiste adviezen en hoeveel verwarde zielenpoten opbellen, hoewel ze helemaal geen geld hebben om de rekeningen te betalen. Het spijt me, maar het is gewoon een grote gok als je iemand van een hulplijn belt en dan verwacht dat ze je een accuraat advies over je leven geven.

Hoe vinden de meeste mensen een medium als ze een reading willen? Vaak gaat dat op aanbeveling van een vriend. Het grootste deel van mijn cliëntèle komt bij me omdat iemand die ze kenden een reading bij mij gehad heeft. Anderen hebben me op tv gezien of me op de radio gehoord. Ja, ook ik kom op tv en radio, maar ik volg geen script en ik raad nooit naar iets. Meestal zit ik in een live-interview, waarbij ik steeds weer absoluut accuraat moet zijn. Ik tref niet altijd precies de roos; niemand kan dat. Maar ik ben meestal heel accuraat als het om namen, relaties en voorvallen in het verleden gaat, en dan bereik ik een precisie die niets van doen heeft met veronderstellingen op basis van waarschijnlijkheden of het volgen van een script.

Een oude wijsheid luidt dat kwaliteit zich in de praktijk moet bewijzen; als je een medium raadpleegt, gaat het dus om de nauwkeurigheid van zijn of haar readings. Ik zal altijd achter mijn eigen readings blijven staan, maar ik kan geen garantie geven voor die van een ander. Dat is de reden dat ik nooit mijn eigen paranormale telefonische hulplijn zou opzetten, ook al zou ik ieder medium dat de telefoon zou beantwoorden persoonlijk screenen en opleiden.

4. Iemand van een telefonische hulplijn kan je informatie geven die van een lager, gevaarlijk niveau komt.

Ook als iemand mediamiek begaafd is, is het niet zeker dat informatie diegene vanaf het hoogste niveau bereikt. Ik kom hierover later nog uitgebreid te spreken, maar in het kort komt het hier op neer: in het universum, dus zowel hier als in de wereld der geesten, bestaat zowel goed als kwaad, en niet alle geesten opereren vanuit dezelfde hoge positie. Er zijn energieën en geesten die ons willen bedriegen, en zij kunnen de waarheid voor hun eigen doeleinden gebruiken. Een ouija-bord is een voorbeeld hiervan. Jongeren gebruiken vaak hulpmiddelen als ouija-borden om contact te krijgen met 'griezelige' zaken, maar helaas kunnen ze daarbij contact krijgen met zeer negatieve energieën. Het ouija-bord vertelt hun wellicht negen dingen op rij die waar zijn; de wijzer vormt namen en situaties en de antwoorden blijken steeds weer absoluut correct te zijn. Maar de tiende keer zegt de wijzer: 'Breek in op school en maak een puinhoop van het scheikundelab', of 'vermoord de kat van de buren', of 'snijd de banden van de auto van je leraar door'. Niet lachen, zulke dingen gebeuren. Naar mijn mening kunnen spiritistische hulpmiddelen als Ouija-borden voor jongeren even gevaarlijk zijn als drugs.

Het gaat me hierom: iemand kan best accurate informatie krijgen en je toch slecht advies geven, omdat ze op een lager energieniveau afstemmen. Hoe kun je jezelf beschermen? Gebruik ten eerste altijd, maar dan ook altijd je eigen intuïtie en gezonde verstand om het advies dat je krijgt te toetsen. Als het je niks lijkt, volg het dan in 's hemelsnaam niet op. Ten tweede: voordat je een reading krijgt, zeg je een gebed ter bescherming op en omring je jezelf met wit licht (in hoofdstuk 6 vertel ik je hoe je dat doen moet). En ten derde: zorg dat je degene kent die je de reading geeft. Je moet geen medisch advies aannemen van een dokter die je niet vertrouwt, en van iemand die je op straat tegenkomt, moet je geen financiële adviezen aannemen. Waarom zou je dan wel het advies moeten aannemen van een medium dat je niet kent en op geen enkele manier kunt controleren?

Om misverstanden te vermijden: ik ben er helemaal niet op tegen dat mensen mediums raadplegen! Ik ben er bijzonder trots op dat mensen naar mij toe komen en ik beschouw het als een privilege dat ik mijn cliënten kan laten communiceren met hun dierbaren, zodat mogelijke problemen voorkomen worden en ze duidelijkheid krijgen over de keuzen in hun leven. Ik denk dat de meeste mensen op een bepaald punt in hun leven baat kunnen hebben bij een reading. Ik ga zelf van tijd tot tijd naar andere mediums. Ik heb enkele vrienden die erg intuïtief zijn en vaak aanwijzingen doorkrijgen die bevestigen wat ik voel, me in een nieuwe richting leiden of me hoop geven dat iets binnenkort zal worden opgelost. Ik geloof dat we af en toe allemaal behoefte hebben aan een perspectief van buiten. Als we emotioneel betrokken zijn bij een situatie, is het vrijwel onmogelijk objectief te zijn. We zitten er te dicht op en raken bevangen door emoties, zodat we niet zien wat het universum ons te bieden heeft. We denken soms ook dat we aandacht geven aan onze intuïtie, terwijl we in werkelijkheid toegeven aan onze wensdromen. Goede mediums kunnen je helpen je leven beter af te stemmen of je een ander perspectief op de situatie geven. Ze kunnen je informatie bieden die niet door je eigen emoties, overtuigingen en zorgen besmet is.

Ik denk dat het goed is om naar een medium te gaan, maar niet om afhankelijk te zijn van een medium. Ik geloof dat je zelf enig onderzoek moet verrichten voordat je naar een medium gaat, zoals je ook zou doen bij andere beroepsgroepen. Probeer iemand te vinden met de nodige ervaring, die geloofwaardig is op grond van mondelinge aanbevelingen of persoonlijke ervaring. Als je iemand op tv ziet of op de radio hoort die geloofwaardig en accuraat klinkt, bel die dan op. Vraag om referenties; een goed medium zal je graag contact laten opnemen met zijn of haar cliënten (met hun toestemming uiteraard). Als je na het checken van de referenties vertrouwen hebt in de professionaliteit van het medium, maak dan een afspraak voor een reading.

Wat is een goede reading?

Als je nog nooit een reading bij een goed medium hebt gehad, dan is het goed te weten wat je kunt verwachten. De beschrijving die ik geef is gebaseerd op de manier waarop ik readings geef, maar de principes zijn hetzelfde bij elk authentiek medium. Een reading bij een medium is een zeer vertrouwelijke, intieme ervaring. Ik geloof dat het een voorrecht is om als intermediair te fungeren in gesprekken tussen mijn cliënten en hun overleden dierbaren. Als iemand vertrouwen heeft in je woorden en bereid is de adviezen op te volgen die jij doorgeeft, dan is dat een enorme verantwoordelijkheid. Daarom ben ik erg terughoudend in readings voor mensen zonder dat ze toestemming hebben gegeven. Hoewel ik het geluk heb in bijna alle omstandigheden een reading te kunnen geven, (variërend van talloze radio- en tv-programma's tot op straat in New York en in een stoeltjeslift in het ski-oord Aspen) vraag ik gewoonlijk: 'Is het akkoord dat ik dit doe?' Zelfs als ik in een publieke omgeving een reading geef, zoals een tv-studio, en dan gevoelige informatie doorkrijg, dan zal ik tegen iemand zeggen me later te bellen of na afloop met me te praten. Ik zie er niets in om mensen in verlegenheid te brengen; ik wil slechts een zo duidelijk mogelijke boodschapper zijn.

In readings heb ik vaak te maken met fundamentele kwesties in het leven van cliënten. Ik krijg soms informatie over lang verborgen gebleven familiegeheimen en -trauma's. Cliënten kunnen dingen over zichzelf horen die ze werkelijk niet willen weten. De reading kan een spiegel zijn waarin cliënten hun problemen zien, evenals antwoorden op hun vragen, en dat kan soms pijnlijk worden. Ik zal altijd toestemming vragen om openhartig tegenover iemand te zijn, maar als ik die toestemming eenmaal heb gekregen, dan houd ik me niet in. Het gaat in dit werk tenslotte om het onder ogen zien en begrijpen van de waarheid. In de waarheid vinden we vrijheid. Daarom hebben psychotherapeuten wel tegen me gezegd: 'Een reading bij jou kan de tijd dat iemand therapie nodig heeft met zes maanden bekorten, omdat je de vinger op het psychologische probleem kunt leggen en laat zien waar het vandaan komt en wat er aan te doen is, voordat wij het naar boven kunnen brengen.'

Ik probeer altijd medeleven te tonen en begripvol te zijn, maar tegelijkertijd ben ik eerlijk. Ik breng de boodschappen op een positieve manier. En ik geef werkelijk om iedereen voor wie ik lees. Dat kan betekenen dat ik iets zo voorzichtig mogelijk probeer te verwoorden. Als iemands overleden grootmoeder me vertelt dat de moeder van de cliënt gezondheidsproblemen heeft, dan zal ik dat zo proberen te zeggen dat de cliënt dat zal begrijpen en accepteren. Als ik problemen met werk of geld zie aankomen, dan zeg ik bijvoorbeeld tegen cliënten dat ze zich op een moeilijke tijd moeten voorbereiden. Maar soms moet je bot zijn om de boodschap over te brengen. Als ik zie dat een cliënt over enkele jaren longkanker zal krijgen, dan zal ik mijn uiterste best doen hem van het roken af te brengen. Als iemand al lange tijd mishandeld wordt binnen een relatie, dan zeg ik botweg: 'Je moet weg bij die vent!' En als iemands gedrag van geen kanten deugt en kwetsend voor anderen is, dan zal ik dat beslist laten weten. Ik ben niet hier om vrienden te maken of mensen te beïnvloeden. Ik ben hier om ons allemaal te helpen ons grootste goed te ontdekken. En aangezien mijn cliënten me slechts een- of tweemaal per jaar mogen bellen, is het mijn verantwoordelijkheid om eerlijk tegen hen te zijn, wat feitelijk een luxe is.

Ik hoorde ooit een verhaal over een ander medium. Tijdens een televisieprogramma staken mensen in het publiek hun handen op om een reading te krijgen. Er stond een vrouw op, die zei: 'Ik heb geen idee waar mijn zoon is. Ik heb al vijf jaar niets van hem gehoord. Hij had weliswaar problemen, maar het laatste dat we hoorden was dat hij weer aan het opkrabbelen was. We zijn helemaal radeloos.' Ze huilde, evenals haar man die naast haar zat. Waarop het medium zei: 'Dood. Volgende!'

Zo ongelooflijk bot zou ik nooit zijn. En laat ik het nu maar meteen zeggen: als ik ooit niet invoelend en betrokken genoeg ben bij een reading, dan spijt me dat. Besef alsjeblieft dat ik oprecht probeer iedereen te helpen. Het bovenstaande verhaal brengt me trouwens op een ander punt over een reading: als cliënt moet je beslissen of het medium een duidelijk kanaal is of dat zijn ego hem in de weg zit. Dat is een enorme valkuil bij dit werk, zeker als je er goed in bent. Mensen hebben de neiging je te behandelen alsof je elk moment van de dag een directe verbinding met de complete, universele wijsheid hebt. Ik zal er niet omheen draaien: het ego zal die verbinding sneller laten dichtslibben dan je je kunt voorstellen.

Zodra je je mediamieke gaven begint te gebruiken om je ego te vergroten of macht over anderen uit te oefenen, veroorzaakt die ego-energie een onbalans, waardoor je geen zuivere boodschapper van de waarheid meer kunt zijn. Het ego trekt ook lagere geesten en geesten die het niet goed met ons voorhebben aan, en kan ons daar blind voor maken. Als je dus het gevoel hebt dat een medium bezig is met een machtsspel, lóóp dan niet naar de buitendeur, maar rén ernaartoe. Je hebt helemaal niets aan een reading die uit iemands ego afkomstig is.

De etiquette voor en tegenover mediums

Zoals ik al zei, zal ik altijd toestemming vragen voordat ik voor iemand een reading doe. Helaas betrachten sommige mensen niet dezelfde terughoudendheid tegenover mediums. Als iemand hoort dat ik een medium ben, vragen ze me vaak om een onmiddellijke reading ter plaatse. Een reading kan voor mij heel uitputtend zijn; meestal doe ik er niet meer dan drie per dag, en dan liefst 's ochtends, zodat ik de rest van de dag rustig aan kan doen. Maar ik vind het heel moeilijk te weigeren als iemand om een reading vraagt. Het is al zover gekomen dat ik niet meer naar sommige feestjes ga omdat ik weet dat ik daar de hoofdattractie ben.

Ik houd van mijn werk, maar ik geloof ook dat mensen elkaars privacy en grenzen moeten respecteren. Kortgeleden had ik een jonge rabbijn en zijn vrouw te eten, en het gesprek kwam op dit onderwerp. Bij sommige beroepen nemen mensen altijd aan dat je dat beroep op elk moment van de dag uitoefent. Het komt niet bij hen op dat de arts, advocaat of medium tijdens een willekeurig gesprekje liever niet over je problemen hoort; ze willen gewoon eten, wandelen of met vrienden uitgaan. Dus mocht je mij of welke andere hulpverlener ook ontmoeten, houd daar dan rekening mee. Beschouw ons in de eerste plaats als mensen en vraag niet direct om advies. Respecteer onze privacy zoals wij ons best doen de jouwe te respecteren.

Het stellen van grenzen is essentieel voor iedereen die zijn intuïtie wil ontwikkelen. Ik zeg tegen al mijn studenten: 'Jij bent degene die besluit wanneer, waar en hoe je informatie aan anderen geeft. Als iemand je om een reading vraagt, kun je dat beleefd weigeren, tenzij je werkelijk de noodzaak voelt voor hen een reading te houden.' Zo nu en dan krijg ik een boodschap van een bijzonder vasthoudende ziel die zijn mond niet wil houden tot ik de boodschap doorgeef. Maar zelfs in die gevallen vraag ik altijd toestemming voordat ik de informatie overbreng.

Het omgekeerde van de mensen die me op straat om een reading vragen zijn degenen die geloven dat ik hun diepste gedachten kan lezen zodra ik de kamer binnenkom. Ze worden bang en geremd in mijn bijzijn omdat ze denken dat ik hun gedachten lees en hun diepste, duisterste geheimen ken. Ze verwachten dat ik alles over hun verleden, heden en toekomst weet. Sjonge! Ten eerste ben ik wel goed, maar zo goed ook weer niet; ik zou dat trouwens ook helemaal niet willen! Ten tweede denk ik dat als mensen een dergelijke reactie vertonen, ze naar binnen kijken en de waarheid over zichzelf zien. Als ze de waarheid niet onder ogen kunnen zien of iets verbergen, worden ze bang, terwijl ik helemaal niets doe! De meeste mediums die ik ken kunnen bepaalde gevoelens en indrukken oppikken, maar we moeten ons gewoonlijk goed concentreren om dieper te kijken. Als we elkaar dus op een feestje tegenkomen, ontspan je dan. Je geheimen zijn veilig.

Weet je nog dat ik al zei dat een reading een vertrouwelijke ervaring is? Ik heb gemerkt dat sommige cliënten na een reading ietwat van hun stuk gebracht zijn, vooral als er zeer vertrouwelijke informatie aan het licht is gekomen. (En geloof me, dat gebeurt. Ik heb readings gehad waarbij de geesten me vertelden dat een man een relatie met een andere man had die hij voor zijn vrouw verborgen hield. Ik heb informatie over geheime zwangerschappen of abortussen gekregen... ziektes als kanker of aids... financiële problemen... allerlei zeer intieme details. Het universum heeft de kennis, zelfs al ontbreekt die aan deze zijde volledig.) Ik denk dat het lijkt op de situatie dat je je therapeut buiten zijn praktijk tegenkomt; sommigen denken dan: 'O jee, die weet alles over me!'

Afgezien van het feit dat ik nooit de privacy van een cliënt zal schenden, herinner ik me eerlijk gezegd slechts zelden de details van een reading. Ik ben in feite een soort telefoonlijn die mensen met hun dierbaren, geleidegeesten en de universele bron van wijsheid verbindt. De informatie komt niet van mij af, maar komt via mij. De telefoonlijn heeft geen geheugen, en dat geldt eigenlijk ook voor mij. Het zijn mijn zaken niet. Ik ontvang de informatie, interpreteer die en vergeet die weer. Je zult daarom zien dat veel verhalen in dit boek niet door mij maar door mijn cliënten verteld worden; ik kan me de details ervan echt niet meer herinneren!

Nu weet je iets meer over mijn verleden en waarom ik dit werk doe. In het volgende deel van dit boek wil ik het over de belangrijkste aspecten van mijn werk hebben en proberen enkele antwoorden te geven op vragen die de mensheid al duizenden jaren verbazen. Waar komen intuïtieve boodschappen vandaan? Wat gebeurt er als we sterven? Hoe kunnen geesten de barrière van de dood doorbreken om met mensen aan deze zijde te spreken? En hoe kunnen we deze boodschappen duiden om zeker te weten dat ze ons helpen bij het leiden van een leven dat in harmonie met ons diepste zelf is?

Deel 1

MENSEN WILLEN DOLGRAAG MET JE PRATEN!

Wat is de meest fundamentele angst van de meesten van ons? Dat is niet zomaar de angst voor de dood, maar voor de dood als vergetelheid, dood zijn zonder dat er iets op volgt. We zijn bang dat we onze dierbaren voor altijd verliezen als ze sterven. En we zijn vooral bang dat wij zelf zullen verdwijnen als het moment daar is.

Laat mij je vertellen dat de dood niet het einde is. Bijna altijd als ik voor iemand een reading houd, kan ik de aanwezigheid van geesten rondom hen voelen. Deze geesten zijn meestal de zielen van dierbaren die niet langer op deze aarde leven maar nog altijd bestaan en op een ander niveau liefhebben. De ontroerendste bedankjes krijg ik van mensen die uiteindelijk toch in het leven na de dood zijn gaan geloven omdat ze nu de aanwezigheid van hun dierbaren aan gene zijde voelen.

Wat alles overleeft, zelfs de dood zelf, is de liefde. Mijn vader schreef in een gebedenboek dat hij me cadeau gaf: 'God is liefde, liefde is God. We houden van je, pa en ma.' Liefde is de krachtigste energie in het universum. En als we sterven, dan is de liefdesenergie de brug die ons allemaal verbindt.

Onze dierbaren willen dat we hun liefde blijven voelen en weten dat ze over ons waken, ongeacht hoe lang geleden ze al overleden zijn. Ik voel me bevoorrecht dat ik het verbindingskanaal voor hun boodschappen ben en ik wil dat iedereen die zich openstelt, die nieuwsgierig is en die ervoor gereed is, dezelfde kans krijgt om dat gevoel van verbondenheid en nabijheid te ervaren en er absoluut van overtuigd te zijn dat we niet doodgaan als het lichaam stopt met ademhalen. Daarom zeggen veel mensen tegen me: 'Ik wist het! Ik wist dat mijn oma (of vader of beste vriend) nog bij me was. Ik kon het voelen.' Het enige wat ik doe, is bevestigen wat ze al weten. Die zekerheid dat we verder leven is het geschenk dat onze dierbaren ons graag willen aanbieden, als we onze geest en hart maar voor hun aanwezigheid openstellen.

4
Wat overleeft de dood?

Filosofie, godsdienst en wetenschap proberen al eeuwenlang een antwoord te vinden op de vragen over leven en dood, en met wisselend succes. Wat gebeurt er als het lichaam sterft? Wat gebeurt er met het deel van jou dat we 'jij' noemen? Blijft dat bestaan, los van je lichamelijke omhulsel? En zo ja, waar en hoe? Hoe ziet het leven na de dood eruit, als dat al bestaat?

Ik heb altijd geweten dat er geesten om me heen leefden, maar als jong kind herkende ik ze niet als mensen die gestorven waren en nu in een andere gedaante verschenen. Maar toen ik elf was, stierf onze huishoudster. Omdat mijn ouders een meubelzaak hadden, hadden we altijd een huishoudster annex kinderverzorgster, die Ruby heette. Ze hielp mij grootbrengen. Hoewel ze zelf een dochter had, noemde ze mij haar 'andere kind'. In het jaar dat ik elf werd, werd Ruby ernstig ziek; ze had kanker en overleed.

Na haar dood begon ik een energie te voelen in ons souterrain, een aangename ruimte waar Ruby altijd de was voor het gezin had gedaan en had gestreken. Telkens als ik naar het souterrain ging, kreeg ik een vertrouwd gevoel, een energie die ik nog niet kende maar die erg dicht bij me leek te zijn. Ik voelde diezelfde energie ook in het hele huis als ik alleen was, vooral tijdens het uur of daaromtrent nadat onze nieuwe huishoudster vertrokken was en voordat mijn ouders thuiskwamen. Ik begreep hier niets van en was daarom bang voor deze energie. Jarenlang zei ik tegen mijn moeder dat ze bovenaan de trap van het souterrain moest blijven staan en tegen me moest blijven praten als ze me om een of andere reden naar beneden stuurde. Maar toen ik eenmaal begreep dat die merkwaardige energie die ik voelde Ruby's geest was, was ik lang niet meer zo bang.

Ik weet nu dat geesten van onze dierbaren voortdurend om ons heen zijn; ze waken over ons en controleren of alles goed met ons is. Ze proberen ons zoveel mogelijk te beschermen. Het is een verbazingwekkend gevoel om als doorgeefluik te kunnen functioneren voor berichten van de overleden dierbaren aan de levenden. En omdat het mijn gave is om zeer specifieke details te geven – om namen te horen, beelden te zien die alleen voor de geest en hun dierbaren betekenis hebben en om nuances in relaties te voelen die alleen de overledene zelf zou kennen – kan ik mensen helpen de twijfel die ze mogelijk hebben over een leven na de dood definitief van zich af te schudden. Het is absoluut zeker dat we voortbestaan, en dan niet als een verzameling onsamenhangende energiemoleculen, maar als de mensen die we hier zijn, als oma Martha, oom Frank, als vader, moeder of broer Charles of beste vriendin Deborah. Of ze nog hier zijn of aan gene zijde op ons wachten, we zullen onze dierbaren blijven kennen en liefhebben als we ons lichaam verlaten hebben.

JE EIGEN ENERGIE-DUIMAFDRUK

Volgens wetenschappers bestaat alles in het universum uit energie en wordt die energie nooit vernietigd, maar gaat die simpelweg in een andere vorm over. Ik geloof dat onze geesten ook uit energie bestaan, en dat elke geest zijn eigen patroon heeft, een energie-duimafdruk dus, die uniek is voor dat individu. Daarom kun je je vader van je moeder onderscheiden en al je kinderen van elkaar, zelfs bij eeneiige tweelingen. Hun energie-duimafdrukken zijn even verschillend als de afdrukken van hun vingers. Een studente van me beschrijft hoe ze afstemt op de verschillende energieën van haar kinderen. 'Vooral bij mijn twee jongste kinderen, dan word ik onrustig, en dan denk ik: een van hen voert iets in zijn schild. En omdat elk kind een andere vibratie heeft, weet ik wie het is en waar ze mee bezig zijn als ik erop afstem.'

Deze energie of levenskracht is ons spirituele lichaam, dat losstaat van ons fysieke lichaam en niet sterft als dat sterft, maar simpelweg in een andere dimensie op een ander niveau voortleeft. Als iemand overlijdt, zien we mogelijk de levenskracht van diegene niet omdat die zich niet langer in het fysieke omhulsel bevindt. Maar de levenskracht gaat ergens heen. Er zijn heel wat mensen die dit gezien hebben; veel verpleegkundigen zeggen dat ze een energie of een soort 'veld' gezien hebben dat het lichaam bij de dood verlaat. Deze levenskracht is niet zomaar een residu of een energie die van zijn lichaam beroofd is. Nee, die energie zijn wij zelf, coherente geesten met gedachten, een geheugen, emoties en liefde. We behouden onze identiteit in de wereld van de geesten. Je oma is nog altijd je oma, je kind blijft je kind en jij blijft ook jezelf, maar op een veel uitgestrektere schaal.

Omdat we zo vertrouwd zijn met de energie-duimafdruk van iemand, kunnen we soms die energie opvangen, ongeacht of het omhulsel er nog is. Kun je onderscheid maken tussen de energie van je echtgenoot en een ander? Kun je voelen welk kind de kamer binnengekomen is, ook al zie je hem of haar niet? Weet je soms al wie er aan de telefoon is, nog voor er een woord gesproken is? Als je ooit dergelijke ervaringen meegemaakt hebt, is het dan niet logisch dat je de specifieke energie kunt opvangen van iemand die als geest is teruggekeerd, omdat die geest eenvoudigweg precies is wat ze werkelijk zijn?

Een van mijn studenten heeft de afgelopen jaren zowel haar man als tienerzoon verloren, en zij zegt tegen me dat ze het verschil tussen hun geesten kan voelen. Velen van ons kunnen deze geestesenergie voelen, ook al kunnen we de precieze bron ervan niet identificeren. Heb je nooit aan de computer gezeten of bij het keukenaanrecht gestaan en iemand vlak bij je gevoeld, waarna je je omdraaide maar niemand zag? Heb je ooit iets in je ooghoek gezien dat er niet meer was toen je je ernaartoe draaide? Of misschien heb je een geliefd huisdier verloren en heb je nu steeds het gevoel dat dat dier in de kamer naast je is? (Ja, dieren hebben ook geesten en unieke energiepootafdrukken.) Of moet je zonder speciale reden opeens sterk aan je tante, grootmoeder of vader of moeder denken? Dan vang je waarschijnlijk de energie op van iemand die overgegaan is. Dit soort ervaringen komt heel vaak voor, vooral na de dood van een dierbare. Dit is de manier waarop onze dierbaren met ons communiceren en ons laten weten dat ze bij ons zijn en om ons geven.

Als ik voor iemand in een reading contact maak met de geesten om hem heen, dan is deze unieke energie-duimafdruk een van de manieren waarop ik weet met wie ik spreek. Als ik bijvoorbeeld een reading voor een cliënt geef waarbij diverse dierbaren binnenkomen, dan kan de cliënt zeggen: 'Ik wil graag iets van mijn broer horen', of 'er is nog iemand over wie je nog niet gesproken hebt'. Dan uit ik een gedachte: 'Oké, ik roep...' (degene van wie de cliënt wil horen). Tegen het eind van de reading voel ik dan een gedaante verschijnen, een nieuwe energie. En dan zeg ik: 'Wacht eens even. Was er een N? Is het Nathan? Is dat je broer?' Dan zegt de cliënt: 'Ja,' en dan zeg ik: 'Hij is niet op komen dagen; hij had het zeker druk.' Ik weet dan helemaal niet wie die broer van de cliënt is, maar ik voel wel degelijk dat er een nieuwe energie de kamer binnengekomen is. Die energie zal zichzelf met een naam en dikwijls met enkele details bekendmaken, en dan is de verbinding tussen de cliënt en de geest gelegd.

Het is van groot belang te begrijpen dat onze dierbaren onze gedachten en goede wensen voelen. Ik heb al heel vaak cliënten een naam doorgegeven waarbij ik zei: 'Is het je grootmoeder?' en dan zegt de cliënt: 'Ja, zeg tegen haar dat ik van haar houd.' Ik antwoord dan: 'Jij bent degene die het contact onderhoudt. Probeer de liefde voor je grootmoeder te voelen en denk: Ik houd van je. Dan zal ze het weten. Je hebt mij niet nodig om contact te leggen met iemand van wie je houdt.'

DE OVERGANG MAKEN

Het moment waarop iemand zijn lichaam verlaat is dikwijls bijzonder droevig voor allen die achterblijven. Gelukkig is het een heel andere ervaring voor de geest die de overgang maakt. Uit wat ik in de loop der jaren heb gezien en geleerd uit gesprekken met mensen die bijna-doodervaringen hebben gehad, heb ik geconcludeerd dat het tijdstip van de overgang juist een feest is, waarbij onze overleden dierbaren ons met open armen aan gene zijde opwachten.

Je hebt vast wel eens gehoord of gelezen over de verschillende elementen van de doodservaring die in vrijwel elke cultuur ter wereld wordt beschreven: het witte licht... een intens gevoel van rust en vreugde... de aanblik van vertrouwde gezichten die ons verwelkomen. Is er een betere manier om onze ziel te helpen bij de overgang dan door ons te omringen met degenen die we tijdens ons leven liefgehad hebben? Ik geloof dat dit een van onze aangenaamste verantwoordelijkheden als geesten is: om als brug tussen deze wereld en die aan gene zijde te dienen voor onze familie en vrienden.

We worden echter niet alleen omringd door onze eigen dierbaren. We kunnen ook andere wezens zien die veel voor ons betekenen en op wie we vertrouwen. Sommige mensen zien Jezus, Mohammed, de Boeddha of Mozes, anderen zien engelachtige gedaanten die uit licht bestaan. Weer anderen melden dat ze een gedaante zien die ze geen naam kunnen geven, maar die volgens hen de onvoorwaardelijke liefde is. Maar wie of wat we ook op het moment van de dood zien, het is duidelijk dat we dit allemaal zien om ons over de streep te helpen.

Als onze geesten eenmaal volledig de volgende wereld hebben betreden, dan volgt er een soort terugblik op het leven dat we zojuist voltooid hebben. Ik geloof niet dat het een soort Dag des Oordeels is, waarbij een grote, slechte God sommige zielen veroordeelt en anderen verheft. Ik ervaar God niet zo: de God die ik ken bestaat op het hoogste niveau van absolute goedheid, onvoorwaardelijke liefde en onbegrensde wijsheid. Ik geloof dat we, in plaats van door God geoordeeld te worden, onszelf moeten beoordelen in wat wij als Gods ogen zien, in overeenstemming met ons eigen geweten. We moeten rekenschap geven van het gebruik dat we van ons leven hebben gemaakt. Zijn we gegroeid, hebben we vooruitgang geboekt? Hebben we anderen gekwetst? Hebben we van onszelf onnodig slachtoffers gemaakt? Hebben we mensen geholpen? Hebben we mededogen getoond met anderen? Hebben we anderen liefgehad?

In een oogwenk wordt alles voor ons zichtbaar en zien we waarin we gegroeid zijn en waarin we mislukt zijn. Maar dit is geen oordeel om ons naar de hemel of de hel te sturen; dit laat zien hoe dit leven onze ziel heeft geholpen vooruit te komen. Weet je, ik geloof dat onze ziel zich voortdurend ontwikkelt tijdens vele levenscycli. Ons hele doel, de reden dat we geboren zijn en de reden dat we blijven bestaan, is om ons als zielen te ontwikkelen zodat we uiteindelijk deel kunnen uitmaken van het universele bewustzijn: de goedheid, liefde en wijsheid die God is.

Een groot deel van onze groei vindt plaats tijdens onze levens op aarde, maar we blijven ook groeien als geesten aan gene zijde. Dat is een van de redenen dat de geesten van onze dierbaren bij ons blijven. Ze willen ons niet alleen graag helpen omdat ze om ons geven, maar omdat het bij de missie van elke ziel hoort om anderen te helpen. En wie zou je beter kunnen helpen dan de mensen met wie je door de banden van de liefde al verbonden bent, en dat misschien al diverse levens lang? Vergeet niet dat je de coach bent van een heel team geesten. Je wordt beschermd en bemind door vele zorgzame wezens aan de andere kant van de scheidslijn die we dood noemen.

De wereld der geesten

Waar precies bevindt zich die andere wereld, die ook wel 'het astrale gebied', 'de spirituele dimensie', of 'gene zijde' genoemd wordt, naast tal van andere non-specifieke aanduidingen? (Het is werkelijk onmogelijk de dimensie te beschrijven waar onze geest na de dood heengaat. Het is een veel groter concept dan je met welke term dan ook zou kunnen omschrijven.) Itzhak Bentov, een groot medium die in de jaren zeventig onderzoek deed naar de 'mechanica van het bewustzijn', zoals hij het noemde, geloofde dat er een dimensie of werkelijkheid bestond die al het leven met elkaar verbindt, dus planten, dieren, mensen, geesten en elke materie- en energieatoom in het universum. Deze werkelijkheid, die hij het astrale niveau noemde, is altijd aanwezig, ook al kunnen we er niet altijd contact mee maken. Dit is het gebied waar onze geest heengaat als we sterven. Bentov geloofde dat we met dit astrale niveau contact maken als we slapen; hij dacht dat dit de manier was waarop de natuur ons erop voorbereidde na onze dood uitsluitend op het astrale niveau te functioneren.

Andere grote denkers hebben geopperd dat wanneer ons lichaam sterft, onze geest simpelweg naar een parallel universum verhuist, en dat er meerdere dimensies of universums bestaan voor geesten op een verschillend niveau van evolutie. In deze dimensies trekken soortgelijke energieën elkaar aan, zodat je bij de dood naar dezelfde soort energie gedreven wordt waarin je je tijdens je leven manifesteerde. Ik durf de stelling wel aan dat Hitler na zijn dood niet op dezelfde plek terechtkwam als Mahatma Gandhi!

De film *Ghost* bevatte enkele scènes waarin geesten de overgang naar gene zijde maakten en naar een soortgelijke energie gedreven werden. Patrick Swayze (de rechtschapen man) zag een wit licht en gouden gedaanten die hem wenkend verwelkomden. De kwaadaardige lieden zagen duistere schaduwen met klauwen die onder hees geschreeuw aan de doodsbange zielen trokken die ze kwamen ophalen. Simplistisch? Dat zeker. Fictie? Uiteraard, maar misschien toch met een kern van waarheid. (Ik ken zelfs iemand die in een bijna-doodervaring demonen heeft gezien. Ik denk dat ze daardoor zo bang werd dat ze in het leven terugkeerde; ze realiseerde zich blijkbaar dat ze nog veel werk op het aardse vlak te doen had!)

Misschien betekenen de woorden hemel en hel niet meer dan dat je de eeuwigheid in het gezelschap van soortgelijke geesten doorbrengt. Degenen die op een laag niveau geleefd hebben, geweigerd hebben zich te ontwikkelen en zich alleen gericht hebben op het veroorzaken van leed, komen allemaal bij elkaar terecht. Ze blijven elkaar hetzelfde aandoen en creëren zodoende hun eigen hel. Geesten die daarentegen vol liefde hun best hebben gedaan het hoogst en best mogelijke op deze planeet te bereiken, komen bij anderen die hetzelfde hebben gedaan, en dat kan inderdaad een hemelse toestand zijn! Wat je denkbeelden over de volgende wereld en hoe die functioneert ook zijn, er lijken twee principes aan het werk te zijn: 1) wat we hier doen, heeft ook na onze dood gevolgen voor ons en 2) we bevinden ons in een toestand van voortdurende groei en evolutie. Ik geloof dat alle dimensies, niveaus, realiteiten of hoe je ze ook noemen wilt, deel uitmaken van hetzelfde universele bewustzijn, dezelfde eeuwigdurende stroom van ontwaakte, bewuste energie. Waar we na dit leven ook terechtkomen, we zullen voortdurend mogelijkheden krijgen om te veranderen, om iets nogmaals te proberen en het dan beter te doen, omdat dat nu eenmaal de aard van het universum is. Het doel van elk levend wezen in elke dimensie is te groeien en zich te ontwikkelen tot er geen verschil meer is met de ultieme toestand van liefde, goedheid en wijsheid. In de 'hel' of de 'hemel' terechtkomen zijn slechts verschillende stadia van onze spirituele ontwikkeling.

Veel levens vol groei

Positief is dat we veel kansen krijgen om hier op aarde te groeien en ons te ontwikkelen, en dan niet in één leven, maar steeds weer. In elk leven bezitten we een unieke geest, de energie-duimafdruk waarover ik eerder sprak. Die individuele energievibratie zal doorgaan als we de spirituele wereld binnengaan; we zullen echtgenoot, moeder, vader, zoon, dochter of vriend blijven. Tegelijkertijd wordt alles wat we in het zojuist voltooide leven geleerd en ervaren hebben, aan het verleden van onze ziel toegevoegd. Dat verleden bestaat uit alle levens die we in de loop der tijden doorgemaakt hebben. Onze ziel is het boek, en elk leven is een nieuw hoofdstuk. Alle hoofdstukken behoren tot het boek, maar elk is een afzonderlijke eenheid binnen het grote geheel.

Ik geloof dat we op het niveau van de ziel de beslissingen nemen over wat we moeten doen om in een nieuwe, betere richting te groeien. In een heel vroeg leven ben je bijvoorbeeld een holenmens geweest die zijn vrouw gedood heeft en vervolgens is weggerend, waardoor zijn kinderen verhongerden. Als je sterft, dan registreert je geest dat je een behoorlijk slecht leven in je ziel hebt geleid. In de zestiende eeuw kom je terug als een non die haar leven aan haar zielenheil wijdt. De volgende keer ben je een boer in de negentiende eeuw met een gezin die ergens in North Dakota tegen de indianen vecht. We maken vele levens mee, als man en als vrouw van alle rassen en culturen. In elk leven proberen we onze ondeugden uit het verleden weg te werken en te blijven groeien in wijsheid, liefde en goedheid.

Af en toe herinneren we ons nog iets van onze ervaringen, die we dan van het ene in het andere leven meenemen. Meestal resteren er van onze vorige levens niet meer dan vage indrukken of dromen, of een bepaald gevoel dat je iemand die je nooit gezien hebt of een plek waar je nooit geweest bent al kent. Soms kunnen we zelfs meer vasthouden; misschien herinneren wonderkinderen op het gebied van muziek en wetenschap zich gewoon wat ze in vorige levens geleerd hebben. Maar onze vorige levens kunnen wel degelijk vorm geven aan ons huidige leven, bewust dan wel onbewust. Ik geloof dat verschillende seksuele voorkeuren met indrukken uit vorige levens te maken hebben: vrouwen die beïnvloed worden door alle levens waarin ze man geweest zijn en omgekeerd. Soms denk ik dat herinneringen uit een vorig leven als angsten of waarschuwingen naar boven komen. Sommige mensen hebben bijvoorbeeld angst voor water omdat ze in een vorig leven verdronken zijn. Anderen zijn weer buitengewoon rechtschapen en gaan nooit vreemd in hun huwelijk omdat ze in een vorig bestaan ontrouw waren en zichzelf en hun dierbaren heel veel verdriet bezorgd hebben.

Ik geloof ook dat we gedurende diverse levens verbonden blijven met andere zielen. Die holbewoner die zijn vrouw vermoord heeft kan bijvoorbeeld de volgende keer als de dochter van de geest van zijn vrouw terugkomen en door haar mishandeld worden om zijn karmische schuld te compenseren. Plezieriger is dat twee geliefden de volgende keer man en vrouw kunnen worden, daarna moeder en kind en de keer daarop elkaars beste vrienden. Als de liefdesband sterk genoeg is, kunnen geesten door tijd en ruimte heen telkens weer met elkaar verbonden blijven.

Na elk leven hier op aarde voegen we onze daden aan het verleden van onze ziel toe, totdat die naar een plaats geëvolueerd is waar we niet langer naar de aarde hoeven terug te keren. Ik geloof dat geleidegeesten en engelbewaarders wezens zijn die naar een hoger niveau geëvolueerd zijn en de taak gekregen hebben ons te helpen en te leiden. Mogelijk hebben ze een band met ons uit vorige levens; mogelijk zijn het zelfs mensen die we in dit leven gekend hebben. In mijn readings hebben diverse cliënten te horen gekregen dat hun overleden oudtante, grootvader of zelfs beste vriend nu hun engelbewaarder is die hen beschermt zodra dat nodig is. Het is een heel aangenaam gevoel als iemand die je al kent en liefhebt, je spirituele beschermer wordt.

Maar laat ik duidelijk zijn: geleidegeesten en engelbewaarders zijn niet hetzelfde als God. Sommige religies en mediums geloven dat we zulke wezens als onfeilbaar moeten beschouwen en zonder meer op hun adviezen moeten afgaan. Maar dat lijkt mij heel gevaarlijk. Er is slechts één hoogste niveau van goedheid, liefde en wijsheid, dat ver uitstijgt boven welke geest, engel of ander wezen dan ook dat we kunnen begrijpen. Geleidegeesten en engelbewaarders zijn geesten als wij; misschien zijn ze verder op het pad van hun eigen groei om volledig met God verenigd te worden, maar tot ze die toestand bereikt hebben, dienen ze als adviseurs en beschermers gezien te worden en mag je er nooit uitsluitend op vertrouwen. Wij zijn zelf verantwoordelijk voor onze daden in dit leven; we nemen onze eigen beslissingen en moeten met de gevolgen ervan leven, zowel hier als in het hiernamaals.

Dat gezegd zijnde, meen ik dat geleidegeesten en engelbewaarders er zijn om ons te helpen zoveel mogelijk van ons leven te maken. Ze doen dat door ons op bepaalde momenten te leiden en ons tegen negatieve energieën te beschermen. Net als een oudere broer of zus die ons de fijne kneepjes leert, ontwikkelen ze zich door ons te helpen hetzelfde te doen en waken ze over ons als we ons eigen pad aan Gods hand volgen.

Het is belangrijk dat we ons realiseren hoeveel liefdevolle bescherming ons allemaal omringt op onze reis door onze levens. We zijn beslist niet alleen. In momenten van diepste wanhoop en meest extatische blijdschap zijn onze dierbaren, geleidegeesten en engelbewaarders aanwezig om ons raad te geven en aan te moedigen. Ze willen dolgraag dat we ons ontwikkelen en de lessen van dit leven zo goed mogelijk in ons opnemen, zodat we allemaal kunnen samenkomen in het schitterende geheel van de universele liefde die God is.

Een van de dingen die geesten voor ons hier kunnen doen, is ons advies geven over de toekomst. Maar je moet daarbij enkele belangrijke punten in de gaten houden. Ten eerste hebben geesten persoonlijkheden en kan alles wat ze ons vertellen door hun opinies gekleurd zijn. (Ik kom hierover nog te spreken in hoofdstuk 6.) Ten tweede is niet alles voorbestemd; onze levensloop staat niet in steen gebeiteld. Een keuze van een bepaald persoon kan een enorme invloed hebben op het leven van anderen. Wat zou er gebeurd zijn als je moeder getrouwd zou zijn met een ander dan je vader? Stel dat je een andere baan had genomen, een niet gepland kind had gekregen of een andere route naar de supermarkt had genomen en onder een auto was gekomen? Net als bij dominostenen kun je een hele reeks gebeurtenissen op gang brengen. Ik geloof zeker dat we voorbestemd zijn om bepaalde dingen door te maken, omdat we moeten boeten voor onze daden (of het gebrek daaraan) in vorige levens. Maar veel meer zaken dan je zou denken zijn aan veranderingen onderhevig.

Ieder van ons krijgt de gelegenheid zich te ontwikkelen, mits we dat willen. We hebben altijd nog onze vrije wil. Ik hoop dat we allemaal ons eigen stukje hemel op aarde kunnen creëren door keuzen te maken waarmee we kunnen leven. Het gaat er maar om dat je elke ochtend in de spiegel kunt kijken en met jezelf kunt leven. Ik denk dat mensen die het moeilijk vinden hun eigen gebreken te erkennen, een hel voor zichzelf scheppen, zowel in hun leven als na hun dood. We moeten goed naar onszelf kijken zodat we duidelijk zien waar we gegroeid zijn, waar we bijdragen hebben geleverd en waar we gefaald hebben. Vroeg of laat worden we met de waarheid geconfronteerd, nu of als we sterven. Waarom zouden we het dan nu niet onder ogen zien, zodat we de hele periode dat we op aarde mogen zijn, kunnen blijven groeien?

Het belangrijkste dat de dood overleeft, is liefde. Daaruit bestaan we, daarmee communiceren we en daarin keren we uiteindelijk terug. De meeste geesten komen vanuit liefde naar ons toe om ons te laten weten dat ze nog om ons geven, soms om ons te waarschuwen dat we onze onvoltooide zaken moeten afhandelen en meestal om weer liefdevol contact te leggen. Liefde zal altijd onze levenslijn zijn; voor de geesten om ons heen, voor de mensen die nog op aarde zijn en voor de universele, onvoorwaardelijke liefde die God is.

5
Boodschappen van gene zijde

Enkele jaren geleden gaf ik een telefonische reading aan een aardige vrouw die ik Jennifer zal noemen. (De meeste cliënten van mij hebben er geen bezwaar tegen dat hun namen in dit boek worden gebruikt, maar enkelen, zoals 'Jennifer', hebben me gevraagd hun privacy te respecteren door hun naam te veranderen.) Jennifer had mijn naam van vrienden gekregen, maar zoals zo vaak wist ik niets over haar. Het was haar eerste reading met een medium.

De boodschappen die ze die dag ontving, heelden een enorm verdriet uit haar verleden. Ik begon met haar te vertellen dat ze drie kinderen had, maar ze zei dat ze er maar twee had. Ik bleef echter signalen van een derde kind ontvangen. Nadat ik de naam Harry had doorgekregen, haar verteld had dat het de geest van haar vader was en dat hij haar engelbewaarder was ('dat wist ik,' zei ze), kreeg ik een S door, van Sam. 'Dat is mijn grootvader,' zei Jennifer tegen me. 'Maar er is nog een S, een vrouw.' Jennifer begon te huilen. Die andere S was Samantha, het derde kind waarover ik sprak. Samantha was als baby overleden.

Ik zei: 'Het gaat goed met je dochter, ze is bij je vader. Ik zie haar, en ze houdt de eend vast.' Jennifers adem stokte. 'Ik had een speelgoeddier bij Samantha in de kist gelegd toen we haar begroeven, maar het was geen teddybeer of pop, zoals je zou denken, maar Jemima Puddlepuck van Beatrix Potter. Alleen ikzelf, mijn man, mijn zoon en de rabbijn wisten dat,' zei Jennifer.

'Het klinkt misschien wat hard, maar ik krijg door dat als Samantha toen niet gestorven was, het gebeurd zou zijn voordat ze volwassen was,' antwoordde ik. Door haar tranen heen zei Jennifer tegen me: 'Ik zei bijna precies hetzelfde tegen mijn man toen Samantha stierf.'

Later belde Jennifer me om me te bedanken. 'Die reading bij jou heeft me een enorme rust gebracht,' zei ze. 'Nu weet ik dat het goed gaat met Samantha, dat ze bij mijn vader is en dat mijn eigen intuïtie bij haar dood juist was; het heeft me heel veel goed gedaan. En je was zo accuraat. Je zei niet alleen: "Het gaat goed met je dochter, ze is bij je vader." Slechts drie mensen op de hele wereld weten van die eend af, maar jij zag het.'

De meeste godsdiensten leren ons dat de ziel voortleeft, maar zonder bewijs is het erg gemakkelijk aan deze leerstellingen te twijfelen. Als we weten dat onze vader of moeder, onze partner met wie we een gezin gesticht hebben, grootouders die we als bronnen van onvoorwaardelijke liefde hebben leren kennen, vrienden die door een ongeluk of ziekte zijn heengegaan en kinderen die ons veel te snel verlaten hebben, er nog zijn en ons liefhebben, ook al zien we ze niet, dan kan dat een geweldig helend effect hebben.

Daarom zijn de details bij een reading zo belangrijk, daarom vertellen of tonen de geesten me kleine dingen die alleen zij en hun dierbaren kunnen weten. Het is een soort bevestiging waardoor de meeste mensen hun twijfel of geloof inruilen voor de zekerheid dat de ziel inderdaad verder leeft als het lichaam sterft.

Ongeveer vijf jaar geleden heb ik met een groep mannen gewerkt die HIV-positief waren. Ze hadden allemaal geliefden en goede vrienden aan aids verloren. (Dit was nog voor de HIV-medicijnencocktails, dus de meesten van deze mannen waren wandelende tijdbommen.) Ik kreeg heel veel door over vrienden van hen die al gestorven waren, zoals: 'Die-en-die is bij je', of 'hij heeft je een foto gegeven die je nu in je badkamer hebt'. Die sessies waren heel intens, omdat ik ze niet alleen liet weten dat ook zij de dood van het lichaam zouden overleven, maar ook omdat ik hen geruststelde dat hun geliefden vlak bij hen waren en aan gene zijde op hen wachtten.

Gisteren nog hield ik een reading voor een vrouw tegen wie ik zei: 'Uw grootmoeder laat me een medaillon zien. Hebt u haar medaillon?' Ze antwoordde: 'Nee.' 'Tja, ze laat me een foto in een medaillon zien,' zei ik, waarop de vrouw antwoordde: 'O mijn god, ik heb mijn man om een medaillon voor mijn verjaardag gevraagd zodat ik een foto van mijn grootmoeder daarin kon doen, samen met een foto van de andere tante met wie u zojuist contact had!'

Toen mijn vader een paar jaar geleden in het ziekenhuis lag, deelde hij een kamer met een erg oude gepensioneerde advocaat. Op een dag lag mijn vader op te scheppen over 'mijn dochter die medium is' tegen de oude man en zijn vrouw die op bezoek was. Ze dachten beiden dat het een hoop flauwekul was. Toen ik de volgende dag bij mijn vader op bezoek ging, was de echtgenote van de oude man er weer. Na enkele momenten keek ik haar aan en vroeg: 'Wie was Gitala?' De vrouw zei: 'O jee, dat was mijn moeder.' Ik zei: 'Gitala is nu bij je en ze laat me haar handen zien. Ze zijn niet meer verminkt. Ze is gezond en wel aan gene zijde.' De vrouw begon te huilen. Ze zei: 'Mijn moeder had zware jicht en haar handen waren helemaal verminkt.' Door die details ging de vrouw radicaal anders over het leven na de dood denken.

Het zijn overigens niet alleen mensen die tijdens een reading doorkomen. Veel mensen hebben een intieme band met hun huisdier en zijn diep verdrietig als een geliefde kat of hond doodgaat. Welnu, ook die geesten blijven om ons heen bestaan. Onlangs kwam een vrouw naar me toe omdat ze kort geleden haar favoriete kat verloren had. Ik vertelde haar de naam van de kat en liet haar weten dat alles goed was met het beest. Dat was een geweldige opluchting voor die vrouw. Ik kield ook een reading voor een andere cliënte wier man enkele jaren geleden overleden was. Tijdens de reading van dat jaar zag ik een groot zwart 'ding' bij de geest van haar man. Ik vroeg: 'Kath, wat is dat?' Ze antwoordde: 'O, dat is Major, onze Deense dog. Ik heb hem laatst laten inslapen. Die hond was echt gek op mijn man, hij kroop altijd op Toms schoot.' 'Nou, hij is nu bij Tom en ze hebben het geweldig met elkaar,' vertelde ik haar.

Voor mensen die nooit een dier hebben verloren waar ze heel veel om gaven, kunnen deze readings onbenullig lijken, maar als iemand die zelf ook veel geliefde huisdieren heeft gehad, wil ik zelf ook altijd weten dat mijn geliefde viervoeters aan gene zijde gelukkig en gezond zijn.

Hoe weten we dat onze dierbaren werkelijk tegen ons spreken tijdens een reading? Hoe kunnen we weten dat zij het zijn, en niet algemene informatie die door de kosmos zweeft? Het gaat niet alleen om de details, om dingen die niemand behalve een partner, kind of ouder kan weten. Het gaat om de manier waarop de geesten communiceren. We houden onze persoonlijkheden nadat we overleden zijn, en daarom blijven we praten, voelen en reageren op een manier die onze dierbaren erg vertrouwd zal voorkomen.

Vaak ben ik in staat de taalpatronen, ritmes en uitdrukkingen op te vangen die een geest tijdens het leven op aarde gebruikte. Lange tijd voor zijn dood was de grote jazzmusicus Miles Davis een cliënt en vriend van me. We waren zelfs zulke goede vrienden dat toen hij naar het ziekenhuis moest voor de ziekte die hem fataal zou worden, hij me belde voordat hij de ambulance belde. Via Miles kwam ik in contact met Gordon Meltzer, die een aantal jaren Miles' manager was. Niet lang na de dood van Miles had ik in New York een etentje met Gordon en zijn vrouw. Halverwege de maaltijd zei ik tegen Gordon: 'Miles' geest is hier en hij heeft een boodschap voor je. Hij zegt: "Laat mijn trompet niet zo iel klinken."' Gordon heeft me verteld dat mijn stem op het moment dat ik dat zei zacht en schor klonk, zoals Miles altijd sprak toen hij nog leefde.

De boodschap zelf verbaasde Gordon hogelijk. Miles was overleden terwijl hij bezig was met opnamen voor een heel speciaal hiphopalbum, dat bedoeld was om zijn muziek toegankelijker voor jongeren te maken. Hij had een aantal tracks opgenomen met hiphop-geluidstechnici, die feitelijk alleen vertrouwd waren met elektronische muziek. En hoe goed de studiosessies ook waren, het resultaat was dat Miles' trompetspel erg schril en metaalachtig klonk op de band. Maar voordat ze de nummers opnieuw konden opnemen, was Miles overleden. Op de dag van ons etentje had Gordon besloten weer de studio in te gaan om te proberen het geluid van de trompet van Miles Davis wat warmer te maken. Alleen hij en enkele technici van de opnamestudio wisten van zijn plannen af. Gordon vertelde me later: 'Toen die boodschap van Miles doorkwam, deed het me erg veel om te horen dat het oké was om het geluid warmer te maken. Kijk, Miles was op vele manieren mijn mentor en gaf me de gelegenheid om platen te produceren. Ik miste hem. En Miles wilde echt dat dit album een succes werd. Hij zat 's zomers vaak in zijn appartement met de ramen open naar jongens op straat te luisteren die hiphop op hun ghettoblasters speelden. Miles wilde dat zijn stem door die jongens gehoord werd. En dat gebeurde ook; het album dat ik die avond "warmer" maakte won een Grammy Award.'

Sandra Messinger is ook enkele jaren cliënt van me geweest. Bij haar eerste reading was ze erg ontdaan omdat haar oma kort daarvoor was overleden. 'Mijn grootmoeder had een heel aparte manier van praten. Ik weet niet hoe je dat deed, maar je klonk precies zoals zij sprak,' zei ze tegen me. 'Je zei dat mijn grootmoeder wist dat ik veel aandacht aan de verzorging van een kat besteedde. Je zei dat ze op een humoristische manier gezegd had: "Toen ik iets wilde, deed jij dat niet, maar de kat; het verzorgen van die kat is heel belangrijk voor je." Dat was precies wat mijn grootmoeder zou zeggen. Ik had het gevoel dat zij het echt was die doorkwam en het gaf me het gevoel dat alles goed met haar was.'

Ik ben zeker niet de enige die de stempatronen van geesten kan opvangen. Een van mijn studenten krijgt vaak een vriendin op bezoek om spelletjes te doen. Toen ze op een avond zaten te scrabbelen zei mijn studente iets schijnbaar onschuldigs. Haar vriendin draaide zich naar haar toe en zei: 'Dat is precies wat mijn oma altijd zei. Op dat moment klonk en keek je precies zoals zij.' Mijn studente begon te lachen en zei: 'Dan zou ik er maar naar luisteren!'

Bij veel readings hebben mensen ook het besef van een ander soort energie, het gevoel dat hun dierbare vlak naast hen staat. Tijdens een reading vroeg ik aan mijn cliënt: 'Is er een Dora of Deborah?' Hij zei: 'Bijna. Mijn grootmoeder heette Doris. Ze overleed toen ik elf was.' Ik zei: 'Zij is degene die met me communiceert. Ze zei dat ze over je baby waakt en dat alles goed komt. Ze is de engelbewaarder van je baby.' De man vertelde me later dat deze reading om drie redenen veel voor hem betekende. Ten eerste was zijn vrouw op dat moment zwanger van hun eerste kind, en het was een grote geruststelling te weten dat er over de baby gewaakt werd. Ten tweede kwamen er heel sterke gevoelens bij hem op toen zijn grootmoeder doorkwam. 'Ik voelde overweldigende emoties jegens mijn grootmoeder– een gevoel van nabijheid, dat ik haar miste, bijna alsof ik wilde huilen – die me opeens overvielen. Ik heb dat daarvoor en daarna nooit meer zo gevoeld.' Ten derde sprak hij na onze reading met de enige nog levende zus van zijn grootmoeder. Het bleek dat de naam van zijn grootmoeder oorspronkelijk Dora was, en niet Doris, en haar Hebreeuwse naam was Deborah. 'Tot op dat moment beschouwde ik mezelf als een scepticus, maar zonder vooroordelen. Door deze ervaring werd ik een gelovige,' zegt hij.

Als we met dierbare overledenen spreken, bestaat de kans dat onuitgesproken waarheden naar buiten komen, en dikwijls ervaar ik dat het uiten daarvan erg bevrijdend is. In 1985 las ik voor een jongeman – laten we hem Robert noemen – die vlak daarvoor zijn beste vriend aan aids verloren had. Robert had deze man maandenlang bezocht, ook al heerste er toentertijd nog veel onbegrip over aids en hoe de ziekte werd overgebracht. Terwijl de vrienden en de familie van de man hem vrijwel in de steek gelaten hadden, bleef Robert tot het eind op bezoek komen. Robert wist van binnen dat hij verliefd was geworden op zijn stervende vriend. Maar, zo zei hij later, 'ik heb dat nooit aan iemand verteld; het was minder ingewikkeld het voor me te houden.'

Tijdens onze reading kreeg ik direct de voornaam van de vriend door en dat hij aan aids gestorven was. 'Zijn geest omringt je,' zei ik tegen Robert. 'Hij dacht dat hij verliefd op je was toen hij overleed.' Dat bericht veranderde Roberts leven radicaal. 'Tot op dat moment had ik het gevoel dat ik door God veroordeeld was en van mijn kans op liefde beroofd was,' schreef hij me na afloop. 'Ik was ontzettend bang voor de dood. Ik dacht dat ik alleen in het leven stond. Maar nu is alles anders. Nu ken ik de kracht van de liefde die in het universum aanwezig is.'

Heling door vergeving

Vergeving en heling zijn twee van de belangrijkste boodschappen die bij readings doorkomen. De dood maakt veel dingen duidelijk, want die laat ons zien hoe triviaal veel van ons gekibbel en onze zorgen zijn, en zorgt ervoor dat we ons op de liefde in de kern van onze relaties richten. Maar heel vaak hebben we last van een gevoel van onvolkomenheid als iemand overlijdt. We hebben nooit de kans gehad die breuk van jaren geleden te helen. We konden nooit de dingen zeggen die we wilden toen onze dierbaren nog leefden, en nu ze dood zijn is het al te gemakkelijk om te geloven dat we die kans nooit zullen hebben. Maar je kunt je liefde voor overledenen in een oogwenk doorgeven, namelijk door hen simpelweg in je herinnering op te roepen en de kracht van je gedachten te gebruiken om tegen hen te spreken. Onze dierbaren horen dat. Als we willen, zijn ze zo dichtbij als maar mogelijk is. En ze willen zelf ook heel graag (misschien zelfs nog wel liever) dat een breuk in de familie geheeld wordt.

Ik herinner me dat een van mijn studentes me kort nadat haar moeder was overleden voor een reading opbelde. De moeder kwam inderdaad door tijdens onze reading, maar zoals mijn studente zei, bepaald niet met een welkomstboodschap! 'Je hebt me gevraagd wie Helen was, en ik moest daar even over nadenken,' zei mijn studente. 'Toen herinnerde ik het me en ik zei: "Ja, ik ken een Helen, maar zo noemen we haar niet." Je kreeg toen haar bijnaam Holly door, en zei: "Ik heb een boodschap van je moeder. Ze wil dat je je wrok laat varen. Het is een afgesloten hoofdstuk." Tja, ik heb inderdaad twintig jaar lang wrok gekoesterd tegen mijn tante Holly. Maar mijn moeder was net overleden, en aangezien ze de moeite nam om terug te komen en me te vertellen dat ik het los moest laten, meende ik dat ik dat dan maar moest doen. Ik kreeg het tenslotte van de "hogere machten" door.'

Ik geloof dat vergeving heel belangrijk is. Eerlijk duurt het langst, zowel hier als aan gene zijde, en we moeten leren hoe we onze eigen fouten en gebreken en de waarheid over onszelf en anderen onder ogen kunnen zien. We moeten leren hoe we ons kunnen verontschuldigen en vergeven zodat we spiritueel geheeld kunnen worden. Het is natuurlijk beter dat zoveel mogelijk voor de dood af te handelen, want als we het hier niet doen, dan moeten we het in het hiernamaals doen!

Enkele jaren geleden kwam de film *Flatliners* uit. Dat was een film over een stel geneeskundestudenten die met elkaar wedijverden hoe lang ieder van hen klinisch 'dood' kon blijven voordat hij door de anderen weer bijgebracht werd. Als gevolg van hun verblijfjes aan 'gene zijde' werd elk van de studenten met mensen en situaties uit het verleden geconfronteerd. Een jongen had per ongeluk de dood van een vriendje veroorzaakt; een ander had deel uitgemaakt van een groep meiden die een meisje dat anders was dan zijzelf vreselijk hadden gepest, weer een ander was een versierder die elke vrouw die hij tegenkwam in bed probeerde te krijgen. Ze werden allemaal achtervolgd door de beelden van de mensen die ze tijdens hun leven gekwetst hadden.

Een vierde studente was getuige geweest van de zelfmoord van haar vader toen ze een jaar of acht was. Tijdens een van de meest dramatische momenten van de film had deze jonge vrouw een visioen waarin haar vader terugkwam en haar om vergeving vroeg. Ze zag dat zijn dood niet haar schuld was en kon hem vergeven, hem omhelzen en vertellen hoeveel ze van hem hield. Zowel vader als dochter werden op dat moment geheeld.

Soms kunnen films een kern van een fundamentele waarheid bevatten. In dit geval moest elk van de studenten in de film de fouten die ze tijdens hun leven hadden gemaakt goedmaken. Ze moesten om vergeving vragen en die moest hun geschonken worden, en zij moesten op hun beurt anderen vergeven. Helaas zijn we als mensen sterven niet altijd zover om anderen te vergeven en geheeld te worden. Het kan een jarenlange therapie vergen om te begrijpen waarom een vader zijn kind mishandelde, waarom een kind zijn eigen weg zocht in het leven en waarom een geliefde ons voor een ander in de steek liet. Het kan een tijd duren totdat we er emotioneel klaar voor zijn het verdriet los te laten. En dat is niet erg. Ik geloof dat heling altijd kan plaatsvinden als we er gereed voor zijn; onze dierbaren zijn altijd bereikbaar voor ons, of ze nu nog leven of overleden zijn.

Dus als je iemand moet vergeven, of die nu leeft of dood is, zorg er dan voor dat je dat doet terwijl je nog hier bent. Telkens als je negatief denkt over iemand die je pijn gedaan heeft, strooi je zout in een open wond. Zodra je de ander oprecht vergeeft, begint de wond van binnenuit te genezen. Uiteindelijk vormt die een litteken, en dan zal het litteken zelf beginnen te verdwijnen, totdat je kunt zeggen: 'Ja, ik was gekwetst, maar ik heb ervan geleerd. Het is niet meer dan een oud, vrijwel verdwenen litteken.'

Maar het is niet alleen belangrijk voor onszelf om te genezen. Het is even belangrijk, zo niet belangrijker voor degenen die overleden zijn dat we hun daden hier op aarde vergeven. Al heel vaak hebben geesten via mij aan een dierbare willen vertellen: 'Het spijt me, ik was een vreselijke vader (of moeder, of partner) toen ik op aarde was. Kun je me alsjeblieft vergeven?' En als degene die hier is, dan kan zeggen: 'Ja, ik vergeef je,' en dat uit de grond van zijn hart meent, dan kunnen ze dat beiden loslaten en God toelaten. Ze kunnen zich gaan ontwikkelen op de manier die nodig is, of ze nu hier of aan gene zijde zijn.

Tot de verdrietigste mensen die bij mij komen behoren zowel de geesten van degenen die zelfmoord gepleegd hebben als de dierbaren die ze achtergelaten hebben. Ik heb uit de eerste hand de trauma's en schuldgevoelens gezien bij de families van degenen die ervoor gekozen hebben hun leven te beëindigen. De familieleden vragen naar het waarom; ze vragen zich af of ze zelf hebben bijgedragen aan de dood van hun dierbare en voelen zich radeloos, waarbij woede, verdriet en schuldgevoelens steeds weer tegelijk opspelen. En ik weet dat voor velen van hen de pijn nog groter is omdat ze geloven dat hun dierbare door de zelfmoord voor eeuwig veroordeeld is.

Ik heb ongeveer twintig verschillende readings gehad waarbij geesten van mensen die zich van het leven beroofd hadden doorkwamen. Vrijwel elke keer vindt er een geweldige heling plaats. Deze geesten zullen zich meestal tegenover hun ouders of hun dierbaren verontschuldigen dat ze hun zoveel verdriet en woede bezorgd hebben. Ze zullen zeggen dat ze een eind aan hun leven hebben gemaakt omdat alles hen boven het hoofd gegroeid was – meestal omdat ze de waarheid over zichzelf niet onder ogen konden zien – of omdat ze psychisch of chemisch niet in balans waren. Dikwijls zullen ze zelfs zeggen dat ze zich niet herinneren dat ze zich van het leven beroofd hebben. Maar toen ze aan gene zijde kwamen, kwamen ze tot het besef dat ze nog werk te doen hadden op aarde. Omdat ze hun leven niet afgemaakt hebben, hebben ze hun doel op aarde niet vervuld en zullen ze in een ander leven moeten terugkomen om het af te maken. En deze geesten moeten dat proces beginnen door vergeving te vragen aan hun dierbaren.

Een van de mooiste onderdelen van mijn werk is dat ik een kanaal kan zijn voor het contact waardoor vergeving na de dood mogelijk is. Ik vind het geweldig om een bijdrage te leveren aan vrede en heling op deze wereld. Het is onmogelijk geen medeleven te betonen met deze diep gekwetste mensen. Ik zit letterlijk met mijn cliënten te huilen als ik zie hoe diep ze ontroerd worden door een boodschap van een dierbare van wie ze dachten nooit meer te horen, of als ik voel dat een geest uiteindelijk vergeven wordt. Als ik iemand het onweerlegbare bewijs lever dat een dierbare leeft, dan biedt dat hun een ongelooflijke rust en mij een ongelooflijke bevrediging, omdat ik hen heb kunnen helpen.

Mijn zus Elaine zei tegen me: 'Als we boodschappen van onze dierbaren aan gene zijde horen, dan verdwijnt de angst voor de dood. Niet de angst om te sterven, want ik denk dat niemand van ons uitkijkt naar een pijnlijke dood of een lange, slopende ziekte. Maar als je beseft dat de dood zelf simpelweg een overgaan van de ene naar de andere plek is, en dat we met de mensen die we nu in ons leven liefhebben verbonden zullen blijven en over hen kunnen waken, dan is dat bepaald geen angstig vooruitzicht.'

Boodschappen van gene zijde zijn belangrijk omdat ze ons hoop geven en ons geloof in een leven na de dood bevestigen. Zonder geloof en hoop is het moeilijk vooruit te komen. We willen allemaal geloven, willen allemaal het soort liefde voelen dat ook na de scheiding door de dood voortduurt. Als we de kans krijgen om de liefde en het mededogen die zo bereidwillig en volledig door onze dierbaren aan gene zijde worden aangeboden te voelen, dan staan we er open voor die liefde en dat mededogen aan anderen te geven terwijl we hier zijn, met als gevolg dat onze eigen ziel zich verder ontwikkelt.

Mijn cliënte Suzie wist dit perfect samen te vatten. Ze schreef: 'Voordat ik mijn reading bij jou had, leefde ik met het gevoel dat ik met een hoop extra bagage rondsjouwde. Ik was ontzettend bang voor de dood. Ik heb veel mensen verloren in mijn leven en moest de zekerheid krijgen dat het goed ging met mijn dierbaren. Ik had veel vragen over de richting die mijn leven nam, en die moesten beantwoord worden.

Mijn reading was werkelijk een van de mooiste ervaringen van mijn leven. Ik ben niet langer bang voor de dood. Ik weet dat ik op een dag met mijn dierbaren verenigd zal worden, dat het hen goed gaat en dat ze nu mijn engelbewaarders zijn. Ik voel me niet langer verward of schuldig. Al mijn vragen zijn ruimschoots beantwoord! Die reading heeft me werkelijk rust gebracht, en dat is iets wat ik me altijd zal blijven herinneren.'

6
Geloof niet alles wat je hoort, zelfs al komt het van je overleden oma

Toen een jonge vrouw eens bij me kwam voor een reading, kreeg ik de geest van haar grootmoeder door die enkele stellige aanbevelingen deed: 'Zeg tegen mijn kleindochter dat ze met een leuke joodse jongen moet trouwen,' zei de grootmoeder. Helaas was de jonge vrouw op dat moment op heel iemand anders verliefd en ze vroeg me wat ze moest doen. 'Geloof niet alles wat je hoort, zelfs als het van je dode grootmoeder komt,' zei ik. 'Volg je hart en zeg tegen je grootmoeder dat je haar raad in de wind slaat. Alleen omdat ze dood is, is je oma nog niet alwetend. Ze mag haar eigen meningen hebben, maar jij mag je leven leiden zoals jij dat wilt. Je moet je eigen gevoel volgen.' Mijn cliënte trouwde met de niet-joodse jongen en werd heel gelukkig met hem.

We moeten niet vergeten dat geesten net vrienden zijn. Sommige vrienden geven ons goed advies en anderen slecht. Maar we moeten zelf beslissen of we het advies opvolgen. We moeten advies van wie dan ook zelf beoordelen met onze eigen logica, gezonde verstand en intuïtie, kortom de combinatie die ik je 'hogere zelf' noem.

Veel van de verhalen die ik tot nu toe in dit boek verteld heb, beschrijven gesprekken met de geesten van overleden dierbaren. Maar die geesten zijn nooit mijn primaire informatiebron. Als ik een reading houd, ga ik altijd eerst naar het hoogste niveau van universeel bewustzijn dat goedheid, liefde en God is. Mijn vriend Mark, die zelf een uitstekend medium is, beschrijft dit als direct de *Encyclopedia Britannica* raadplegen in plaats van informatie van de encyclopedieverkoper krijgen. Ik geloof dat ik, door allereerst het hoogste niveau van de goedheid en de wijsheid te zoeken, zowel beschermd word tegen het kwaad, als een duidelijker kanaal voor de waarheid word voor mijn cliënten.

Veel verschillende geleidegeesten, engelbewaarders en overleden dierbaren melden zich om me te helpen met het helpen van anderen. Maar zoals ik in hoofdstuk 4 al zei, bestaan er geesten op verschillende niveaus. Er zijn geesten die uit energie van een laag niveau bestaan, zoals klopgeesten. Andere ontwikkelen zich in de loop der tijd tot hogere niveaus; zij worden geleidegeesten of engelbewaarders en komen uiteindelijk aan de rechterhand van God te zitten. Maar ik herinner mijn cliënten er veelvuldig aan dat 'het feit dat iemand dood is, niet betekent dat die wijzer is dan wij'.

Ieder van ons hier op aarde is een volwaardige geest. Als geesten zijn we er verantwoordelijk voor onze eigen keuzen te maken en onze eigen beslissingen te nemen. Als we sterven, worden we tenslotte allemaal voor onze keuzen verantwoordelijk gehouden. We zullen onze verantwoordelijkheid niet kunnen ontlopen door te zeggen dat 'de duivel me ertoe gebracht heeft' of zelfs dat 'mijn geleidegeest me vertelde dat te doen'. Wij zijn zelf degenen die iets gedaan hebben, en wij zijn degenen die aan gene zijde onze daden zullen moeten verantwoorden. Het is onze taak het goede boven het kwade te verkiezen en het best mogelijke te doen met het leven dat we gekregen hebben. Daarom moeten we alle mogelijke middelen gebruiken om op het juiste spoor te blijven, gericht op het hoogst mogelijke niveau van goedheid en wijsheid. Dat is een van de redenen dat ik er zoveel waarde aan hecht mensen te leren hoe ze hun intuïtie moeten gebruiken. Het is een veel te weinig gebruikt, maar uiterst waardevol hulpmiddel om een optimaal leven te leiden. God heeft ons dit zesde zintuig gegeven om het samen met de andere vijf te gebruiken. Maar God heeft ons nog een zevende zintuig gegeven, het gezonde verstand, te zamen met hersenen die kunnen denken en redeneren. Ik geloof dat God van ons verwacht dat we elk zintuig en onze denkende hersenen zo goed mogelijk gebruiken. En ik geloof ook dat God verlangt dat we bij elke stap op ons levenspad de verantwoordelijkheid voor ons eigen leven nemen.

Het nemen van verantwoordelijkheid betekent allereerst dat we onze beslissingen zorgvuldig moeten afwegen en al onze gaven moeten gebruiken om tot de best mogelijke actie te komen. Ten tweede moeten we nooit advies uit welke bron dan ook aannemen zonder dat terdege te overwegen. Ten derde moeten we ons realiseren dat er een God/hoger bewustzijn/universele wijsheid is en proberen onszelf met die kracht op één lijn te brengen. En ten vierde moeten we ernaar streven het juiste te doen en een zo goed mogelijk mens te zijn.

Vertrouw op jezelf, niet op je geleidegeesten

Toen ik net bezig was mijn mediamieke gaven te gebruiken, ontmoette ik diverse mensen die geesten als goden leken te beschouwen. 'De geesten zullen je nooit de verkeerde weg op sturen,' zeiden ze tegen me. Ze geloofden dat geesten alwetend waren en altijd behulpzaam en goed waren. Maar die houding stond me tegen. Ik had het gevoel dat het niet gezond was de controle aan de geesten over te laten (zoals zoveel trance-mediums doen). Ik meende dat mensen die zich afhankelijk opstelden van geesten en persoonlijkheden aanbaden veel te gemakkelijk misleid konden worden. Ik kon niet geloven dat geesten alles wisten en ik niets. Ik had sterk het gevoel dat mijn geest in Gods ogen evenveel waard was als welke andere ook. Ik geloofde ook dat intuïtie voor onze eigen ontwikkeling gebruikt moest worden, niet om ons over te geven aan de energie van een ander, of het nu een geleidegeest, engelbewaarder, overleden grootmoeder of mens was.

Op een dag hoorde ik een zin: 'Luister naar je gidsen, maar ga met God.' Daarmee werd precies verwoord wat ik zelf al voelde en deed sinds ik mijn mediamieke gaven gebruikte. Ik had de individuele geesten automatisch links laten liggen en was in aanraking gekomen met een universeel bewustzijn, waar slechts één-zijn heerst, waar alle individualiteit wegvalt en we alles als goedheid, wijsheid, licht en liefde ervaren. Ik voelde dat alle geesten zich uiteindelijk zo ontwikkelen dat ze in dat één-zijn opgaan, en ik wist dat ik op dat 'God-bewustzijn' kon vertrouwen; daarin werd me de waarheid geboden, zonder dat die door persoonlijkheden of verlangens gefilterd was.

Tot op de dag van vandaag zeg ik telkens als ik een reading houd een gebed op waarin ik het universele bewustzijn vraag me te beschermen tijdens mijn gesprek met de geesten aan gene zijde. Als ik dat doe, weet ik dat ik tegen negatieve energieën beschermd word. Ik word gewaarschuwd als een geest mijzelf of een cliënt iets wil aandoen en ik denk eraan naar mijn 'hogere zelf' te luisteren, dat deel van mezelf dat altijd met het universele bewustzijn verbonden is.

DE EVALUATIE VAN EEN INTUÏTIEVE OF MEDIAMIEKE BOODSCHAP

Laat het duidelijk zijn dat ik beslist niet zeg dat je geen reading moet krijgen of je intuïtie niet moet gebruiken. Ik geloof met heel mijn hart dat intuïtie een geschenk van God is waarmee we met de universele wijsheid en liefde verbonden zijn. Ik denk dat mijn cliënten door mijn readings een beter leven kunnen leiden. Maar je moet alles wat je met je eigen unieke mediamieke radar ontvangt, terdege analyseren. Wees alert. Houd beide ogen open en houd je 'derde oog' eveneens open.

Ik zeg tegen iedereen dat ze alle boodschappen op hun waarde moeten schatten, of die nu uit hun eigen intuïtie of van een ander afkomstig zijn. Daar zijn drie criteria voor. Ten eerste: gebruik je gezonde verstand. Als je een boodschap krijgt om al je geld aan een bepaalde kerk of persoon te geven, zou iemand met wat gezond verstand dat dan geloven? Ik hoop het niet. Ten tweede: gebruik het rationele, denkende deel van je hersenen. Zou je overleden grootmoeder je vertellen om iemand met een geweer neer te schieten? Ja, als ze Ma Baker of Bonnie Parker was misschien, en als je een beetje logisch nadacht zou je weten dat het een slecht idee was om die boodschap op te volgen. Als de geesten je vertellen iets te doen dat jou een slecht idee lijkt, doe het dan niet!

Ten derde: evalueer de boodschap aan de hand van je eigen 'hogere zelf'. Omring jezelf met een beschermend wit licht en zeg een gebed op om je door de universele liefde, goedheid en wijsheid te laten leiden. Heel veel mensen zeggen tegen me: 'Char, ik heb een bood-schap van die-en-die over zus-en-zo gekregen, maar toen ik bij mezelf te rade ging, leek het me gewoon niet goed.' Als je geregeld je intuïtie gebruikt om contact te leggen op het hoogst mogelijke niveau, dan zul je subtiele veranderingen in energie registreren, die sommige mediums vibraties noemen. Je zult dan kunnen onderscheiden of iets al dan niet in harmonie met het universum is. En als je dat gevoel dat iets al dan niet klopt met de evaluatie van je gezonde verstand combineert, dan is het al heel wat minder waarschijnlijk dat je je laat misleiden door boodschappen van deze of gene zijde.

Vergeet niet dat je een vrije wil hebt. Jij hebt de keuze. Laat nooit toe dat je afhankelijk wordt van de boodschappen die je van een ander krijgt, of het nu een medium als ik is, een vriend die afstemt, of zelfs een geleidegeest of overleden geliefde die doorkomt. Elk advies dat je ontvangt, kun je aannemen dan wel negeren. Als mijn cliënten niets doen met mijn adviezen, dan word ik niet boos. Als ik een reading geef, komen de boodschappen via mij. Dat betekent dat ik ze alleen maar doorgeef; verder gaan ze me niet aan. Ik hoef niet met de gevolgen van hun daden te leven, maar zij wel. Ik ben er alleen om mensen te helpen een eigen manier te vinden om zichzelf te helpen.

Ik geef toe dat ik er erg trots op ben dat veel cliënten me vertellen dat ze hebben geleerd op hun eigen intuïtie te vertrouwen door de readings die ze bij mij hebben gehad. Een cliënt zei ooit: 'Ik bel Char vaak als ik in verwarring ben en het allemaal niet meer begrijp. Na een reading merk ik dat ik meer vertrouwen in mijn eigen richting heb en meer op mijn eigen intuïtie vertrouw. Ik volg mijn eigen koers met een veel groter vertrouwen.' Ieder van ons kan zelf de mediamieke indrukken die we ontvangen het best evalueren, of die nu uit ons eigen innerlijk of van een ander vandaan komen. Je bent beter afgestemd op je eigen toekomst, je eigen levenspad, dan wie dan ook. De toekomst kan tenslotte elk moment veranderen. Als je je intuïtie gebruikt om in harmonie te blijven, zul je leren voelen dat de energie van de situatie verandert, wat het pad dat je zult nemen en de rol die je zult spelen kan veranderen. Dat is een van de beste redenen die ik ken om je intuïtie zo volledig mogelijk te ontwikkelen.

Intuïtie biedt ons dikwijls waardevolle aanwijzingen die we anders niet zouden krijgen. Maar om die op ons leven te kunnen toepassen, moet álle informatie door de hersenen verwerkt en geïnterpreteerd worden. De geest neemt wat de intuïtie aanlevert (of die nu van de hoogste bron van wijsheid, een geleidegeest, een overleden dierbare of een engelbewaarder komt) en rangschikt die informatie dan in de context van de best mogelijke levensloop. De geest is een prachtige 'poortwachter' die kan voorkomen dat we domme fouten maken die aan slechte informatie of interpretatie te wijten zijn.

God heeft je je hersenen en je gezonde verstand gegeven, en God heeft je je intuïtie gegeven. Als je die alle drie gebruikt, ontdek je hoe gemakkelijk het kan zijn de leidraad die het universum je biedt te volgen. Een van mijn studenten zei het zo: 'Als je weet dat je over intuïtie beschikt en erop vertrouwt, en je tegelijkertijd ook je verstand gebruikt, dan zul je ontdekken dat je in het algemeen goede oordelen vormt.'

Ik heb de afgelopen jaren mijn eigen methode ontwikkeld om te ontwaken en de eigen intuïtie te volgen. In het volgende deel zal ik je zes eenvoudige stappen aanreiken waarmee je je natuurlijke vermogens kunt ontsluiten en je een geheel nieuwe wereld vol informatie en adviezen uit andere bronnen dan de rationele hersenen kunt ontdekken, en die bronnen kunnen je leven gemakkelijker en gelukkiger dan ooit maken.

Deel 2

AFSTEMMEN
OP JE HOGERE ZELF

Als je wilt weten wat het universum voor jou in petto heeft... als je wilt communiceren met iemand van wie je hield die is overleden... als je het gevoel hebt dat het belangrijk is je tegen negatieve energieën te beschermen, zowel hier als aan gene zijde... als je je ten doel stelt je natuurlijke talenten zo volledig mogelijk te ontplooien... als je mogelijke problemen in je eigen leven zoveel mogelijk wilt voorkomen en anderen daarbij wilt helpen... als je mensen graag bijstaat en zodoende de wereld misschien een beetje kunt verbeteren... als je geest een diepe band met het hoogste niveau van goedheid, wijsheid en de liefde die we God-bewustzijn noemen wil voelen... of als je gewoon je portemonnee weer terug wilt vinden als die zoek is... dan is dit deel van dit boek speciaal voor jou.

Iedereen is nieuwsgierig naar antwoorden over het leven, en het universele bewustzijn heeft die antwoorden voor ons. We moeten alleen een stapje opzij doen en de antwoorden binnenlaten. Intuïtie is het belangrijkste middel van het universum om met ons contact op te nemen. We beschikken allemaal over intuïtie en kunnen allemaal ons op ons hogere zelf afstemmen, dat deel van ons dat meer kennis en wijsheid heeft dan de bewuste geest, en dat ertoe kan bijdragen dat we ons leven met meer begrip en intelligentie leiden. Intuïtie geeft ons directe toegang tot de hoogste niveaus van universeel bewustzijn, waar onze eigen geesten samenvloeien tot goddelijke goedheid, wijsheid en liefde. Als we onze intuïtie gebruiken om contact te krijgen met dat niveau, wordt ons leven gemakkelijker, simpelweg omdat we met het lot verbonden zijn in plaats van ertegen te vechten.

Intuïtie kan niet al onze problemen voorkomen. We worden hier op aarde gezet om tijdens elk leven verschillende lessen te leren, en soms vereisen die lessen dat we met problemen geconfronteerd worden. Maar als we onze intuïtie gebruiken om ons te helpen gidsen, dan lijkt dat op surfen op de golven. We kunnen de stromingen van het lot in ons eigen voordeel gebruiken waardoor we meer vaart krijgen en een veel aangenamer tocht maken dan wanneer we hadden geprobeerd te zwemmen. Op dezelfde manier kunnen we ook problemen voorkomen en de doelen die we ons gesteld hebben bereiken als we afstemmen op wat het universum voor ons in petto heeft. Zo kunnen we onze angsten onder ogen zien en een leven leiden dat gegrondvest is op de waarheid, en wel de waarheid over onszelf, over de mensen die we liefhebben, de realiteit van de dood en het leven na dit leven. En ja, als we in harmonie met ons hogere zelf leven, dan kunnen we gelukkiger worden, omdat we duidelijker zien hoe we omringd worden door universele, onvoorwaardelijke liefde.

Na vele jaren mijn eigen intuïtie gebruikt te hebben en honderden mensen getraind te hebben in mijn methode om af te stemmen op hun hogere zelf, kan ik met vertrouwen zeggen dat je intuïtie je naar plaatsen kan brengen waar je met het verstand nooit zou komen. De zes stappen van mijn methode zijn ontwikkeld om je de principes van het ontdekken en gebruiken van je eigen intuïtieve kracht te leren. Maar voordat je daaraan begint, moeten we eerst enkele oude vooroordelen uit de weg ruimen. We moeten de vraag beantwoorden waarom je je intuïtie zou gebruiken en aantonen dat je al ten minste één 'mediamieke' ervaring hebt gehad, en afrekenen met negen veel voorkomende mythen die je aangeboren intuïtieve vermogens kunnen blokkeren. Als we dat eenmaal gedaan hebben, ben je gereed de reis naar je eigen hogere zelf te ondernemen. Ontspan je; het is maar een korte reis, vol prachtige wegwijzers die de richting aanduiden!

7
Waarom moet je je intuïtie gebruiken?

Hier zijn twee situaties die steeds vaker voorkomen: 1) Je logt in op het internet, komt in een *chatroom* en ontmoet daar iemand met wie je je verbonden voelt omdat hij of zij je ideeën, waarden en achtergrond lijkt te delen. Na enige tijd krijg je een serieuze relatie met die persoon. 2) Je baas vraagt je contact te leggen met leveranciers in Singapore, Abu Dhabi of Warschau. Via de fax, telefoon en e-mail bouw je een relatie op met diverse zakenlui. Je hebt hun bedrijf nog nooit bezocht en hebt zelfs de mensen nooit gezien met wie je onderhandelt. Dan vraagt je baas je opeens: 'Aan welk bedrijf moeten we dit miljoenencontract gunnen?'

Sinds het bestaan van de digitale snelweg, van teleconferenties, multinationale contacten en vooral het internet is de wereld veel kleiner aan het worden en lijkt alles tegelijkertijd veel sneller te gaan. In een vloek en een zucht worden grote contracten gesloten, vriendschappen op het internet kunnen in enkele minuten ontstaan. Onze analytische linkerhersenhelft wordt voortdurend met een overvloed aan informatie bestookt, en vaak lijkt de intuïtieve rechterhersenhelft onder het stof te verschrompelen. Maar wat kan intuïtie je een enorm voordeel geven als je die gebruikt!

Tot voor kort kwam het niet veel voor dat je een relatie kreeg of een zakelijke overeenkomst sloot met iemand die je nog nooit gezien had. Maar nu kunnen we belangrijke relaties onderhouden met mensen die we nog nooit gezien en soms zelfs nog nooit gehoord hebben. We praten met hen via de computer of de fax en kunnen dus niet eens de intonatie in hun stem horen. Een van de weinige dingen waar we nog altijd op kunnen bouwen, zijn onze instincten, ons zesde zintuig: onze intuïtie.

Als we een belangrijke beslissing moeten nemen, proberen de meesten van ons zoveel mogelijk informatie uit zoveel mogelijk bronnen te vergaren. Maar hoeveel informatie je ook verzamelt en hoe gelukkig je logische, rationele linkerhersenhelft ook is, enige onzekerheid blijft er altijd. Maar stel dat je je hersenen volledig zou kunnen gebruiken om de beslissing te nemen, inclusief dat intuïtieve deel dat dingen kan voelen die aan het oppervlak niet zichtbaar zijn? De meeste succesvolle zakenmensen betrekken vaak hun 'gevoel' bij het nemen van een besluit. Ze beschouwen dat gevoel als onderdeel van het besluitvormingsproces, dat evenveel waarde heeft als spreadsheets, verkoopcijfers en rapporten van consultants.

INTUÏTIE: HET MYSTERIEUZE ZINTUIG DAT WE ALLEMAAL BEZITTEN

Een groot medium beschreef onze hersenen eens als radio's die diverse stations tegelijk ontvangen. Het ene station is veel luider dan het andere, en daarom is dat het station waar we de meeste aandacht aan besteden. Dat station definiëren we als onze fysieke realiteit, die uit de informatie bestaat die we via onze vijf zintuigen opnemen en in onze hersenen verwerken. Intuïtie is simpelweg informatie die via een ander, stiller kanaal binnenkomt, zodat die vaak door de andere vijf zintuigen wordt overschaduwd.

We beschikken allemaal over intuïtie. Onze godsdienst, huidskleur of seksuele voorkeur doen er niet toe; zoals mensen over gezichtsvermogen, gehoor, tastzin, reuk en smaak beschikken, zo beschikken we ook over een zesde zintuig dat we intuïtie noemen. Een van mijn studenten zegt: 'Het is een soort mysterieus zintuig dat we allemaal hebben maar dat niemand echt gebruikt.'

Ik ben ervan overtuigd dat het deels aan mijn opvoeding te danken is dat ik nu mijn intuïtie kan gebruiken. Mijn ouders hebben me wortels en vleugels gegeven. Ze hebben nooit barrières voor me opgeworpen, maar vertelden me altijd dat ik mocht worden wat ik wilde. Mijn ouders waren ook allebei intuïtief ingesteld en zeiden niet tegen me dat ik gek of stom was of dat ik loog als ik met informatie kwam die ik onmogelijk bewust kon hebben verkregen. En in de loop der jaren heeft mijn familie me altijd van harte gesteund bij mijn keuzen in het leven.

Helaas is mijn ervaring niet maatgevend. Meestal gebeurt precies het tegenovergestelde. Kinderen krijgen van hun ouders of vrienden te horen dat ze 'raar doen', 'zich dingen inbeelden' of 'liegen'. Ze leren dat ze niet mogen voelen, niet mogen liefhebben, niet invoelend mogen zijn tegenover anderen. Deze onschuldige zielen, die alleen maar hun door God gegeven intuïtie gebruiken, wordt geleerd dat ze het fout doen en slecht zijn. Mensen die de natuurlijke instincten van een kind onderdrukken bedoelen het vaak goed, maar naar mijn gevoel is het een misdaad.

Mijn chiropractor (die twee schattige dochtertjes heeft) zegt: 'Kinderen hebben een heel apart gevoel over mensen. Als ze heel klein zijn, vinden ze iemand aardig of helemaal niet aardig; dat heeft te maken met negatieve en positieve energie. Maar als we ouder worden, leren we dat dat geen acceptabel gedrag is en houden we ermee op om op onze instincten te vertrouwen. We verliezen het contact met dat vermogen, ook al is het er nog steeds.'

Gelukkig laat intuïtie zich niet gemakkelijk vernietigen. We behouden allemaal het vermogen onze intuïtie te gebruiken, zelfs al gebruiken we die niet actief. Net als onze andere zintuigen blijven we het vermogen houden intuïtief te zijn. Bekijk het eens zo: als kind kreeg je altijd geweldig eten. Je smaakpapillen werden voortdurend gestimuleerd en je raakte eraan gewend eten met heel verschillende smaken te proeven. Maar toen kwam je in een weeshuis terecht waar je een heel beperkt dieet kreeg. Jarenlang at je alleen brood, melk, vlees en smakeloze groente. Je kreeg ook te horen: 'Dit is het enige voedsel dat mensen moeten eten,' en dat geloofde je.

Als door een wonder doken opeens je ouders op, die je uit het weeshuis redden en thuis een heerlijke welkomstmaal voor je bereidden met zoveel verschillende gerechten dat je die onmogelijk allemaal kon proeven. Je was zelfs bang dat je eigenlijk niet mocht genieten van zo'n gevarieerde maaltijd. Maar je ouders moedigden je aan, waarop je gulzig begon te eten. Zouden je smaakpapillen weer tot leven komen? Jawel! Zou je al snel weer genieten van alle smaken die je zou proeven? Ja zeker. Je smaakzin was niet vernietigd, maar je had alleen geen gelegenheid gehad die te gebruiken en je had steeds te horen gekregen dat het verkeerd was om echt van voedsel te genieten.

En raad eens? Intuïtie werkt op precies dezelfde manier. De meesten van ons gebruiken onze intuïtie heel weinig of helemaal niet, omdat we geleerd hebben onze gevoelens over dingen te wantrouwen. We leren alleen onze logische hersenen te geloven en de intuïtieve kant te negeren (die overigens minstens de helft inneemt van de hersenen die God ons heeft gegeven). Een cliënt van mij die psychotherapeut is, zegt het zo: 'Ik geloof in de wetenschappelijke methode, maar ik heb geleerd dat logica en intuïtie het best werken als ze samen gebruikt worden.'

Vijf redenen om je intuïtie te gebruiken

Zoals sommigen beter zien of horen dan anderen, zo gebruiken sommigen hun intuïtie beter dan anderen. Maar dat betekent niet dat niet iedereen zijn eigen intuïtieve vermogens zo volledig mogelijk kan ontwikkelen. En geloof me, je kunt enorm veel profijt hebben van je intuïtie. Je kunt die in alle situaties in het leven gebruiken, van zakelijke bijeenkomsten tot romantische ontmoetingen; je kunt er kwijtgeraakte papieren mee terugvinden of je dierbaren mee uit gevaren redden. We kunnen intuïtief 'afstemmen' en dan 'treffers' krijgen op ons leven en onze relaties. 'Ja, ik vertrouw deze zakelijke overeenkomst', of 'nee, ik vertrouw dit niet'. 'Ja, deze man die ik op het internet ontmoet heb, deugt', of: 'Hij is niet wat hij lijkt; kijk uit'.

Mijn vriend Mark gebruikt een mooie analogie over de voordelen van intuïtie; hij noemt die 'ons instinctief probleemoplossend vermogen.' Stel je voor dat het leven een doolhof is vol hoeken en bochten zodat je niet meer dan enkele meters voor je uit kunt kijken. En stel nu dat je van bovenaf op dat doolhof kon neerkijken? Dan zou je kunnen zien waar al die bochten je heen leidden. Je kon de valkuilen en doodlopende paden vermijden en een veel gemakkelijker, recht-streekser pad naar je doel volgen. Met intuïtie is het net zo; je kunt vanuit een veel beter perspectief zien waar het doolhof heen leidt. Als je je intuïtieve kracht gebruikt, kun je voelen of een relatie succesvol wordt, of iemand goed voor je is of niet, wat er in een bepaalde situatie kan gebeuren en welk pad je moet volgen. Intuïtie kan je in bijna elk gebied van het leven helpen, als je dat toestaat.

Het is overigens mogelijk dat je op bepaalde terreinen intuïtiever bent dan anderen. Sommige mensen kunnen bijvoorbeeld heel goed opvangen wat er aan de hand is met hun partner. Moeders zijn dik-wijls goed afgestemd op hun kinderen en kunnen voelen of er iets met hen is, of ze nu bij hen in de kamer zijn of niet. Zakenlui die hun intuïtie bij het werk gebruiken (financieel adviseurs bijvoorbeeld; ik geef diverse voorbeelden in hoofdstuk 21) ontdekken vaak dat ze hun draai weten te vinden omdat ze er zo aan gewend zijn zich af te stem-men in hun vak. Maar tegelijkertijd is het heel goed mogelijk dat een financieel adviseur een veel minder goed contact met zijn kinderen heeft, en de toegewijde partner kan in zaken rampzalig zijn.

Zelfs voor intuïtie geldt dat oefening kunst baart. Hoe vaker we onze intuïtie gebruiken, des te beter worden we erin. En als we onze intuïtieve krachten op steeds meer gebieden gebruiken, dan wordt het steeds gemakkelijker om op te vangen wat het universum ons ver-telt. Dan kunnen we onze intuïtie naar believen gebruiken, in plaats van te moeten wachten op die intuïtieve ingeving.

Hier volgen vijf belangrijke redenen om je door God gegeven zes-de zintuig te gebruiken.

1. *Intuïtie is nuttig om ons op de toekomst voor te bereiden en zorgen uit te bannen.*

Als je wist hoe je toekomst eruitzag – al was het maar heel globaal – hoe zou je je dan voelen? Intuïtie kan jou en je dierbaren zowel op goede als op slechte tijden voorbereiden. Ongelooflijk veel vrienden en cliënten zijn al naar me toe gekomen met de woorden: 'Bedankt dat je me gewaarschuwd hebt voor die-en-die.' 'Bedankt dat je me hebt laten weten dat mijn grootmoeder gezondheidsproblemen zou krijgen.' 'Bedankt dat je me verteld hebt dat ik dat medisch onderzoek moest laten doen.'

Ik zei eens tegen een cliënt: 'Ik zou maar gaan sparen want je krijgt een groot financieel probleem. Je raakt plotseling veel geld kwijt. Het is net als in de bijbel: er komen zeven magere jaren voor je aan. Maar al even plotseling zal dat weer veranderen en bereik je je vroegere status weer.' De vrouw vertelde me later dat haar familie inderdaad een hoop geld had verloren, maar dat ze vanwege mijn tijdige waarschuwing wat opzij had gelegd om hen erdoorheen te helpen. Dat is nu bijna zeven jaar geleden, en ze zegt dat de situatie eindelijk verbetert. 'Ik krijg de indruk dat de magere jaren binnenkort verleden tijd zijn.'

Omdat deze vrouw tevoren wist dat er geldproblemen zouden komen, konden zij en haar familie zich erop voorbereiden. En omdat ze ook wist dat de magere jaren weer voorbij zouden gaan, kon ze de zware tijd met veel meer vertrouwen doorstaan. Een andere cliënt, 'George', zegt het zo: 'Sommige mensen willen niets over hun toekomst weten, maar ik vind het juist geweldig. Als ondernemer had ik veel met rechtszaken te maken. Ik werd eens aan een kruisverhoor onderworpen door een advocaat die van Char afwist. Om me zwart te maken zei hij: "Is het waar dat u een medium gebruikt voor uw zakelijke beslissingen?" Ik antwoordde: "Ja, ik heb een goede vriendin die medium is en me bepaalde dingen vertelt. Ze heeft me zelfs verteld dat ik dit proces ga winnen!" Geloof me, ik begon die rechtszaak met veel meer vertrouwen door Chars woorden.'

We besteden heel veel tijd aan sombere gedachten over de toekomst. Voor de meesten van ons geldt dat we heel veel tijd en energie kwijtraken doordat we steeds tobben en piekeren. Maar als we op de toekomst kunnen afstemmen, dan kunnen we een aantal oorzaken van onze zorgen wegnemen. Hoewel niet alles voorbestemd is en de toekomst kan veranderen, zul je door je intuïtie kunnen afstemmen op wat de veranderende levensomstandigheden je brengen. Een van mijn studenten, die werkzaam is in de gezondheidszorg, vertelde me hoe uitgeput haar patiënten raken doordat ze zo tobben. 'Heel veel mensen die bij me komen zeggen: "Vertel me alstublieft dat ik geen tumor heb, dat het geen kanker is." De meeste mensen mankeert niets. De energie die we verspillen met tobben is nergens goed voor. Als iets gebeurt, dan gebeurt het toch, en de mensen die het hebben, moeten ermee leren leven. Ik denk dat de essentie van het gebruiken van je intuïtie is dat je mensen leert positief te zijn en vertrouwen in zichzelf te hebben.'

2. Door intuïtie kunnen we anderen helpen, vooral onze dierbaren.

Welk beter geschenk kunnen we degenen van wie we houden geven dan op hen af te stemmen, hun gevoelens te delen en nog intenser bij hen te zijn? Het gevoel van intimiteit dat ontstaat als je op iemand afgestemd bent, is opmerkelijk. Het is een manier van contact hebben die boven alle andere vormen die je hebt ondervonden uitstijgt, zelfs in je intiemste relaties. Het is alsof je naar twee mensen kijkt die al vijftig jaar een intense relatie met elkaar hebben. Ze maken elkaars zinnen af, kennen elkaars behoeften en hebben dezelfde gevoelens. En dat kan intuïtie je bieden, vanaf het allereerste moment dat je het als geschenk aanbiedt aan degenen die je liefhebt.

Als je je intuïtie bij je dierbaren gebruikt, dan zullen zij zelf hun zesde zintuig ook leren gebruiken. Je kunt hen helpen te begrijpen dat er een universele wijsheid is waaruit ze kunnen putten om hen te helpen gelukkiger te leven. Intuïtie verbindt niet alleen de mensen hier, maar stemt ons ook af op iets dat veel groter is dan wijzelf, een band die we allemaal naarstig zoeken. Als je je intuïtie gebruikt, kun je mensen de weg wijzen naar het licht van hun eigen innerlijke wijsheid en de universele liefde die daar de basis van is.

3. Intuïtie laat ons weten dat we in harmonie met het universum zijn.

Het verschil tussen het gebruiken van je intuïtie en 'gewoon' je leven leiden lijkt op met de stroom mee of tegen de stroom in zwemmen.

Als we afgestemd zijn, kan alles net even gemakkelijker lopen, zelfs als we moeilijke keuzen moeten maken of als we met problemen te maken krijgen.

Stel dat de ander in je relatie je slecht behandelt of egoïstisch is. Ook al houd je nog zoveel van hem of haar, op zeker moment heb je al het mogelijke geprobeerd, zonder dat het helpt. Emotioneel ben je erg aan de ander gehecht, maar je gevoel vertelt je: 'Ik verdien het niet zo behandeld te worden. Dit is niet degene met wie ik mijn leven moet delen. Er moet ergens iemand zijn die beter voor me is.' Je laat dit aan de ander weten, waarna de relatie tot een eind komt. Hoewel dat een pijnlijk proces is en je echt van de ander hield, terwijl je nu met het vooruitzicht moet leven een tijdje geen relatie te hebben, kan het simpele feit dat je intuïtie je vertelt dat er een ander moet zijn die beter voor je is, je door deze moeilijke tijd heen helpen.

Ook al is het pijnlijk, als je weet dat je de juiste keuze hebt gemaakt, dan heb je de troost dat je in harmonie bent met wat het universum voor jou wil. Als we in harmonie zijn met het universum en weten dat alles wat we doen ons een goed gevoel geeft, dan lijkt het leven meer continuïteit te hebben, ook al verandert het proces voortdurend.

4. *Intuïtie leert ons om onze eigen innerlijke wijsheid te vertrouwen.*

De moeilijkste les die we moeten leren is vaak dat we op onze intuïtie moeten vertrouwen. Mijn student en collega-medium Hope Grant zei tegen me: 'Het is eng om op je intuïtie te vertrouwen. Dat is een enorme sprong in het duister. We zijn enorm bang om iets niet onder controle te hebben. Maar het belangrijkste dat ik van Char leerde is naar ons eigen hart te luisteren omdat dat de waarheid vertelt; we kunnen erop vertrouwen. En hoe meer we op dat gevoel vertrouwen, des te voorspelbaarder wordt onze intuïtie.'

De essentie van intuïtie is dat je naar jezelf moet leren luisteren en op jezelf moet leren vertrouwen. Dat kan je dagelijks leven volledig veranderen. Nancy Newton is een schat van een meid die tijdens een cruise aan mijn workshop meedeed. 'Toen we van het schip af gingen,' herinnert ze zich, 'zei Char: "Nancy, ik wil je één ding zeggen: vertrouw op jezelf." Door die woorden heb ik het pad van de heling betreden. Ik ontdekte dat je, als je jezelf vertrouwt, je in wezen de God in jezelf en je door God gegeven talenten vertrouwt. Ik begon me voor het allereerst waardevol te voelen.'

We beschikken allemaal over de gave van goddelijke wijsheid in onszelf. We hebben het vermogen om af te stemmen op de krachten in het universum die ons leven vormgeven. We hoeven alleen maar op onze eigen vermogens, onze eigen wijsheid en op de bron van de goedheid in onszelf en het hele universum te vertrouwen. En dan moeten we luisteren. Een student verwoordde het zo: 'De essentie van intuïtie is naar jezelf luisteren en op jezelf vertrouwen. Als je dat doet, kunnen er wonderen gebeuren.'

5. Door intuïtie kunnen we onszelf als zielen ontwikkelen.

We zijn allemaal geesten in stoffelijke omhulsels, en het doel van ons bestaan, zowel hier als aan gene zijde, is om naar een hoger niveau te groeien. Je intuïtie gebruiken om af te stemmen op wat de universele wijsheid voor ons wil, om anderen te helpen en om ons leven beter te maken, zijn stuk voor stuk stappen waardoor onze geest groeit en zich ontwikkelt.

Intuïtie helpt ons met onze groei doordat we onze angsten en problemen gemakkelijker onder ogen zien. Hoeveel mensen ken je die kapot gaan aan hun relatie, die ernstige gedragsproblemen hebben of die maar niet doen wat ze moeten doen omdat ze door angst verlamd worden? (Misschien ben je zelf wel zo iemand.) In heel veel readings krijg ik informatie door over iemands relatie, probleem of angst en dan zeg ik: 'Je moet hier iets aan doen. Je leven blijft ellendig totdat je dit probleem opgelost hebt.' Tot mijn verbazing zeggen veel mensen: 'Ja, ik weet het; ik had het gevoel dat dit het probleem was.' Onze eigen innerlijke wijsheid vertelt ons vaak wanneer er iets niet goed zit. Als we ons daarvan eenmaal bewust zijn, kunnen we de noodzakelijke veranderingen teweegbrengen of daarvoor hulp zoeken.

Je moet bereid zijn je angsten onder ogen te zien. Je moet bereid zijn te groeien en te veranderen, ook al is dat moeilijk. Intuïtie kan je helpen het pad te vinden dat je naar grotere groei leidt, zowel geestelijk, lichamelijk, als – het belangrijkste – spiritueel.

Nu je alle uitstekende redenen kent om je door God gegeven zesde zintuig te koesteren, zal ik je een geheimpje vertellen: je gebruikt dit vermogen al jaren! Als je het niet gelooft, lees dan de lijst beweringen hieronder eens. Als je een ervan met ja kunt beantwoorden, heb je je intuïtie gebruikt om iets aan te boren dat groter is dan je eigen rationele hersenen.

1. Ik heb wel aan iemand gedacht die kort daarna opbelde.
2. Ik heb negatieve of positieve gevoelens over iemand gehad die juist bleken te zijn.
3. Ik heb aandelen gekocht of een zakelijke beslissing genomen op basis van een voorgevoel en heb daar succes mee geboekt.
4. Ik heb iets over mijn gezondheid gevoeld dat na een bezoek aan de dokter juist bleek te zijn of dat zich tot een gezondheidsprobleem ontwikkelde.
5. Ik heb geweten wat iemand dacht.
6. Ik heb de emoties van mijn echtgenoot of mijn partner voorvoeld.
7. Ik heb geweten dat mijn kind in moeilijkheden was, ook al waren we niet in dezelfde ruimte.
8. Ik heb de aanwezigheid van een overleden dierbare gevoeld of over diegene gedroomd.
9. De tv, de radio of het licht is wel eens op onverklaarbare wijze aangegaan.
10. Ik heb me onprettig gevoeld als ik een bepaalde weg moest rijden, ergens moest stoppen of per vliegtuig moest reizen en heb naar de waarschuwing geluisterd.
11. Ik ben midden in de nacht wakker geworden door een droom die een boodschap voor me leek te bevatten.

12. Ik heb aan iemand gedacht waarna er muziek uit de radio klonk die met diegene te maken had.

13. Ik heb iets of iemand uit mijn ooghoeken gezien of een bepaalde beweging gevoeld, waarna ik me omdraaide en er niets te zien was.

14. Ik ben iemand tegengekomen over wie ik het gevoel heb dat ik die al kende, hoewel we elkaar nooit ontmoet hebben.

15. Ik heb een 'treffer' op iets gekregen terwijl ik weet dat er geen logische bron voor de informatie is.

16. Op een of andere manier weet ik het juiste te zeggen in een bepaalde situatie.

17. Ik heb voor een probleem een oplossing gevonden die uit het niets kwam.

18. Ik zat in de auto een liedje te neuriën, zette de radio aan en hoorde prompt hetzelfde liedje.

19. Ik vraag het universum om een teken om me te helpen een vraag te beantwoorden en zie een kentekenplaat, tv-reclame of iets anders dat met mijn vraag te maken heeft en meer dan toevallig is.

Als een van deze beweringen op jou van toepassing is, dan kan ik je feliciteren! Je gebruikt je intuïtie al. In het volgende hoofdstuk lees je meer over de verschillende manieren waarop intuïtie in ons leven kan opduiken en geweldige resultaten kan geven.

8
Je hebt je eerste mediamieke ervaring al gehad!

Heb je ooit aan iemand gedacht die vervolgens direct opbelde? Of een 'merkwaardig gevoel' over iets gehad dat waar bleek te zijn? Iedereen heeft ooit wel eens een moment gehad waarop je toegang had tot informatie die je niet bewust kon hebben ontvangen. We hebben de neiging dat als toeval af te doen, maar ik geloof dat dit allemaal voorbeelden van intuïtieve of mediamieke ervaringen zijn.

Mijn vriendin Hope sprak onlangs nog met me over de ervaring die alle tienermeisjes schijnen te hebben. 'Ik heb al mijn hele leven een hartsvriendin, Shari. Toen we veertien waren, belde ik haar op en zei: "Waarom zit je nu je teennagels te lakken? Het is al heel laat." Waarop zij zei: "Hoe wist je dat? Sta je buiten?" Ik dacht altijd dat dat gebeurde omdat we zo goed bevriend waren, maar dergelijke dingen gebeuren iedereen. Je denkt aan iemand die je in geen tien jaar gezien hebt, en dan zie je hem binnen een etmaal of belt hij je op.'

Mijn zus Alicia zegt dat ik als klein kind dingen zei als: 'Wanneer komt tante Rose?' of 'Wanneer belt tante Rose?' en dan ging inderdaad de telefoon of werd er aan de deur geklopt en stond tante Rose daar. Een andere cliënte van me, 'Jesse', belde thuis in British Columbia haar moeder in Detroit en hoorde de ingesprektoon. (Dit speelde zich 26 jaar geleden af, voordat er voorzieningen als wisselgesprek waren.) Jesse legde de hoorn weer op de haak, waarop die direct overging: haar moeder had haar op precies hetzelfde moment opgebeld. Jesse zegt dat hetzelfde gebeurde als haar moeder haar oma probeerde te bellen.

Omdat dit betrekkelijk normale dingen zijn, vergeten we die vaak weer, tenzij de gebeurtenis ingrijpender is, bijvoorbeeld als we ergens voor gewaarschuwd worden of het gevoel hebben dat er iets geweldigs of vreselijks te gebeuren staat. 'Matthew' herinnert zich een droom die hij op zijn zesde had over een buurvrouw, mevrouw

Buffington, wier achtertuin aan die van Matthews huis grensde. Op een nacht droomde Matthew dat mevrouw Buffington overleden was. Toen hij dat de volgende ochtend aan zijn moeder vertelde, werd er enkele minuten later op de deur geklopt. Het was de huisgenoot van mevrouw Buffington, die vertelde dat ze plotseling overleden was. Dat was een enorme verrassing voor iedereen, omdat mevrouw Buffington helemaal niet ziek was. Niemand was sterker verrast dan Matthew, behalve zijn moeder dan!

Andere paranormale ervaringen die we ons meestal herinneren zijn waarschuwingen, vooral als we die negeren. Ik heb zelf ooit een waarschuwing gekregen die ik niet opvolgde. (Ja, zelfs mediums maken er soms een potje van.) Dat was op mijn trouwdag. Ik was twintig of eenentwintig en dacht dat ik een oude vrijster was omdat mijn beide zussen al op hun negentiende getrouwd waren. Ik had een sprookjeshuwelijk gewild, en dat werd het ook. Mijn ouders hadden geweldig hun best gedaan: ik had een prachtige bruidsjurk, de kapel was prachtig, al mijn vrienden, familieleden en leraren waren aanwezig. Ik liet mijn verloofde zelfs walsles nemen zodat we de eerste dans in stijl konden dansen.

Uiteindelijk kwam de grote dag. Ik stond aan het eind van het gangpad in de kerk met mijn vader te wachten tot de organist 'Daar komt de bruid' begon te spelen. Ik zag mijn verloofde bij het altaar op me staan wachten en dacht: 'Hier droomt elk meisje van.' Ik was volmaakt gelukkig. Maar opeens verscheen er uit het niets een boodschap in mijn hoofd: 'Dit wordt niets!'

En wat deed ik? Ik negeerde die boodschap. Ik was zelfs zo vastbesloten die uit mijn hoofd te zetten dat ik de eerste paar stappen oversloeg! Het leek alsof ik tegen mezelf zei: 'Ga weg, gedachte!' De gasten begonnen luidkeels te lachen en de bruiloft verliep verder zoals gepland.

Eerlijk waar, dit was geen geval van een bruid die haar zenuwen niet in bedwang had. Ik was volmaakt gelukkig en wilde dolgraag met deze man trouwen, en niets wees er wat mij betreft op dat ik niet lang en gelukkig met deze man zou leven. Niettemin vertelde iets me zomaar uit het niets dat deze relatie geen *happy end* zou krijgen.

Toentertijd wist ik niet dat ik mediamieke gaven had. Ik had alleen altijd 'aparte gevoelens' en dacht dat iedereen die had. Ik beschouwde dit niet als een waarschuwing, maar helaas was het dat wel. Mijn man en ik waren slechts korte tijd gelukkig, waarna ons huwelijk op de klippen liep en we van elkaar scheidden.

Waarom besteden mensen geen aandacht aan deze gevoelens? Waarom erkennen we ons eigen vermogen niet om te putten uit een kennisreservoir dat niets met onze vijf zintuigen te maken heeft? Waarom kunnen we niet beter afgestemd zijn op de informatie die het universum ons elk moment geeft? Ik geloof dat het allemaal met angst te maken heeft. Veel studenten van me vertellen me dat ze hun intuïtie niet meer vertrouwen omdat ze bang zijn voor wat andere mensen ervan zeggen of denken. Ze zijn bang om belachelijk gemaakt te worden. Ze zijn bang om als anders beschouwd te worden. Het grappige is nu juist dat ze dat niet zijn! We beschikken allemaal over intuïtie, maar sommigen van ons gebruiken die gewoon meer dan anderen.

We kunnen overigens ook 'goede' paranormale aanwijzingen krijgen. We kunnen bijvoorbeeld te horen krijgen: 'Ga daarheen,' waarna we onze zielsvriendin ontmoeten. Of opeens krijgen we een innerlijke aandrang om iemand te bellen, en dan blijkt dat telefoontje vele deuren te openen in ons beroep. We hebben dit soort ingevingen allemaal wel eens, en als we verstandig zijn, besteden we aandacht aan wat het universum ons probeert te vertellen.

Mijn cliënte Jackie is een heel goed voorbeeld van de manier waarop het universum ons signalen geeft om actie te ondernemen. Ze zat op een dag in Chicago met een vriendin te lunchen. Toen Jackie haar vroeg de volgende week weer te gaan lunchen, zei haar vriendin: 'Dinsdag kan ik niet, omdat ik met een medium ga praten. Ze heet Char.' Jackie zei: 'Goed, dan doen we het woensdag,' en besteedde er verder geen aandacht aan. Twee dagen later ging Jackie een weekend naar New York. Daar lunchte ze met een andere vriendin, Bobby, die zei: 'Ik moet je vertellen wat me vorige week in Detroit overkwam. Ik was in de winkel van mijn zus en op het moment dat ik daar naar buiten liep, werd ik tegengehouden door een vrouw die zei: "Ik moet met je praten." Ze vertelde me over mijn grootvader en het hiernamaals. Ze heette Char.'

De zondag daarop belde Jackie haar moeder in Detroit. Haar moeder zei tegen haar: "Jackie, ik was wat aan het wandelen rond het appartementencomplex en kwam een heel aardige vrouw tegen die zei dat haar dochter bij haar logeerde. Haar dochter is medium en heet Char." Jackie zei: "Ma, hou op. Dit is de derde keer in vier dagen dat ik de naam van die vrouw hoor. Geef me haar telefoonnummer!' Een week later belde ze me voor een reading.

Toeval? Ik betwijfel het. Ik geloof dat Jackie naar mij toe werd geleid omdat er geesten waren die met haar in contact wilden komen. Door onze reading werden enkele oude emotionele kwesties opgelost waar Jackie lange tijd mee had rondgelopen. Dat is zo'n wonder dat kan gebeuren als we de tijd nemen naar de aanwijzingen te luisteren die ons hogere zelf ons biedt.

KINDEREN: DE NATUURLIJKSTE MEDIUMS

Mocht je er ooit aan twijfelen dat we allemaal over intuïtie beschikken, kijk dan eens naar heel jonge kinderen en dieren; dat zijn de meest intuïtieve wezens op aarde. Elke hond en kat die ik heb meegemaakt kan direct menselijke emoties oppikken. En ik heb al heel veel verhalen gehoord over kinderen die geesten zien, de emoties van hun ouders doorgronden of zelfs de toekomst voorspellen.

Als je het aan ouders vraagt, zullen ze zeggen dat kinderen dingen 'weten'. Ze pikken veel meer op dan de meeste volwassenen. En kinderen staan veel meer open voor de communicatie met mensen die overleden zijn, vooral als ze veel om die mensen gaven toen ze nog leefden. Ik heb diverse voorbeelden hiervan van mijn studenten gehoord. 'Barbara's dochter Melissa was zes maanden oud toen haar grootvader (Barbara's vader) overleed. Barbara en haar vader hadden samen een chiropraktijk, en er was daar een kinderkamer waar Melissa tijdens het werk verbleef. Vanaf de dag dat Melissa was geboren ging Barbara's vader naar boven zodra hij de tijd had om zijn kleindochter even te zien. Vlak na de dood van haar vader liep Barbara de kinderkamer binnen en zag dat de zes maanden oude Melissa giechelend naar de muur lag te staren, alsof haar opa daar stond. 'Ik kreeg er kippenvel van,' zei Barbara. 'Ik voel mijn vader zelf de hele tijd om mij heen, maar dat mijn dochter, die nog een baby is, het al herkent... jeetje.'

'Cynthia's' kleinzoon Jack zag ook iemand die er niet was: de vrouw die iedereen tante Frances noemde. Zij was de moeder van de tweede vrouw van Cynthia's ex-man. (Dat is nog eens een merkwaardige familieband!) Ze was een soort oma voor Jack, die nog maar drie jaar was toen tante Frances ziek werd. Omdat ze naar een verpleeghuis moest, zag Jack haar in de maand voordat ze stierf geen enkele keer. Ongeveer een week na haar overlijden ging Cynthia naar het huis van haar dochter om Jack op te halen. Haar dochter Paula zei: 'Cynthia, toen ik vanochtend opstond, zag ik Jack bovenaan de trap naar de woonkamer wijzen. Hij zei: "Dag tante Frances." Ik zei: "Jack, wie was dat?" Hij keek me aan en zei: "Tante Frances is daar." Cynthia, ik wil niet dat Jack mediamiek begaafd is. Het maakt me bang. Ik wil niet dat hij een dergelijke druk of verantwoordelijkheid op zich laadt.' Cynthia antwoordde: 'Weet je hoe het zit? Hij zal die gave later alleen hebben als hij het wil. Je moet er nu gewoon niet op letten.'

Een andere vrouw die bij mij studeerde herinnert zich haar eerste paranormale ervaring als kind. De avond voor haar negende verjaardag had ze een soort droom overdag waarin ze haar moeder in een wit licht zag staan. In haar droom gaf haar moeder haar een spelbord met gaatjes. De dag daarop kwam haar moeder de kamer binnen en gaf haar een doos in cadeauverpakking. Nog voordat ze het cadeau had opengemaakt, zei het meisje: 'Bedankt, ma, ik vind het een heel mooi spelletjesbord.' 'Hoe wist je wat ik je zou geven?' zei haar moeder volslagen verrast. 'Eh... ik heb het geraden,' antwoordde het meisje.

Mijn zus Alicia, die doctor in de psychologie is en in haar praktijk regressietherapie doet, zegt dat kinderen van nature mediamiek en open zijn. Het komt volgens haar heel vaak voor dat jonge kinderen zich vorige levens herinneren. Ze zeggen dingen als: 'O ja, weet je nog toen mijn haar rood was', en ze praten over mensen, plaatsen en gebeurtenissen waar ze niets van af kunnen weten. Kinderen hebben nog niet geleerd de muren van angst en twijfel op te trekken die wij volwassenen zo gemakkelijk om ons heen bouwen en ten koste van alles verdedigen.

Afstemmen op het universum

Angst en twijfel kunnen ons ervan weerhouden onze intuïtie te herkennen totdat we geconfronteerd worden met een 'samenloop van omstandigheden' die zo extreem is dat we het niet langer kunnen negeren of totdat de intuïtieve gebeurtenissen zo talrijk worden dat we uiteindelijk moeten toegeven dat er iets aan de hand is. Ik zal je enkele voorbeelden geven. Ik heb een geleidegeest die ik Witte Veder noem. Hij is al vele jaren bij me, en vanaf het allereerste moment dat hij me opzocht, begon ik op de vreemdste plekken witte veren te zien. Laatst zat ik met mijn zakenpartner in een erg luxe restaurant in Manhattan te eten. Het gesprek kwam op geleidegeesten, waarbij ik Witte Veder noemde. Terwijl we zaten te eten, zag mijn zakenpartner een enorme witte veer achter me omlaag zweven, afkomstig uit een stapel veren in een pot aan het eind van de rij banken waar we zaten. Maar waarom was die achter me verschenen? En waarom zweefden er geen andere veren in het rond? Mijn zakenpartner was ietwat van zijn stuk gebracht en zei dat ook tegen me. 'Maak je geen zorgen,' zei ik. 'Ik zie de hele tijd witte veren. Dat is gewoon mijn geleidegeest die gedag zegt.'

Een van mijn favoriete verhalen over buitengewone 'toevalligheden' werd me verteld door een cliënte uit het Midwesten die ongeveer vier jaar eerder met haar man een cruise had gemaakt. Ze hadden tijdens de cruise een ander echtpaar ontmoet met wie ze het heel goed konden vinden. Ze waren een tijdje in contact gebleven met elkaar en hadden elkaar zelfs in New York ontmoet voor een etentje. Maar na een tijdje was het contact verwaterd.

Toen mijn cliënte en haar man op een avond in hun auto reden, zei ze: 'Zeg, ik vraag me af wat er van de zus-en-zo's geworden is.' Haar man zei: 'Ja, we hebben al ongeveer twee jaar niets van hen gehoord.' De volgende dag lag er een prachtige kaart bij de post met de boodschap: 'We denken aan jullie.' Mijn cliënte zei dat het al zo lang geleden was dat ze voor het laatst contact hadden gehad, dat ze het adres of telefoonnummer van het echtpaar niet meer had. Ze moest haar man vragen in de kelder de oude telefoonrekeningen door te nemen om het telefoonnummer te vinden. Ze belde hen op en zei: 'Jullie zullen het niet geloven, maar nog geen 24 uur voordat we jullie kaart kregen, hadden we het nog over jullie.'

Larry Jordan, uitgever van *Midwest Today*, is bezig een boek te schrijven over de countryzanger Jim Reeves, die bij een vliegtuigongeluk in 1964 om het leven kwam. Zijn platen worden nog altijd over de hele wereld verkocht. Larry was sinds zijn dertiende Reeves-fan, maar onlangs heeft hij een merkwaardig talent ontwikkeld. Hij zegt: 'Als ik in gesprek ben of iets aan het doen ben, dan onderbreek ik mezelf opeens, zet de radio aan en dan kom ik met de afstemknop altijd precies op een zender waar een Reeves-nummer begint te spelen. Het gebeurt zelfs als ik slaap, dan word ik wakker en zet de radio aan. Ik weet helemaal niet welk station ik opzoek. In de auto gebeurt het ook: als ik met een ander in de auto zit en we het over iets heel anders hebben, steek ik opeens mijn hand uit naar de radio. En dan kom ik altijd op een zender waarop een Jim Reeves-nummer speelt. Godzijdank gebeurt dat niet voortdurend, anders zou ik niet meer slapen! Maar het is nog nooit fout gegaan. Ik kom altijd bij een Jim Reeves-nummer terecht.'

Toeval? Ik denk het niet. Maar vergeet niet dat we allemaal dergelijke momenten hebben dat we iets opvangen, iets dat verder gaat dan we bewust zien, horen, voelen, proeven of ruiken. Als je ooit...

- iemand hebt gebeld die zegt: 'Ik zat net aan je te denken!'
- er niets voor hebt gevoeld een bepaalde straat door te lopen waarna je ontdekte dat je aan een ongeluk ontkomen was

- 'wist' dat er iets aan de hand was met een familielid of goede vriend, ook al waren die niet bij je in de buurt
- voelde dat je kind in gevaar verkeerde, of het nu wel of niet bij je in de buurt was
- de juiste persoon op de juiste plek op het juiste moment in je werk geweest bent
- je auto hebt laten nakijken omdat je het gevoel had dat er 'iets' aan de hand was
- een slecht gevoel over iemand hebt gehad en vervolgens ontdekte dat je gelijk had

... dan heb ook jij een mediamieke ervaring gehad!

Ik wil je een voorstel doen. Denk eens even na over je verleden en schrijf minstens één soortgelijke ervaring op die jou is overkomen. (Je zult je zeker iets herinneren.) Als je er meer dan een weet, schrijf er dan zoveel op als je je herinnert. Deze ervaringen kunnen indringend of subtiel zijn; het kan gaan om catastrofale waarschuwingen, maar ook om die keren dat je in staat was af te stemmen op een geliefde zus, broer, partner of kind. Ik geloof dat je bij het nadenken over zulke ervaringen zult ontdekken dat je vele malen uit kennis hebt geput die je door je intuïtie is aangeleverd.

Probeer nu een stap verder te gaan. Begin te registreren hoe vaak je in een week afstemt. Ik geloof dat het universum ons tips geeft, waarnaar we alleen maar hoeven leren luisteren. Schrijf dus alle signalen op die je van het universum krijgt die meer dan toeval zijn. Misschien zoek je ergens antwoord op en zie je een kentekenplaat of poster die je een aanwijzing geeft. Of misschien denk je aan iemand en hoor je vervolgens van hem of van iemand die hem kent, herinner je je een oude song die je dan op de radio hoort. Het zal je verrassen hoeveel aanwijzingen het universum jouw kant uit stuurt. We moeten echter zelf opmerken wat we binnenkrijgen, en dan ons gezond verstand op de informatie toepassen. Intuïtie is tenslotte gewoon een andere bron van informatie die ons leven kan verbeteren. Maar het is ook een geweldige truc op feestjes!

9
Negen mythen die je paranormale gaven kunnen blokkeren

'Goed dan,' zeg je misschien, 'misschien heeft iedereen paranormale vermogens. Maar waarom gebruiken niet meer mensen die dan? Waarom nemen we deze boodschappen niet serieus? Waarom blijven de meesten van ons door het leven strompelen alsof we een blinddoek voor hebben, ook al hebben we perfecte mediamieke 'ogen' om mee te kijken? Waarom kan ik niet hetzelfde als jij?'

Tja, allereerst doe ik dit werk al 25 jaar en zelfs voor intuïtie geldt dat oefening kunst baart! Maar na mensen een aantal jaren lang geleerd te hebben om 'te doen wat ik doe', heb ik ontdekt dat de meesten door een of twee factoren geremd worden. De sterkste beperking ligt in de demon angst. Mensen zijn meestal bang voor iets dat ze niet begrijpen. Een vriendin van me werd een keer 's nachts wakker omdat ze haar naam hoorde roepen. De stem klonk bekend, maar ze was toch doodsbang omdat ze wist dat ze alleen thuis was. 'Maar ik was zo bang dat ik mezelf helemaal afsloot,' meldde ze. 'En sindsdien heb ik de stem niet meer gehoord.'

Denk aan wat ik al eerder zei: door onze angsten negeren we de informatie die onze intuïtie ons elke dag weer geeft. Om toegang te krijgen tot je zesde zintuig, moet je je angst over wat je te zien krijgt overwinnen. Ik zeg niet dat er geen dingen zijn waarover je zorgen moet maken. Ik geloof niet dat er alleen goede geesten of energieën zijn, en niemand moet zijn gezonde verstand uit het oog verliezen als hij zijn mediamieke vermogens gebruikt. Maar de enige manier waarop een negatieve geest of energie macht over jou kan krijgen, is als je die macht zelf toekent. Je kunt jezelf op enkele zeer specifieke manieren beschermen tegen negatieve energie en alleen de beste geesten in je leven uitnodigen. (Ik zal het daarover in hoofdstuk 16 nog uitgebreid hebben.) Maar laat angst voor het onbekende je niet verhinderen je door God gegeven intuïtieve gave te gebruiken.

De tweede barrière die de meeste mensen ervan weerhoudt hun natuurlijke zesde zintuig te gebruiken, is de culturele mythevorming die over mediamieke gaven bestaat. Je weet waar ik het over heb: de dingen die mensen zeggen als je iets zegt over intuïtie en mediamieke vermogens. Er zijn negen algemeen voorkomende mythen die de intuïtie om zeep willen helpen, en als je slechts in één ervan gelooft, dan wordt je natuurlijke zesde zintuig volkomen uitgeschakeld. Hier volgt een lijst van die dodelijke mythen, vergezeld van 'gezond verstand'-informatie die je hopelijk doet inzien dat deze mythen volstrekte onzin zijn.

Mythe 1: 'Het is allemaal bedrog.'

Ik ben de laatste om te beweren dat alle mediums je ware zijn. Natuurlijk zijn er mensen die snel geld willen verdienen of readings geven omdat ze wanhopig naar aandacht op zoek zijn. Maar door die rotte appels beginnen we vaak ook te twijfelen aan onze eigen paranormale indrukken. En gebrek aan vertrouwen is dodelijk voor je intuïtie.

Als een medium een reading voor je houdt of als je een intuïtieve ingeving krijgt die gewoon niet uit je bewuste geest afkomstig kan zijn, dan kun je meestal wel nagaan of die echt of vals is. Zet allereerst je 'radar' aan. Ik geloof dat we allemaal kunnen voelen dat iets waar is als we het horen, zien of voelen. Ten tweede: als je een voorgevoel over iets krijgt, wacht dan af om te zien of het uitkomt. Zo ja, probeer dat gevoel dan op te slaan als iets om aandacht aan te schenken als het opkomt. Als je een reading van iemand krijgt, evalueer dan wat je verteld is en doe er alleen iets mee als het je een zinnig advies lijkt. Als de dingen gebeuren zoals de reading voorspelde, dan is degene die de reading voor je hield wellicht een geldige bron van informatie.

Als ik voor een cliënt een reading houd, krijg ik meestal zoveel specifieke details door dat het duidelijk is dat ik de waarheid spreek. Ik krijg feiten door die een ander onmogelijk kan weten. Ik ontving onlangs bijvoorbeeld een brief van 'Christine', die in Ontario in Canada woont:

'Je gaf me onmiddellijk de voornamen van vier mensen die overleden zijn en heel dicht bij me stonden. Je gaf de eerste letter en daarna de naam van twee van de betrokkenen en hun relatie met mij en bij de andere twee spelde je gedeeltelijk hun namen en zei toen wie ze waren. Ik antwoordde alleen met ja of nee en in dit geval heb je van mij helemaal geen nee gehoord.

Het merkwaardigste gedeelte van de hele reading betrof een jongeman die nog geen week voor de reading overleden was. Het eerste dat je zei was dat ik geduld met je moest hebben omdat deze jongen net overleden was en niet goed wist wat hij moest doen! En dat niet alleen, je zei ook dat hij je iets heel symbolisch tussen hem en mij liet zien, en al kon je het voorwerp niet benoemen, hij wilde me laten weten dat hij het bij zich had. Je vroeg me toen of ik iets in zijn kist gestopt had, en dat was inderdaad zo.

Je hebt me ook verteld dat ik naar het buitenland zou reizen... op dat moment was ik dat niet van plan, maar nu ben ik zomaar opeens van plan eind volgende maand weg te gaan. Je hele reading was een verbazingwekkende ervaring.'

Ik weet zeker dat er critici zijn die zeggen dat ik de namen van haar verwanten geraden heb of dat ik kon aannemen dat ze naar me toekwam omdat een dierbare van haar net overleden was, maar daar houd ik me niet mee bezig. Belangrijker nog, dat is niet waar jij je mee bezig houdt als je aandacht aan je eigen intuïtie schenkt. Je hoeft niet te geloven dat alle mediums oprecht zijn, maar om je eigen zesde zintuig te gebruiken, hoef je alleen maar te geloven dat je eigen paranormale vermogen echt bestaat.

Mythe 2: 'Slechts bepaalde mensen zijn paranormaal begaafd.'

Deze heb ik al zo ontzettend vaak gehoord! 'Alleen vrouwen hebben intuïtie.' 'Zigeuners zijn mediamieker dan anderen.' 'Mensen die paranormaal begaafd zijn, zijn met de helm op geboren.' 'Je bent vast en zeker Iers/indiaans/scheel/linkshandig omdat je mediamiek bent.'

Ik zal het je maar vertellen: ik ben een joods meisje uit de middenklasse uit Michigan. Ik ken mediums uit het zuiden die doopsgezind zijn opgevoed. Ik heb mensen van allerlei etnische en sociale achtergronden gekend die hun intuïtie ontwikkeld hebben en echt heel goede readings hebben gegeven. Bijna iedereen die ik tegenkom, beschikt over een zekere intuïtie en kan leren die te gebruiken.

Ik heb een geweldige literair agent, Wendy Keller. Toen we op een dag bij de lunch erover zaten te praten dat iedereen het vermogen heeft om 'af te stemmen' besloot Wendy het ook eens te proberen. Terwijl we op de parkeerplaats stonden, gaf ze me na drie pogingen de eerste letter van de naam van mijn ex-man en zei vervolgens zijn hele naam. Ik had nog nooit over mijn familie gesproken met Wendy, noch had ik haar over mijn methode verteld, maar toch kon ze haar eigen intuïtie aanspreken doordat ze het gewoon echt wilde.

Zeg dus nooit: 'Ik kan niet mediamiek zijn. Ik ben geen...' (vul je eigen foutieve veronderstelling in over wat een medium is). Je bent wel degelijk mediamiek, iedereen is het. Je moet alleen je eigen gave leren kennen.

Mythe 3: 'Alle paranormale gaven komen van de duivel.'

Is het een boodschap van de duivel als je grootmoeder je vertelt dat ze van je houdt? Is het een boodschap van de duivel als je engelbewaarder je waarschuwt voor een bepaalde persoon of gebeurtenis? Ik ben echt niet zo naïef om te beweren dat er geen kwaad in deze of de volgende wereld is. Zowel goed als kwaad bestaan in de geestenwereld, maar je zult bijna altijd tegen het kwaad worden gewaarschuwd als je op je intuïtie afgestemd bent. Ik zeg altijd tegen studenten: 'Geesten kunnen goed of slecht zijn, maar er is altijd een niveau achter individuele geesten waar universele liefde, goedheid en wijsheid regeren.'

Net als onze andere vijf zintuigen kan ook ons zesde zintuig goed of verkeerd gebruikt worden. Het is onze eigen verantwoordelijkheid om het te gebruiken om onszelf en anderen te verheffen. Heel veel mensen voor wie ik readings houd, merken dat hun geloof in God en hun zekerheid over een leven na de dood veel sterker is geworden nadat ze gehoord hadden van overleden dierbaren. Als we intuïtie correct gebruiken, is het niets minder dan een geschenk van God. En als zodanig moeten we het ook waarderen, voeden en gebruiken om met het hoogste niveau van goedheid, licht en liefde in contact te komen.

Mythe 4: 'Mensen zullen denken dat je gek bent.'

Gelukkig horen we deze steeds minder vaak. Toegegeven, als je zegt dat je met verwanten kunt praten die dood zijn, dan krijg je nog steeds vreemde blikken. Maar als je zegt: 'Ik let altijd op mijn gevoel als ik een overeenkomst sluit,' dan zal niemand daar verder iets van denken. Intuïtie, de richting aanvoelen waarin iets zal gaan voordat het gebeurt, wordt zelfs als snugger beschouwd in plaats van maf.

Tegenwoordig lijken meer mensen het idee te accepteren dat je informatie uit andere dan bewuste bronnen kunt ontvangen. Jaren geleden, toen de politie me raadpleegde, leek het alsof de agenten zich ervoor schaamden dat ze zoiets 'geks' deden. Maar nu ik mezelf heb bewezen door de politie bij diverse zaken te helpen, bellen rechercheurs me geregeld op om hen te helpen bij het terugvinden van vermisten, het opsporen van voortvluchtigen enzovoort. Mijn inspanningen komen misschien niet vaak in de publiciteit – de meeste politie-afdelingen geven nog steeds niet graag toe dat ze niet alles zelf af kunnen – maar waar het om gaat is dat ik hen kan helpen.

In dit nieuwe millennium lijken we ons meer open te stellen voor onze eigen mediamieke vermogens. Ik heb al heel veel mensen horen zeggen: 'Soms voel ik de geest van mijn grootmoeder (of een andere dierbare) heel dicht bij me,' waarbij anderen instemmend knikten. We lijken ons vrijer te voelen om te praten over iets dat we allemaal gevoeld hebben: de aanwezigheid van onze overleden dierbaren. Waar het om gaat, is dat we ons herinneren dat intuïtieve gaven heel normaal zijn. Het is simpelweg een gevoel dat dingen weet op te vangen die de andere vijf zintuigen niet kunnen. En als het de liefde weet op te vangen die van je overleden dierbaren afkomstig is, dan is dat niet slecht of raar; dat is een gave.

Mythe 5: 'Het is een zeer bijzonder vermogen, dat je niet voor pietluttigheden mag gebruiken.'

De meeste mensen gebruiken hun intuïtie alleen voor kleine dinge- tjes. Stel dat je ergens heen rijdt waar je nog nooit geweest bent. Je hebt een vaag idee waar dat huis of bedrijf is, maar verder koers je er op je gevoel op af. Bij een kruising heb je het gevoel dat je rechtsaf moet slaan en na enkele zijstraten zie je het huis of het bedrijf dat je zoekt. Dan heb je toch je intuïtie gebruikt?

Dit is nog maar één voorbeeld. Heb je ooit je sleutels teruggevon- den... een vriend gebeld die zegt: 'Ik moest je net spreken!'... een pro- ject op het werk aangepakt en gemerkt dat de deadline naar voren ge- schoven was zonder dat je dat wist... iemand voor het eerst ontmoet bij wie je eerste indruk absoluut juist was... de auto gepakt en ergens zonder duidelijke reden heen gereden, waarna bleek dat je precies op het juiste moment op de juiste plek was? Dit zijn allemaal bewijzen dat je intuïtie je ook met kleinigheden helpt.

Ik verbaas me voortdurend over het niveau van het praktische ad- vies dat mijn intuïtie me geeft als ik voor mensen een reading houd. Mijn vriend Peter, die aannemer is, herinnert me eraan dat ik hem ooit verteld had om een rekening te controleren die hij van een lood- gieter had gekregen. Die loodgieter had hem inderdaad te veel bere- kend. Dat was slechts een van de details in een reading die informatie bevatte over Peters zaken, financiën, relaties enzovoort. Maar de geesten lieten de details niet verloren gaan in het grote beeld!

Als we intuïtie gewoon als een zoveelste zintuig beschouwen, en we onze ogen, handen of oren ook voor kleine dingen gebruiken, waarom zouden we dan onze intuïtie alleen voor belangrijke beslui- ten gebruiken? Stem dus af op je intuïtie; dat zal je veel tijd besparen die je anders had besteed aan het zoeken van je lidmaatschapskaart van de fitnessclub!

Mythe 6: 'Je moet jarenlang studeren en urenlang mediteren om je paranormale vermogens aan te kunnen spreken.'

Door onze cultuur zijn we gaan geloven in de mythe dat alleen mensen die jarenlang studeren en buiten de gewone wereld staan, hun intuïtie werkelijk effectief kunnen gebruiken. Als dat het geval is, waarom zijn kinderen dan zo intuïtief? De meeste kinderen die ik ken kunnen veel beter dan wie ook dingen oppikken, zonder dat ze urenlang mediteren of studeren.

Natuurlijk lukt het afstemmen steeds beter als je je intuïtie vaker gebruikt. In de loop der jaren heb ik enkele sleutelelementen ontdekt waarmee vrijwel iedereen zijn aangeboren intuïtieve vermogens gemakkelijker kan gebruiken. Als ik mensen deze elementen geleerd heb, blijkt vaak dat ze readings geven die even accuraat zijn als de mijne. Mijn lessen zijn net zanglessen met een goede leraar die precies weet wanneer je de juiste toon getroffen hebt. Als studenten eenmaal geleerd hebben die toon vaak genoeg te treffen, dan beginnen ze te herkennen hoe dat voelt en kunnen ze de toon reproduceren door het gevoel te reproduceren. Op dezelfde manier leer ik studenten te onderscheiden tussen momenten wanneer ze afgestemd zijn en wanneer ze raden. Ik kan hun dit leren omdat 1) ik zelf duizenden malen afgestemd heb en ik het verschil weet, en 2) ik de informatie die ze krijgen met mijn eigen intuïtie verifieer. En aangezien ik altijd naar het hoogste niveau van universeel bewustzijn ga als ik een reading houd, weet ik of iets echt is of niet.

Maar zoals bij alle vaardigheden geldt voor intuïtie dat oefening kunst baart. Dat betekent niet dat je urenlang moet mediteren of hele dagen met gene zijde moet communiceren. Het gaat erom dat je bewust in contact probeert te komen met je intuïtie en de informatie die je binnenkrijgt zo goed mogelijk interpreteert. Het is simpelweg een verschuiving van het bewustzijn. En in dit deel zal ik je precies laten zien hoe je je intuïtie gemakkelijker kunt activeren.

Mythe 7: 'Je moet in een kamer met iemand zijn (of bijvoorbeeld diens kleding aanraken) om intuïtief contact met hem te krijgen.'

Intuïtie kan onder vrijwel alle omstandigheden naar boven komen. Ik heb vrienden die een gevoel over iemand kunnen krijgen door alleen maar diens naam te horen. Ik heb readings gedaan voor mensen die bij me in de kamer zaten maar ook voor mensen aan de andere kant van de wereld. Soms komt informatie spontaan binnen, soms moet ik me sterk concentreren om iets te krijgen. Soms gebruik ik voorwerpen en foto's, maar vaker niet. Het enige dat ik in de loop der jaren over intuïtie geleerd heb, is dat het erg dom is er voorwaarden aan te verbinden.

In sommige omstandigheden is het gemakkelijker je intuïtie te gebruiken dan in andere. Zoals ik al in hoofdstuk 4 opmerkte, geloof ik dat iedere ziel zijn eigen energiefrequentie heeft, waarop we moeten afstemmen. En zoals bij het afstemmen op een bepaalde radiozender, zijn bepaalde frequenties voor jou gemakkelijker te ontvangen dan andere. Daarom kunnen we voelen of de geest met wie we communiceren een broer, oudtante, geliefde of opa is. We kennen hun energiefrequentie omdat we die hebben ervaren tijdens hun verblijf op aarde.

Maar dat betekent niet dat de communicatie niet in een breedbandspectrum binnenkomt! Heel vaak krijgen we de belangrijkste boodschappen als we helemaal nergens op afgestemd zijn, maar gewoon met het dagelijks leven bezig zijn: de waarschuwingen een bepaalde straat niet in te lopen, het overweldigende verlangen een bepaalde vriendin direct te bellen of de onweerstaanbare aandrang een bepaald restaurant binnen te gaan waar dan een speciaal iemand blijkt te zitten wachten. Die boodschappen lijken een beetje op de ingelaste nieuwsuitzendingen op de radio: ze onderbreken onze normale programmering om ons op iets belangrijks te attenderen.

Maar we ontvangen voortdurend subtielere berichten van onze intuïtie. We kunnen voortdurend en op allerlei manieren op die energie afstemmen, vooral door aandacht te schenken aan onze gedachten en gevoelens. Aangezien we met het universum en met geesten via gedachten communiceren, is dat alles dat we werkelijk nodig hebben. Zolang je denkt en voelt, kun je je intuïtie gebruiken. Zo eenvoudig is het!

Mythe 8: 'Omdat hun informatie van een hogere bron komt, moeten alle mediums onfeilbaar zijn.'

Je zult het niet geloven, maar ook ik maak fouten! Iedereen maakt fouten. Ik kan de aanwijzingen in een reading foutief interpreteren, jij krijgt misschien een gevoel dat je vertelt een bepaalde beslissing te nemen, terwijl het juist de bedoeling was dat je iets anders deed. Net als onze andere vijf zintuigen voorziet intuïtie of mediamiek vermogen ons van informatie, maar we moeten die zelf interpreteren. En ik geloof dat de meeste fouten bij de interpretatie ontstaan, niet bij de ontvangst.

Het is altijd belangrijk om informatie met je eigen gezonde verstand te evalueren. Niets of niemand is onfeilbaar. Zoals ik al in hoofdstuk 6 heb beschreven, weten zelfs de geesten aan gene zijde niet alles; door de dood worden we niet automatisch deskundig op terreinen waar we eerst niets van af wisten! Daarom kan de informatie die je van je eigen dierbaren of geleidegeesten opvangt weliswaar wijs zijn, maar niet per se onfeilbaar. Gebruik dus het zevende belangrijke zintuig dat God je gegeven heeft: je gezonde verstand.

Mythe 9: 'Dit talent kan gevaarlijk zijn. Alleen professionele, goed opgeleide mediums mogen hun talent gebruiken.'

Onzin! Je herinnert je nog wel hoe ik in hoofdstuk 3 stelde dat we door onze cultuur worden gehersenspoeld om te geloven dat alleen 'geoefende' mediums hun vermogens veilig kunnen gebruiken. De veronderstelling daarbij is dat alle mediamieke verschijnselen in beginsel gevaarlijk zijn. En dat is gewoon niet waar.

De meeste mensen hebben het gevoel dat paranormale zaken gevaarlijk zijn omdat hun logische hersenhelft zegt: 'Ik weet niet wat dit is; ik begrijp het niet, en daarom ben ik er bang voor.' Ik hoorde eens over een man die zijn hele leven al doof was. Op zijn vijftigste werd hij geopereerd zodat hij weer kon horen. De eerste zes weken raakte hij volkomen van streek als hij een plotseling geluid hoorde, zoals het opentrekken van een blikje frisdrank, een knetterende uitlaat of iemand die schreeuwde. Hij had geen enkele referentie voor wat hij hoorde en daarom reageerde hij met pure angst. Gebruik het dilemma van deze man als een les. Laat angst voor het onbekende je er niet van weerhouden je intuïtie te oefenen.

En geef niet toe aan het idee dat alleen een 'geoefend' professioneel medium deze energieën zou mogen hanteren. We beschikken allemaal over intuïtie en mediamieke vermogens, en we kunnen die allemaal gebruiken als we dat willen. Ik heb zelfs ondervonden dat wanneer mensen hun zesde zintuig gebruiken, ze veel accurater dan ik zijn. Ik herinner me een voorbeeld hiervan nog heel levendig. Een vrouw belde me omdat haar dochter al enkele dagen vermist was. Ik stemde af, maar ik kon niet meer zeggen dan: 'Ik weet niet waar uw dochter is, maar ik weet dat u haar zult vinden.' Twee nachten daarna had de vrouw een droom waarin ze haar dochter vastgebonden in een stoel hamburgers zag eten. Er was een kat bij haar. De moeder vond dit erg vreemd en bande de droom uit haar gedachten. Gelukkig kwam de dochter een dag later of zo terug. Ze was ontvoerd en zei tegen haar moeder: 'Ik zat vastgebonden in een kelder, met alleen een kat als gezelschap. En het eten was altijd van McDonald's.' Haar moeder was veel beter op de situatie van haar dochter afgestemd dan ik.

Je hoeft geen training gehad te hebben. Je hebt geen jaren praktijkervaring nodig. Je hoeft niet bang te zijn voor wat je allemaal 'los' zult maken, omdat we bevrijd worden door met de waarheid om te gaan. Geloof in je eigen vermogens en sta open voor wat je ontvangt, dan zul je ontdekken dat je beter bent dan 99,9 procent van de 'getrainde' mediums als het op het gebruik van je intuïtie aankomt. En net als voor je spieren geldt voor je intuïtie dat die sterker wordt naarmate je die meer gebruikt, terwijl je die dan des te gemakkelijker op commando kunt gebruiken.

10
Mijn beproefde methode om toegang te krijgen tot je hogere zelf

Ik heb altijd geweten dat iedereen de gave van de intuïtie deelt en ik geloofde dat het tot mijn missie behoorde om anderen zich bewust te laten worden van hun eigen vermogens. Bij veel mensen die me voor readings benaderden, merkte ik dat ze een sterke intuïtie hadden. Na de reading zei ik: 'Weet je, je zou dit ook zelf kunnen. Ik wed dat je ervaringen hebt gehad waarbij je hints hebt gekregen.' En dan gaven ze schaapachtig lachend toe dat ze gewaarschuwd waren voor iets, de aanwezigheid van een overleden dierbare hadden gevoeld of in zaken succesvol op hun intuïtie waren afgegaan.

Na 25 jaar readings te hebben gegeven en mijn eigen gave te hebben ontwikkeld begon ik me te realiseren dat mensen zeer specifieke stappen konden volgen om te leren op hun hogere zelf af te stemmen. Ik schreef zo goed mogelijk op wat ik deed en hoe ik het deed. Enkele jaren geleden begon ik deze methode individueel en aan groepen te onderwijzen. Het was verbazingwekkend hoe snel mensen toegang kregen tot hun eigen intuïtie als ze de stappen volgden die ik ontwikkeld had! Bij een sessie las ik gewoonlijk de stappen die je in de volgende hoofdstukken zult leren kennen op en zei dan: 'Goed, ik denk aan een naam. Probeer erop af te stemmen.' Gisteren nog paste ik dit toe bij een man die nooit bij mij of een ander lessen gevolgd had. Eerst gaf hij me een eerste letter en binnen drie pogingen gaf hij me de naam van mijn vader (aan wie ik inderdaad dacht). Deze man was niet goed, maar ronduit geweldig!

Ik geloof dat mijn methode om drie redenen succesvol is. Ten eerste is die gebaseerd op wat ik de afgelopen 25 jaar zelf heb geleerd en in de praktijk gebracht. Ik heb bij veel verschillende leraren lessen gevolgd en met andere mediums gesproken om erachter te komen welke technieken ze gebruiken om af te stemmen. Ik heb verschillende manieren geprobeerd om intuïtie te gebruiken en om anderen te helpen hun gaven te gebruiken. Ik heb mijn methode voortdurend geperfectioneerd en wist door de resultaten die mijn studenten boekten dat die werkte. Dit is een terdege beproefde methode om je intuïtie te ontwikkelen.

Ten tweede geloof ik dat ik dit om de juiste redenen doe. Dit boek gaat niet over het uitoefenen van macht over mensen of over de opleiding tot een professioneel medium. Ik wil mensen helpen om op hun intuïtie te vertrouwen, zodat ze, als een overleden dierbare op een dag besluit contact met hen op te nemen, kunnen zeggen: 'Hallo! Hoe gaat het met je? Ik houd van je en ben blij dat je hier bent. Wat heb je me te vertellen?' Ten derde geloof ik dat deze methode succesvol is omdat die mensen leert contact te krijgen met het hoogste niveau van het universele bewustzijn, in plaats van uitsluitend met geesten. Sommige mediums willen ons leven door geesten of geleidegeesten laten beheersen, terwijl anderen geen onderscheid maken in de herkomst van geesten en het niveau waarop die opereren. Vergeet niet dat je hoge en lage geesten hebt. Sommigen willen helpen, anderen willen onheil aanrichten. Je kunt op het verkeerde been worden gezet als je niet oppast. Daarom is het voor mij een ijzeren voorwaarde dat we onszelf tegen lagere energievormen beschermen door onszelf met wit licht te omhullen en een gebed ter bescherming op te zeggen, waarin we vragen het hoogste niveau van goedheid, liefde en wijsheid dat we God noemen aan te boren.

Het ontwikkelen van je eigen mediamieke gaven bevrijdt je van de afhankelijkheid van anderen en verbindt je met het hoogste niveau. Als je weet dat je in jezelf kunt kijken, je eigen spirituele verbinding kunt leggen, je eigen antwoorden op je vragen kunt formuleren en je eigen inzichten in je leven kunt ontwikkelen, dan geeft je dat de kracht een doelbewust en zinvol leven te leiden.

Maar waar moet je beginnen? Begin met het volgende:

– Je hebt een mediamieke/intuïtieve gave, die je van je schepper ontvangen hebt. Het is niet genoeg erin te geloven; je moet het zeker weten.

- Door geconcentreerd te oefenen kun je deze gave ontwikkelen.
- Het ontwikkelen van deze gave vereist dat je die in het volle besef van je verantwoordelijkheid gebruikt.
- Vertrouw op je instincten. Geloof en heb vertrouwen in jezelf.

Je hebt waarschijnlijk je intuïtie gebruikt zonder deze stellingen ooit gehoord te hebben. Ik hoop dat je nog veel meer van dergelijke ervaringen in je leven zult krijgen. Maar deze eenvoudige regels zijn het fundament waarop je je intuïtieve gave verder ontwikkelt.

Waarom wil je je intuïtie ontwikkelen?

Het ontwikkelen van je intuïtie brengt een verantwoordelijkheid met zich mee, zoals dat voor elk vermogen en elke vaardigheid geldt. Je moet dus eerlijk en duidelijk zijn tegenover jezelf wat betreft de redenen waarom je dit wilt doen. Stel jezelf voor je verder leest de vraag: 'Waarom wil ik mijn intuïtie ontwikkelen?' Als je op zoek bent naar geld, roem, macht of het vermogen om anderen te manipuleren, lees dan niet verder. Een van mijn studenten zegt het zo: 'Intuïtie mag niet alleen gebruikt worden voor je eigen profijt, want dan zul je in grote problemen komen. Ik heb heel wat mensen met een geweldige intuïtie egoïstische, op geld beluste machtswellustelingen zien worden. Ik kan daar alleen maar om lachen, omdat ik weet dat dat zijn weerslag zal hebben. Binnen de kortste keren kunnen ze geen accurate reading meer geven. Ze geven een reading met hun ego en niet met hun ware intuïtie. Het is net alsof het universum hen buitenspel zet met de woorden: "Je krijgt geen informatie meer totdat je begrijpt wat je met deze gave zou moeten doen." Je moet je talenten gebruiken om mensen te helpen.'

Ik geloof dat we de gift van de intuïtie krijgen om in dit leven op de best mogelijke manier te groeien en ons te ontwikkelen. Als je dus je intuïtie wilt gebruiken om rijk te worden, word dan rijk in vriendelijkheid, deugdzaamheid, vrijgevigheid, liefde, wijsheid en mededogen met anderen. Als je je intuïtie wilt gebruiken om roem te vergaren, zorg dan dat je die roem vergaart doordat je zoveel goeds voor anderen doet. Als je met je intuïtie machtig wilt worden, streef dan naar de macht om anderen te helpen zo goed mogelijk te worden. Als dat je doelen zijn om je intuïtieve vermogens te ontwikkelen, dan zal het universum je inspanningen bij elke stap ondersteunen.

Ik vraag alle nieuwe studenten me te vertellen waarom ze hun intuïtie willen ontwikkelen. Ik vraag dat niet alleen om hun antwoorden te horen maar ook met de bedoeling dat ze in hun eigen binnenste kijken om precies te weten waarom ze mijn methode zo graag willen leren. Veel mensen komen naar mijn lessen omdat ze hun intuïtie willen gebruiken om meer over hun eigen leven te weten te komen. Ze zeggen bijvoorbeeld: 'Ik moet weten hoe ik moet luisteren als ik volstrekt wanhopig ben omdat ik iets heel graag wil. Ik wil het verschil weten tussen mijn verlangen en de manieren waarop het universum mij aanwijzingen geeft. Ik wil naar mijn eigen intuïtieve gids luisteren.' Dat zijn natuurlijk allemaal geldige redenen. Maar als mensen de mogelijkheden ontdekken om met hun eigen gave anderen te helpen, dan vindt bijna iedereen dat een geweldig vooruitzicht. Ik hoop en vertrouw erop dat jij ook in die categorie valt.

WAT IS ER NODIG
OM DEZE METHODE TE GEBRUIKEN?

Ik geloof dat ik iedereen kan leren zijn intuïtie te gebruiken. Maar ik heb ook gemerkt dat sommige studenten succesvoller zijn dan anderen, en vaak heeft dat niets met vaardigheid te maken! Het ontwikkelen van je intuïtie is niets anders dan het ontwikkelen van welke andere vaardigheid dan ook. Sommigen hebben natuurlijk meer talent dan anderen, maar met talent kom je lang niet zo ver als met enthousiasme en geloof. Het is net als met sport: soms zijn de meest atletische kinderen de slechtste spelers in het veld. Dat komt omdat je aangeboren talenten alleen niet voldoende zijn voor succes. De twee meter lange jongen met een goed coördinatievermogen zal soms minder succesvol zijn met basketbal dan de sterk gemotiveerde jongen van 1 meter 70.

Hier volgen acht voorwaarden die je zult moeten opvolgen om het meeste profijt te hebben van mijn methode om je intuïtie te ontwikkelen.

1. Je moet je angsten, zorgen en twijfels opzij zetten.

Veel mensen zeggen dat ze intuïtieve boodschappen ontvangen hebben, maar dat ze te bang waren om te accepteren wat het universum hun aanbood. Door angst kun je zelfs de sterkste intuïtieve aanwijzingen naast je neerleggen; misschien ben je bang voor het 'abnormale' karakter van dergelijke waarschuwingen of voor de reacties van mensen als je naar je intuïtie handelt. Ik zeg niet dat angst altijd slecht is. Het kan een waarschuwing zijn dat een boodschap die we ontvangen hebben van een negatieve geest of energie afkomstig is. Maar als je je laat belemmeren door angst voor paranormale verschijnselen in het algemeen, dan zul je waarschijnlijk niet erg succesvol zijn bij het afstemmen.

Je kunt je ook niet laten weerhouden door de angst om raar of anders te lijken. Je moet bereid zijn je angsten onder ogen te zien, die te analyseren om te zien of ze gebaseerd zijn op gevoelens van negatieve energie en zo nee, om ze opzij te zetten. Zeg een gebed op en geloof dat het echt de bedoeling is je door God gegeven zesde zintuig te gebruiken.

Je mag je in elk geval niet laten weerhouden door de lagere vorm van angst die we 'zorgen' noemen. Als je je voortdurend zorgen maakt over wat je van de geesten zult horen, wat anderen zullen denken als je hun over boodschappen vertelt en wat er gebeurt als je op lagere geesten afstemt zonder het te weten of hoe goed je je intuïtie gebruikt, dan zal je vertrouwen in jezelf en je eigen vermogens langzaam maar zeker verdwijnen. En zonder vertrouwen zal je intuïtie bij voorbaat een verloren strijd leveren.

De andere demon die intuïtie in de kiem smoort, is twijfel. Er is moed en toewijding vereist om je paranormale gaven te gebruiken, en twijfels zullen zowel bij het ontvangen als het interpreteren van de boodschappen een storende factor zijn. Twijfel er nooit aan dat jij (net als iedereen) intuïtie hebt en op een hoger niveau van wijsheid kunt afstemmen. Als je een boodschap doorkrijgt, accepteer die dan, interpreteer die zo goed mogelijk en handel dan naar bevinding van zaken. Besef dat je steeds minder storende twijfels zult kennen naarmate je je gave vaker gebruikt.

2. Je moet het echt willen.

Het is niet moeilijk intuïtie te hebben; het ontwikkelen ervan kost moeite. Je moet je door God gegeven zintuig zo goed mogelijk willen ontplooien. Anders zul je niet meer dan sporadisch blijven horen wat het universum je te vertellen heeft.

Als je daarmee tevreden bent, dan is dat prima. Niet iedereen hoeft zijn talenten zover te ontwikkelen dat hij zijn intuïtie op commando kan gebruiken. Maar laat mij je vertellen dat het werk dat je aan het ontwikkelen van je intuïtie besteedt, er beslist aan zal bijdragen dat je een veel beter leven krijgt. Je zult daardoor ook in contact komen met een veel grotere liefde en wijsheid dan je ooit voor mogelijk hebt gehouden.

3. Je moet bereid zijn je intuïtie zowel voor jezelf als voor anderen te gebruiken.

Anderen kunnen helpen is een van de mooiste effecten als je kunt afstemmen. Als je ooit de kans krijgt om te zien hoe iemands ogen oplichten als je hem een boodschap van een overleden dierbare overbrengt, dan zul je weten wat ik bedoel. Maar niet iedereen die zijn intuïtie wil ontwikkelen, zal aspiraties hebben een brug tussen het hier en nu en het hiernamaals te zijn. Prima, want je kunt anderen nog altijd op tal van andere manieren helpen. Nancy Newton bijvoorbeeld is een therapeute die mensen helpt conflicten in het gezin op te lossen. Ze kan de intuïtieve counseling geven die haar cliënten op dat moment nodig hebben. Stel dat jij hetzelfde kon bij je eigen relaties? Of misschien vind je werk in de healing, zoals chiropractors Robin Nemeth en Jeffrey Fantich, die hun intuïtie als onderdeel van een ingrijpende diagnose gebruiken. Door middel van intuïtie kunnen ze zich bewust worden van bepaalde omstandigheden die ze grondiger moeten onderzoeken, waardoor er vaak problemen naar boven komen waarvan de patiënt zich eerst niet bewust was.

Als je je intuïtie eenmaal ontwikkelt, zul je merken dat zich steeds gelegenheden voordoen om anderen te helpen. Gebruik je gave om deze wereld te verbeteren.

4. Je moet de waarheid over jezelf onder ogen zien.

Mijn methode bestaat uit een serie van zes stappen waarmee je in contact kunt komen met de waarheid en wijsheid van het universum. Maar voordat je dat doet, moet je de waarheid over jezelf onder ogen zien, en dat is soms nog het moeilijkste van alles. Wie wil er nu met problemen geconfronteerd worden? Het is veel gemakkelijker die onder het tapijt te vegen, ze te ontkennen of het aanpakken ervan voortdurend uit te stellen. Ik heb al ongelooflijk vaak moeten horen: 'Ik weet dat mijn man me als voetveeg behandelt of dat ik een rotbaan heb, maar daar ga ik wat aan doen als de kinderen het huis uit zijn.' Maar een van de grondbeginselen van het universum is nu juist dat soort soort aantrekt. Als we op een hoger niveau leven, trekken we sterke energieën aan, en dat hoge niveau zal zich niet door iets lagers laten besmetten. Om onze intuïtieve gaven het best te gebruiken, moeten we daarom alles elimineren dat niet op het hoogste niveau van goedheid, liefde en God weerklinkt.

Waarheid vraagt om de waarheid, wijsheid vraagt om wijsheid. We moeten in contact komen met wie en wat we zijn en onze eigen sterke punten en zwakheden zien zodat we de eerste kunnen exploiteren en de laatste kunnen verbeteren. We hoeven niet perfect te zijn, maar we moeten wel aan onszelf werken. En als er nog een onopgeloste kwestie uit het verleden ligt, als er een relatie is die je alleen maar schade toebrengt, of als je drugs of alcohol gebruikt – alles wat ons van het hoogste waarheidsniveau afhoudt – dan moeten we hulp inroepen om te helen voordat we verder gaan. Dat zijn we verschuldigd aan de universele wijsheid die met ons en iedereen het beste voorheeft.

5. Je moet je ego opzij zetten.

Denk niet dat het ontwikkelen van je intuïtie je ego zal vergroten. Je ego kan je mediamieke gaven in de weg zitten of zelfs vernietigen. Zodra je je intuïtie begint te gebruiken om macht uit te oefenen over anderen, veroorzaakt die ego-energie een onbalans. Om de waarheid te vernemen als we intuïtief afstemmen, moeten we naar mijn mening een zo zuiver mogelijk kanaal zijn, en dat betekent dat de ego-energie uitgebannen moet worden. Ego-energie is als het ware een dam in de intuïtie-rivier, die de stroom zuivere informatie afbuigt zodat het om macht draait en niet meer om liefde en hulp. Als dat gebeurt, kunnen negatieve energieën met gemak binnensluipen en de macht grijpen. Helaas gebruiken velen hun intuïtieve vermogens om hun ego's te voeden. Maar voor mij is dat altijd een teken van gevaar. Het is voor het ego heel gemakkelijk om de binnenkomende informatie te vervormen of om de verkeerde soort geest aan te trekken. Kijk goed uit als het ego een rol gaat spelen bij intuïtie.

We moeten onszelf voortdurend aan kritisch onderzoek onderwerpen om zeker te weten dat we nog met beide benen op de grond staan. We moeten leren eerlijk te zijn tegenover onszelf, onze motieven te controleren en de moeilijke vragen te stellen over de reden dat we afstemmen en wat dat oplevert. En we moeten ons verlangen om als zuiver kanaal van universele liefde en wijsheid te dienen altijd zo krachtig mogelijk zien te houden.

6. Je moet weer leerling worden.

Kon je in je jeugd goed dansen of zingen of was je goed in een bepaalde sport? Het was een heerlijk gevoel als je dat natuurlijke talent gebruikte, weet je nog? Maar wat gebeurde er toen je les begon te nemen op dat gebied? Misschien gaf je leraar je opdrachten waar je moeite mee had omdat je je talent op een andere manier moest gebruiken. Maar wat gebeurde er als je doorzette? Je eigen natuurlijke talent werd er juist door verbeterd.

Hetzelfde gebeurt als je je intuïtie ontwikkelt. Deze methode maakt gebruik van oefeningen die niet direct gemakkelijk lijken. Je moet bereid zijn de leerstof van je leraar tot je te nemen, ook al kost dat moeite. Je moet de methode zo goed mogelijk volgen en zien wat er gebeurt. En je moet bereid zijn op het kompas van een ander te varen en te profiteren van diens jarenlange ervaring in het gebruik van de eigen mediamieke gaven.

7. Je moet mislukkingen voor lief nemen.

Ik zal je een geheim verklappen: deze methode biedt bijna iedereen de beginselen voor het ontwikkelen van de intuïtie, maar een pasklaar recept bestaat niet. Ieders gave is weer anders (je zult zien wat ik bedoel als je meer over elke stap leest) en ik weet zeker dat jouw intuïtieve stijl ook uniek zal zijn.

Je moet dus bereid zijn dingen uit te proberen en voor lief nemen dat ze mislukken. Het leren gebruiken van je intuïtie gaat altijd met vallen en opstaan. Je krijgt een gevoel of gedachte die op een of andere manier afwijkt, die je als een boodschap van je hogere zelf identificeert. Je zult dan moeten nagaan hoe die boodschap in jouw leven uitwerkt. Als het goed uitpakt, zeg je: 'Aha! Ik kan dat bepaalde gevoel of die gedachte vertrouwen. Volgende keer handel ik daar weer naar en zie dan wel wat er gebeurt.' Het is net alsof je leert fietsen. Het kan even duren voordat je geleerd hebt om op twee wielen in evenwicht te blijven, maar als je dat eenmaal kunt, zul je voortaan in het volste vertrouwen op de fiets zitten.

Bij het ontwikkelen van je intuïtie zul je zeker fouten maken. Je moet leren jezelf te vergeven dat je niet perfect bent bij je pogingen beter te worden. Maar je moet blijven volhouden en zoveel vertrouwen in jezelf hebben dat je weet waarom je al dan niet succes had. Als ik privé met studenten werk, kan ik ze helpen uit te vinden of ze afgestemd zijn. Ik zeg dan: 'Je raadt nu; je luistert niet. Je gaat te rationeel te werk. Probeer nergens aan te denken en alleen te voelen. Ik geef je nu een naam. Zeg wat je daarbij te binnen schiet.' En meestal klopt de eerste aanwijzing helemaal.

Een gerenommeerd ijshockeyer zei ooit: 'Je mist 100 procent van de schoten die je niet probeert.' De enige manier om je eigen intuïtieve zintuig te ontplooien is om steeds weer af te stemmen. Probeer gewoon te schieten; leer het verschil tussen precies in de roos, bijna raak en helemaal mis. Gebruik je talent met het idee dat je steeds beter wordt, dan zul je er verbaasd over staan hoe snel je beter wordt.

8. *Je moet bereid zijn je uiterste best te doen.*

In 1998 volgde heel Amerika de grote homerun-strijd tussen Mark McGwire en Sammy Sosa. In dat seizoen ging het niet om de vraag of het record van 61 homeruns van Roger Maris verbroken zou worden, maar wie dat het eerst zou lukken en wie het grootste aantal homeruns zou maken: McGwire of Sosa? Tot op het laatst was het een nek-aan-nekrace tussen de twee spelers, waarbij nu eens de een, dan weer de ander bovenaan stond. McGwire trok aan het langste eind en besloot het seizoen met zeventig homeruns, tegenover 66 voor Sosa. Maar zou McGwire ook zoveel homeruns hebben gescoord als Sosa hem niet voortdurend op de hielen had gezeten? Ik denk het niet. Als je door iets gemotiveerd wordt, kun je net dat beetje meer geven, en dat is een van de geheimen van succes.

Ik merk dat dit ook voor mijn studenten geldt. Of ik nu individueel of in groepen met mensen werk, ik stimuleer ze altijd alle boodschappen die ze binnenkrijgen in zich op te nemen en dieper te gaan. (Mijn vriend Malcolm zegt dat ik geen mededogen heb bij mijn lessen. En hij heeft gelijk!) Maar omdat ik niet de gelegenheid heb met iedereen te werken die dit boek leest, moet je jezelf onder druk zetten.

Als je een gedachte, gevoel of beeld doorkrijgt dat volgens jou een boodschap is, moet je die onderzoeken. Stel jezelf de vraag: 'Wat nog meer? Zit hier nog meer aan vast? Houdt dit verband met iets anders?' Blijf volhouden tot je alle mogelijke verbindingen helemaal hebt uitgezocht. Je zult verrast zijn hoeveel je nog kunt opvangen door gewoon om meer te vragen.

Jezelf onder druk zetten betekent ook dat je steeds weer moet blijven oefenen. Ik vertel mijn studenten dat ze net sporters zijn die geweldige tennissers kunnen worden. Hoe ver ze zullen komen – of ze nu weekendspelers, goede amateurs, professionals of de beste van de wereld zijn – hangt een beetje af van natuurlijke aanleg en heel veel van de tijd en inspanning die ze bereid zijn erin te stoppen. Als je veel tijd en moeite besteedt aan je intuïtieve vermogens, dan kun je die gebruiken om je relaties te verbeteren, kan het werk je gemakkelijker afgaan, kun je geestelijk, emotioneel en spiritueel groeien, kun je soelaas vinden in de aanwezigheid van overleden dierbaren, kun je gewaarschuwd worden voor komend gevaar, kun je degenen van wie je houdt helpen, kun je je in harmonie voelen met het hoogste goed enzovoort enzovoort.

Het is best mogelijk dat je al erg goed bent in het afstemmen en misschien denk je dat je dan met minder inspanning resultaat zult behalen, maar geloof mij maar, er is geen enkel alternatief voor oefenen. Ik heb dat zelf in een andere context heel direct ervaren. Toen ik heel jong was, zat ik op pianoles, maar ik had een hekel aan oefeningen, die ik daarom liet lopen. Mijn ouders werkten allebei, dus daarom wisten ze niet of ik al dan niet oefende. Toen het grote jaarlijkse pianorecital plaatsvond, was de hele familie aanwezig. Ik moest The Gypsy Song spelen, maar er was een probleempje: omdat ik niet geoefend had, kende ik alleen het eerste deel van het nummer. Ik liep het podium op, ging zitten en speelde telkens weer de eerste zestien maten. Ik had geen idee hoe ik moest ophouden. Uiteindelijk eindigde ik met de afschuwelijkste valse noot die je maar kunt bedenken. Iedereen begon te lachen toen ik opstond en een buiging maakte. Mijn zussen vertelden me na afloop dat ze mijn moed bewonderden. Tja, ik wilde altijd al van alles proberen, maar op die dag leerde ik de waarde van oefenen kennen.

Veel intuïtieve mensen hangen de filosofie aan dat intuïtie een door God gegeven gave is en dat ze daarom alleen maar zichzelf los hoeven te laten en God toe moeten laten. Dat is tot op zekere hoogte een geweldig idee, maar ik geloof ook dat God degenen helpt die zichzelf helpen. In plaats van te wachten tot het universum me opeens met een boodschap treft, help ik het liever een handje door mijn gave zo optimaal mogelijk te gebruiken. Hoe meer je je gave gebruikt, des te gemakkelijker wordt het voor het universum om goed verstaanbaar tegen je te spreken. Doe God een plezier en oefen!

PRAKTIJKERVARINGEN: STUDENTEN OVER MIJN LESSEN

Ik heb honderden mensen geleerd hoe ze hun intuïtie kunnen gebruiken. Dat lijkt niet zoveel, maar ik ben altijd erg selectief geweest in het delen van deze informatie. Bij elke workshop of privé-les spreek ik over mijn filosofie omtrent intuïtie en mediamieke vermogens (dus wat je tot nu toe in dit boek gelezen hebt). Dan behandel ik de zes stappen van mijn methode. Zoals je zult zien is er aan elke stap een oefening verbonden, zodat mensen die stap zelf kunnen ervaren. Nadat iedereen de zes stappen in zich opgenomen heeft, geef ik ze een naam en vraag ze mij te vertellen wat er het eerst bij hen opkomt of (als het een groep is) ik verdeel de studenten in duo's en laat hen readings bij elkaar houden. Het is net alsof je een kind op het vasteland de zwemslagen leert waarna je het in het water laat springen om die te oefenen.

Ik kan je vertellen dat de resultaten verbazingwekkend zijn. De mensen in mijn workshops blijven me verbazen met hun successen, en ik geniet ervan! Ik wil juist graag dat mijn studenten beter zijn dan ik. Ik wil dat ze met hun eigen talenten in aanraking komen en daarin uitblinken. Elke leraar zal je vertellen dat het een fantastisch gezicht is om een leerling te zien slagen. Ik vind het prachtig maar ben niet verrast, omdat ik niet minder van mijn studenten verwacht dan van mezelf. Als ik het kan, kunnen zij het ook.

Ooit gaf ik een groep op een cruiseschip les in mijn methode. Margaret, een van de studenten, was gekoppeld aan een vrouw van in de dertig om voor elkaar readings te doen. Margaret bleef maar een baby met rood haar zien en vroeg: 'Ben je in verwachting?' De andere vrouw antwoordde: 'Nee, we nemen voorlopig geen kinderen omdat we net een zaak zijn begonnen.' Precies negen maanden later kreeg Margaret een geboortekaartje van haar partner. De vrouw was tijdens

de cruise zwanger geworden en was moeder geworden van een rood-
harig meisje.

In de loop van een groepsworkshop wordt het duidelijk dat iedereen een andere gave heeft en anders te werk gaat bij de reading. Ik
vergeet nooit de middag waarop Robin Nemeth en haar vriendin Patti
Limine me opbelden voor een gemeenschappelijke les via de telefoon. Ze stonden in een telefooncel in een schoonheidssalon! Binnen
de kortste keren hadden we de grootste lol met elkaar. Aan het eind
van de sessie gaf ik hun de naam Marie en vroeg hun wat hun daarbij
als eerste te binnen schoot. Robijn zei zoiets als: 'Ik stel me voor dat
Marie er zo uitziet: 'Ze heeft blond haar, is slank en klein.' Maar Patty
kreeg dergelijke bijzonderheden niet door. In plaats daarvan kreeg ze
indrukken door over de persoonlijkheid van Marie. Ze zei: 'Ik zie Marie als een vrouw op een troon. Het is een oudere vrouw die goed in
haar vel zit. Ze heeft uitgesproken ideeën en vaststaande meningen
en ik zie dat veel mensen naar haar toe komen om vragen te stellen.'
Ze hadden allebei gelijk; beiden hadden hun intuïtie op een iets andere manier gebruikt.

Het mooie van studenten die deze readings voor elkaar doen is
niet alleen dat ze ervaring opdoen in het afstemmen. Ze zien ook dat
intuïtie een talent is dat iedereen bezit. Ik heb eens gewerkt met een
ervaren financieel expert uit New York. Na diverse readings met mij
volgde hij mijn workshop en zei over die ervaring: 'Er waren mensen
van allerlei niveaus in die kamer. Er waren mensen in mijn groep die
absoluut dingen konden zien die ik niet zag; er waren zelfs mensen
in de kamer die dingen zagen die Char niet kon zien! Die workshop
heeft me geleerd dat je niet paranormaal begaafd hoeft te zijn om je
intuïtie te gebruiken.'

Eerlijk gezegd kunnen mensen intuïtie en paranormale begaafd-
heid tot iets groters maken dan het werkelijk is. Intuïtie is geen uniek
talent dat alleen bepaalde mensen bezitten. Het is iets waar ik toevallig aanleg voor heb, zoals anderen aanleg voor geschiedenis, zeilen of
wiskunde hebben (waar ik zelf absoluut geen aanleg voor heb!) Maar
toen ik pas studeerde om mijn intuïtie te ontwikkelen, kreeg ik te ho-

ren: 'O, jij bezit een gave die anderen niet hebben.' Dat is belachelijk. Iedereen bezit intuïtie. Het is iets heel vanzelfsprekends. Mijn doel is anderen te helpen hun intuïtie te ontdekken en die dan voor hun eigen profijt en dat van anderen te gebruiken.

Soms kost het moeite om door de vooroordelen van mensen heen te breken en hen zover te krijgen dat ze de stem van hun eigen innerlijke wijsheid vertrouwen. Maar als ik mijn studenten zie opbloeien als ze deze zes stappen toepassen en op een dieper niveau beginnen af te stemmen, dan weet ik dat het allemaal de moeite waard is. Ik krijg brieven zoals deze van 'Tanya':

'Ik ben gewoon maar een moeder en vrouw, maar ik heb een uitgesproken mening over wat Char me geleerd heeft. Ik voel me nu veel spiritueler. Het gebeurde niet opeens, maar na Chars workshop. Elke dag is mijn intuïtie helderder dan de dag ervoor. En als ik dat sterke gevoel van binnen krijg, dan ga ik erin mee. Ik weet dat ik dagelijks wel contact krijg met mijn vader of oma. Dankjewel Char, dat je me geholpen hebt om bij mijn dierbaren te zijn.'

ZES STAPPEN OM TOEGANG TE KRIJGEN TOT JE HOGERE ZELF

In de volgende zes hoofdstukken krijg je de kans om je in elke stap van mijn methode te verdiepen. Je leert zowel het waarom als het hoe: de redenen waarom elke stap belangrijk is en hoe je elke stap in je leven kunt implementeren terwijl je je eigen intuïtieve talent ontwikkelt. Maar laten we beginnen met alle zes de stappen op volgorde kort voor je te beschrijven.

Stap 1: weet dat je intuïtie hebt

Het is niet genoeg te geloven dat je over intuïtie beschikt, omdat zelfs de geringste twijfel je intuïtie volkomen kan blokkeren. Je moet een gevoel van innerlijke zekerheid ontwikkelen waardoor je je aangeboren intuïtieve krachten kunt aanboren zodra je dat wilt.

Stap 2: gebruik de kracht van je gedachten

We communiceren met het universum en met degenen aan gene zijde door de kracht van onze gedachten. Als we ons bewust zijn van onze gedachten, vloeit de intuïtie gemakkelijk door ons heen. We raken beter afgestemd op de hoogste energie van het universum en worden gewaarschuwd als er een boodschap doorkomt.

Stap 3: gebruik je vijf zintuigen om het zesde te verbeteren

Onze intuïtieve kant communiceert via onze vijf zintuigen en onze emoties. Je intuïtie heeft vaak een favoriet zintuig om met je bewuste geest in contact te komen, maar je kunt leren al je zintuigen te gebruiken om je innerlijke wijsheid aan te boren.

Stap 4: emoties van anderen voelen

Heb je ooit meegemaakt dat je in een geweldige stemming was en tussen een groep mensen ging staan, waarna je humeur opeens zonder aanleiding veranderde? Je moet weten hoe je de emoties van anderen kunt ontdekken en hoe je je daartegen kunt beschermen.

Stap 5: hoe krijg je intuïtieve informatie?

Steeds weer krijgen we aanwijzingen in allerlei vormen, maar die kunnen pas enig nut hebben als we kunnen opmerken en interpreteren wat we ontvangen. We moeten onze eigen unieke intuïtieve radar leren ontwikkelen.

Stap 6: jezelf tegen negatieve energieën beschermen

Helaas is niet alle energie in het universum goed, en niet alle geesten hebben het beste met ons voor. Je moet jezelf beschermen tegen energieën en persoonlijkheden die het niet goed met je voor hebben door naar het hoogst mogelijke niveau van goedheid, licht, liefde en wijsheid te gaan als je je intuïtie gebruikt.

Probeer mijn methode uit en zie wat er gebeurt. Ik denk dat je zult ontdekken dat je met wat vertrouwen en enige inspanning verbazingwekkende resultaten behaalt. Laten we beginnen!

11
Stap 1: weet dat je mediamiek begaafd bent

Beantwoord de volgende vraag snel, zonder na te denken: Ben je mediamiek? Als je 'nee' of 'misschien' zegt of 'ik weet het niet zeker', of zelfs 'ik geloof van niet', dan blokkeer je je intuïtie op een bepaald niveau. Het eerste geheim om toegang te krijgen tot je hogere zelf is zekerheid. Je moet absoluut zeker weten dat je intuïtief bent.

In de jaren zeventig waren er diverse populaire boeken met titels als *Innerlijk tennis, Innerlijk skiën, Innerlijk golf,* die een geestesgesteldheid wilden bewerkstelligen om in deze sporten uit te blinken. Hetzelfde geldt voor intuïtie: de mogelijkheden tot succes worden bepaald door je geestesgesteldheid. Ik zou je de hele dag tips kunnen geven over afstemming, spreken met geesten, verschillende energieën opvangen enzovoort – allemaal dingen waarmee je gemakkelijker toegang krijgt tot je intuïtie – maar geen ervan zal werken tenzij je geest je vertelt: 'Ik weet dat ik intuïtie heb.'

Als mensen voor instructie bij me komen en zeggen: 'Ik geloof dat ik een of ander paranormaal talent heb', dan snoer ik hen direct de mond. Je kunt niet gewoon 'geloven', want geloof betekent dat we twijfels opzij zetten. Weten is iets heel anders. Geloof je of weet je dat de zon morgenochtend opkomt? Je moet dezelfde zekerheid over je eigen mediamieke vermogens hebben voordat je die werkelijk kunt gebruiken. Als je weet dat je mediamiek bent, dan staat de weg open om met het universum te communiceren.

Mijn student Hank gebruikt een mooie sportmetafoor. 'Als je alle spelers in de American football-competitie zou vragen wie de Super Bowl zou winnen, dan zou ieder van hen zeggen: "Wij!" Maar er zijn gradaties van geloven en ik weet dat de teams die in de Super Bowl tegenover elkaar komen te staan, de teams zijn die het zeker weten, die het in hun hart voelen. Een dergelijk niveau van geloof kun je niet simuleren. Je hebt die zekerheid nodig om naar de volgende stap te gaan, anders werkt het niet.'

Ik geef graag seminars omdat daarin mensen met dezelfde instelling bij elkaar komen. Er heerst openheid en mensen oordelen niet direct over elkaar. Niemand zegt: 'Dit is stompzinnig. Dit bestaat niet. Dit is belachelijk.' Er bestaan geen blokkades of negativiteit in de omgeving om iemands groei te stoppen. En als de studenten zien dat anderen met succes hun intuïtie leren gebruiken, dan geeft dat hun meer vertrouwen, zekerheid en bereidheid om het zelf ook te proberen.

Maar het begint allemaal met het besef dat je een krachtig zesde zintuig in je hebt, of je dat nu gebruikt of niet. Als je nog altijd in de geloofs- of twijfelfase over je eigen intuïtie verkeert, vraag je dan af waarom. Heb je meer voorbeelden nodig uit je eigen leven die aantonen wanneer je je intuïtie gebruikte? Ga dan terug naar hoofdstuk 8: 'Je hebt je eerste mediamieke ervaring al gehad!' en doe die oefeningen. Aarzel je om het woord mediamiek of paranormaal te gebruiken om naar je ervaringen te verwijzen vanwege connotaties uit het verleden? Sommigen van ons werden grootgebracht met het idee dat paranormale ervaringen iets dubieus zijn, anderen zijn erg sceptisch over zaken die buiten onze vijf zintuigen liggen. Verander de vraag aan het begin van dit hoofdstuk in 'ben je intuïtief?' als dat helpt. Maar voordat je een stap verder gaat, moet je er absoluut van overtuigd zijn dat je intuïtieve talenten hebt.

Misschien heb je ervaringen meegemaakt die niet te verklaren zijn maar die je niet het kenmerk 'buitenzintuiglijk' of 'paranormaal' wilt geven. Of misschien ben je bang voor wat er zal gebeuren als je tegen jezelf zegt: 'Ja, ik ben mediamiek.' Als je vijand dat woord 'angst' is, of als je gebrek aan zelfvertrouwen hebt omdat iemand in het verleden je gevoel van eigenwaarde gekwetst heeft of zijn sceptische visie aan je opgelegd heeft, neem dan dit liefhebbende advies van mij aan: stap eroverheen! Het is tijd zoveel van jezelf te houden dat je je door God gegeven talenten accepteert en weet dat je intuïtief, gevoelig en mediamiek bent.

Een van de leukste dingen in mijn lessen aan mijn studenten is dat ze direct de bevestiging krijgen dat ze deze talenten hebben. 'Peter', een zakenman uit Los Angeles, volgde enkele jaren geleden mijn lessen. Hij vertelde me later dat hij versteld stond over zijn eigen vaardigheden tijdens de oefenreading aan het eind van de sessie. Zonder eerdere instructie of intuïtieve ervaring kon hij gedetailleerd het appartement van degene aan wie hij gekoppeld was beschrijven. 'Ik kon het meubilair en het tapijt zien, en zelfs het uitzicht uit het raam,' zei hij. 'Ik wist werkelijk niet hoe ik het had.'

Een andere cliënt vroeg om instructie omdat haar man golfprof was en ze wilde weten hoe goed hij het zou doen bij een komend toernooi. Omdat ik haar omstandigheden kende, zei ik aan het eind van de sessie: 'Ik denk nu aan iets en wil dat jij daarop afstemt. Zeg me zonder er bewust aan te denken wat je te binnen schiet.' Ze zag munten, bankbiljetten, natuur, en lege plekken in de natuur. Ik zei: 'Wat is het resultaat?' Ze zei dat ze volstrekte rust en tevredenheid ervoer.

Wat ik haar niet vertelde, was dat ik op haar echtgenoot afstemde en naar zijn succes vroeg. Het geld gaf aan dat hij goed zou presteren op het toernooi, waarmee hij de gevoelens van rust en tevredenheid schiep die ze ervoer. Ze sloeg de spijker op zijn kop. Toen ik haar dat vertelde, zei ze: 'O mijn God, ik krijg er kippenvel van.' (Kippenvel is een heel goede aanwijzing voor mediamieke vermogens.) Ze vertelde me later dat ze intuïtief het antwoord op haar vraag had geweten, maar dat ze dat van zichzelf niet mocht geloven. Ze was onzeker omdat ze zo graag wilde dat het waar was. 'Nu begrijp ik het,' zei ze, 'ik weet hoe ik daar moet komen.' (Haar man deed het trouwens erg goed op dit toernooi.)

Je intuïtie gebruiken draait eigenlijk om vier dingen: moed, vertrouwen, toewijding en veroveringsdrang. Je moet de moed hebben om de uitdaging aan te gaan, je moet het vertrouwen hebben om er voor 100 procent tegenaan te gaan en je moet er helemaal in opgaan; alleen dan zul je slagen. Twijfel is een demon. Twijfel achteraf is eigenlijk een taboe. Alleen al door 'misschien' te zeggen wordt je aangeboren intuïtieve talent beknot. Je moet het kennen, beheersen en gebruiken. Als je het niet kent kun je het net zo goed vergeten. Ga dan liever punniken of begin een andere hobby. Je kunt dan in elk geval je huis versieren met de resultaten.

Hier is de oefening: doe wat nodig is om te weten dat je mediamiek bent, dat je (net als ieder ander) intuïtie bezit. Als je terug moet grijpen naar hoofdstuk 8 en je lijst van 'intuïtieve voorvallen' moet uitbreiden, doe dat dan. Als je een uur per dag in een tredmolen moet lopen terwijl je de woorden 'ik ben intuïtief' herhaalt, doe dat dan. Als je moet mediteren en in een geconcentreerde ruimte moet zien te komen, doe dat dan. Probeer aan het verhaal van dat treintje te denken dat met moeite de berghelling opklom met de woorden: 'Ik denk dat ik het kan, ik denk dat ik het kan, ik denk dat ik het kan...' en aan de andere kant reed hij lekker naar beneden, met de woorden: 'Ik dacht dat ik het kon, ik dacht dat ik het kon, ik dacht dat ik het kon.' Doe net als dat treintje aan de andere kant van de berg, maar zeg tegen jezelf: 'Ik weet dat ik het kan, ik weet dat ik het kan, ik weet dat ik het kan!' Weet dat je intuïtief bent, en dan garandeer ik je dat je hogere zelf er zal zijn om je te steunen.

12
Stap 2: gebruik de kracht van je gedachten

Denken is de sterkste kracht in het universum. Kwantumfysici zeggen dat we letterlijk onze realiteit creëren door middel van onze gedachten. Dat komt doordat niets in deze wereld voor ons reëel is totdat we het met onze gedachten verwerken. Zonder de kracht van onze gedachten zou onze beleving van de wereld uit onsamenhangende, willekeurige indrukken bestaan: aanrakingen, beelden en geluiden zonder enige betekenis. Anders dan de rest van het fysieke universum kennen gedachten geen grenzen. Je kunt er de tijd en ruimte zonder moeite mee overbruggen; je kunt de oceaan oversteken door aan de Eiffeltoren te denken of je kunt teruggaan naar je jeugd door herinneringen aan je vijfde verjaardag op te halen. Gedachten kunnen werelden scheppen die we in ons fysieke universum nooit gezien hebben. In gedachten kun je zien hoe het zou kunnen zijn en hoe het had kunnen zijn. Gedachten kunnen zelfs de grenzen van de dood passeren en ons in contact brengen met hen aan gene zijde. En gedachten zijn de manier waarmee intuïtie met de bewuste geest spreekt.

Ik geloof dat we de kracht van onze gedachten moeten gebruiken om intuïtie effectief te gebruiken. We moeten het verschil leren tussen de gedachtestroom van onze logische, bewuste geest en de intuïtieve informatie die als glinsterende goudklompjes in het water opeens opduikt. Om die goudklompjes te zien, moeten we er zeker van zijn dat onze gedachtestroom zo helder en zuiver mogelijk is, vrij van de modderpoel van de negativiteit. En we moeten leren hoe we verantwoordelijkheid kunnen nemen voor de energie die vrijkomt bij elke gedachte die we het universum in brengen.

Maar de eerste stap is om uit te zoeken wat nu precies het 'denken' is. Waaruit bestaat dat? Waar komt het vandaan? Wat is de kracht ervan precies? En hoe kunnen we gedachten gebruiken om de wereld van de intuïtie aan te boren?

WAT IS DENKEN?

Hoe groot de kracht ervan ook is, en hoewel er voortdurend gedachten door ons heen gaan, is het denken een van de moeilijkste begrippen om te definiëren of te doorgronden. Het is niet iets dat je kunt zien of in je hand houden. Het is volstrekt onaanraakbaar, maar toch is de kracht ervan immens. Natuurkundigen en filosofen onderzoeken het mysterie van het denken al sinds mensenheugenis, en wat ze ontdekt hebben, is verbazingwekkend.

Herinner je je nog dat ik in hoofdstuk 4 zei dat alles uit energie bestaat? Denken is absoluut een vorm van energie. Daarom is het denken zo krachtig en zo flexibel; net als Superman is het 'sneller dan een afgevuurde kogel, sterker dan een locomotief'. Biochemici vertellen ons dat een gedachte ontstaat als een reeks neuronen in de hersenen wegschieten, waardoor een energiestroom met een bepaald patroon geproduceerd wordt. Maar wat gebeurt er met die energie? Als er geen energie verloren gaat in de kosmos, zoals fysici ons vertellen, waar gaat die gedachte-energie dan naar toe? Is het mogelijk dat we, als onze wetenschappelijke instrumenten maar gevoelig genoeg waren, de energie van onze gedachten die in het universum wegschieten letterlijk konden opvangen?

En nog belangrijker, wat gebeurt er als we onze gedachten bewust sturen? Sommige kwantumfysici stellen dat dit een soort radiosignaal is. Gewoonlijk zijn onze gedachten net als ruis: deeltjes die in het universum worden weggeschoten en waarvan de energie zwakker wordt naarmate ze zich verspreiden, samenhang verliezen en uiteindelijk verdwijnen. Maar als we ons er doelbewust op concentreren om een heldere gedachte te versturen, dan lijkt dat op een radiosignaal zoals dat door een sterke zender verspreid wordt. Het behoudt zijn coherentie en richting veel langer en de kans dat het door iemand wordt opgevangen, is veel groter.

Als het denken dus energie is, en een gerichte gedachte een coherentere vorm van energie, dan moeten we in staat zijn de kracht van onze gedachten te gebruiken om energie te geven en te ontvangen.

Wat is een gebed tenslotte meer dan een gerichte gedachte die met een bepaalde bedoeling op een bepaalde plek gericht is? Als we bidden, willen we de energie van onze gedachten gebruiken om contact te krijgen met een hogere plek (of persoon, afhankelijk van je geloof); ik noem dat universele goedheid, onvoorwaardelijke liefde en wijsheid. Als onze gerichte gedachten krachtig genoeg zijn om dit allerhoogste niveau te bereiken, waarom zouden ze dan niet iemand of iets in het gehele universum kunnen raken?

Door de kracht van het denken kan ik over de telefoon, via radiogolven of waar dan ook een reading voor mensen houden. Dit is de manier waarop ik in contact kom met de geesten van overleden dierbaren. En deze manier kun jij ook gebruiken, door de kracht van je eigen geconcentreerde, coherente gedachten te gebruiken en door te leren hoe het universum zijn gerichte, coherente gedachten weer naar jouw geest terugstuurt. We sturen immers niet alleen gedachte-energie uit, maar ontvangen die ook. Als we onze geest vrijmaken van de ruis van ongerichte gedachten en we afstemmen op onze eigen geestelijke ontvanger, kunnen we de gedachtesignalen opvangen die door andere mensen, andere plaatsen en andere niveaus van de werkelijkheid naar ons worden verstuurd.

Gedachten creëren onze werkelijkheid

Onze gedachten hebben niet alleen de kracht om een ongelooflijke hoeveelheid energie het universum in te sturen. Ik ben het eens met kwantumfysici die zeggen dat onze gedachten in wezen onze werkelijkheid creëren. Dit gebeurt op diverse niveaus. Zoals ik al zei creëert het denken onze werkelijkheid omdat we de werkelijkheid alleen via onze gedachten kunnen waarnemen. Ja, onze zintuigen nemen indrukken, informatie enzovoort op maar die indrukken moeten door onze geest worden verwerkt en dan in gedachten worden omgezet. Dat is de enige manier waarop we de wereld zin kunnen geven.

Ik geloof dat de energie van onze gedachten in een wisselwerking staat met de wereld om ons heen om aldus onze werkelijkheid te creëren, en wel in de letterlijke zin des woords. Wetenschappers gebruiken vaak het voorbeeld van iemand die een wetenschappelijk experiment observeert. In hun optiek zal de uitkomst van dat experiment altijd beïnvloed worden door de aanwezigheid van de observant, omdat de energie van de observant de energiegolven en deeltjes waaruit het experiment bestaat beïnvloedt. Ik begrijp niet veel van deze theorieën, maar zoals veel mensen heb ik soortgelijke dingen meegemaakt. Ik zat bijvoorbeeld in een restaurant of op een feestje met iemand te praten en voelde dan opeens iets vreemds; een verandering in energie misschien. Als ik me dan omdraaide zag ik iemand naar me staren vanaf de overkant van de ruimte. Omdat ik op dat moment goed afgestemd was, voelde ik de energie van de situatie verschuiven door de verandering in omstandigheden. Ben je bijvoorbeeld ooit wel eens op een ietwat saai feestje geweest, waar opeens een man binnenkwam die leven in de brouwerij bracht? Hij glimlacht, bruist van de energie, zegt iedereen gedag en weet binnen enkele minuten de sfeer in de kamer volkomen te veranderen. Ik geloof dat dat komt doordat hij de gedachten van de anderen een positieve, stimulerende inslag heeft gegeven, waardoor de energie van de kamer veranderd is.

Probeer het volgende experiment eens. Denk aan iemand van wie je werkelijk houdt, hetzij hier, hetzij aan gene zijde. Stuur die een boodschap dat je van diegene houdt en om hem of haar geeft. Zeg niets hardop, maar denk alleen wat je wilt overbrengen. Voel je de energie die door die ene simpele gedachte wordt opgewekt? Als je ooit liefdevol naar iemand gekeken hebt, weet je hoe krachtig de energie van je gedachten op dat moment was. En als iemand met een dergelijke intense emotie naar jou heeft gekeken, dan heb je de kracht van de op jou gerichte gedachten eveneens gevoeld.

Gedachten zijn even krachtig als daden, die zelfs alleen maar mogelijk zijn als ze door een gedachte voorafgegaan worden. In zekere zin zijn gedachten dus nog krachtiger dan de daden die ze opwekken. Als alles uit energie bestaat, dan kan de energie van een gedachte even heilzaam of schadelijk zijn als de energie van een daad. Het staat vast dat gedachten in de loop der tijden evenveel of meer schade hebben aangericht als daden. Twijfel je daaraan? Denk eens aan de honderden miljoenen mensen die niet de acties ondernemen die henzelf en de mensheid ten goede komen, alleen omdat ze door hun angsten of overtuigingen daarvan worden weerhouden. En angsten en overtuigingen zijn niets anders dan het resultaat van gedachten. Op dezelfde manier hebben gedachten en ideeën de beschaving ook meer heil gebracht dan welk apparaat of welke persoon dan ook. Plato, Einstein en Descartes waren stuk voor stuk mensen wier gedachten en ideeën de wereld hebben vormgegeven.

Als we een gedachte de kosmos in sturen, dan is die gedachte een levende realiteit geworden. Als je iets denkt, kun je dat als een daad zien, want op energetisch niveau is het een daad. Als je denkt: 'Ik zou willen dat mijn baas in de plomp sprong,' dan kun je hem er net zo goed zelf in duwen; niet omdat je gedachte dat effect op hem heeft, maar omdat die gedachte dat effect op jou heeft. Wees dus voorzichtig met wat je denkt, want als een gedachte er eenmaal is, dan is die werkelijkheid. Als je iets denkt, dan moet je dat ook als het jouwe beschouwen, want op zeker moment zul je erdoor worden beïnvloed.

Hoe het universum met gedachten tegen ons spreekt

Gedachten zijn ook de energie waarmee het universum vanuit plekken buiten de alledaagse wereld met ons communiceert. Ga maar na: als gedachten een krachtige vorm van energie zijn die grenzen als tijd en ruimte zonder moeite kunnen overschrijden, zouden ze dan ook niet een natuurlijk informatiekanaal voor andere werkelijkheidniveaus zijn? De energie van het denken is krachtig maar toch subtiel en kan dus door het universum gebruikt worden om rechtstreeks tegen ons te spreken. Het lijkt alsof het universum onze gedachten als radiogolven kan gebruiken door het pad terug naar onze geestelijke 'zender' te volgen. En intuïtieve gedachten zijn de voornaamste manier waarop het universum met ons communiceert.

Een intuïtieve gedachte is meestal niet iets waar we ons bewust op concentreren, omdat die niets te maken heeft met onze dagelijkse manier van logisch denken. Zo'n gedachte is van een heel andere plek afkomstig, zoals een creatief idee ook vanuit het niets in je opkomt. Als er een gedachte bij je opkomt die het leven gemakkelijker voor je maakt, je een aanwijzing over iets geeft of bijdraagt aan het voorkómen van een probleem, dan noem ik dat een 'God-gedachte', omdat die van het hoogste niveau van goedheid, liefde en wijsheid afkomstig is.

Als je aandacht aan je gedachten schenkt, zul je denk ik verrast zijn over de frequentie waarmee het universum je aanwijzingen over verschillende levensgebieden geeft. In het tweede deel van dit boek zul je een groot aantal voorbeelden lezen over hoe mijn studenten en cliënten – gewone doorsnee burgers – aandacht hebben besteed aan hun eigen intuïtieve gedachten en daarmee zichzelf uit gevaar gered hebben, hun bedrijf tot een succes hebben gemaakt, hun relatie hebben verdiept en nog veel meer.

Niet alleen het universum gebruikt 'gedachtekracht' om ons te bereiken. De geesten van onze dierbaren, gidsen en engelbewaarders vinden in onze gedachten een bijzonder geschikt kanaal om contact met ons op te nemen. Geesten uit het astrale gebied bestaan uit een soort energie, en daarom is het voor hen eenvoudig de gedachte-energie te gebruiken om met mensen aan deze zijde te communiceren.

Ken je de film *Ghost*? Daarin zat een scène waarin Patrick Swayze (die een geest speelde) leerde om voorwerpen te verplaatsen. Het kostte hem enorme moeite om een muntje of een leeg frisdrankblikje te verplaatsen. Hij vond het veel gemakkelijker met Whoopi Goldberg (die een vrouw speelde met contacten in de geestenwereld) te communiceren; hij sprak simpelweg direct tot haar geest, en zij kon hem horen. Natuurlijk was dit maar een film, maar zo gek is het toch niet dat het gebruikmaken van gedachte-energie om met ons te spreken heel weinig inspanning kost van degenen die het bewustzijns- of energieniveau bewonen dat we soms de astrale wereld noemen? Als je ooit zonder aanwijsbare reden aan overleden dierbaren hebt gedacht, dan kan dat heel goed hun manier zijn geweest om gedag te zeggen!

Als ik een reading houd voor mensen, communiceren de geesten rondom hen via gedachten die in mijn hoofd opkomen, vooral bij tv- en radioprogramma's, waarin ik maar weinig tijd heb voor iedereen persoonlijk. Ik voel de energie om iemand heen, waarna er opeens vanuit het niets een gedachte in me opkomt: 'Joseph, ik was opa.' Dan vraag ik dus: 'Had je een opa die Joseph heette?' en meestal heb ik gelijk. In plaats van een naam kan ik ook een initiaal horen of een beeld doorkrijgen van het beroep dat de overleden dierbare uitoefende. Het is net alsof ik een kortegolfradio in mijn geest aanzet, waar de geesten berichten naar sturen in de vorm van gedachten.

Het mooie is dat het ons ook erg weinig moeite kost onze gedachten te gebruiken om tegen de geesten rondom ons te praten. Onze gedachten hebben beslist voldoende kracht om onze dierbaren te bereiken en ze kunnen onze positieve energie zeker voelen, net als toen ze nog op aarde waren. Telkens als je aan je overleden dierbaren denkt en ze liefde en goede wensen zendt, zullen hun geesten dat weten, omdat hun energie met de kracht van je positieve gedachten mee vibreert.

Je bewust worden van je gedachten

Ook al worden onze daden door onze gedachten gestuurd, we denken er zelden over na hoeveel gedachten er op enig moment door ons hoofd gaan. Hier volgt een oefening waarmee je je bewust kunt worden van je eigen gedachten.

1. Schrijf 20 minuten lang elke gedachte die in je opkomt op, of spreek die in op een cassetterecorder: elke gedachte, of die nu negatief, positief, dom, oppervlakkig, diepzinnig of wat dan ook is.
2. Maak op een ander vel papier drie kolommen. Aan de hand van de gedachten die je de afgelopen 20 minuten had, maak je aan de linkerkant een lijst van alles wat je als negatieve gedachte be-

schouwt. Aan de rechterkant noteer je alle positieve gedachten en in het midden de neutrale.

Het is toch ongelooflijk hoeveel er in onze geest omgaat? Om de kracht van onze gedachten te kunnen gebruiken, moeten we ons van de voortdurende gedachtestroom bewust worden. Als kind lag ik graag urenlang in bed naar het plafond te kijken. Ik wist het toen nog niet, maar ik was tijdens die dagdromen bezig een bewustzijn van mijn eigen gedachten te ontwikkelen. Later realiseerde ik me mede daardoor dat sommige gedachten die in me opkwamen van een andere plek dan van mijn eigen achtjarige geest afkomstig waren!

Als we aandacht aan onze gedachten besteden, kunnen we de intuïtieve flitsen leren herkennen die niets met ons alledaagse denken te maken hebben. Juist door de goede afstemming op onze eigen gedachten kunnen we mediamieke gedachten herkennen als die in onze geest verschijnen. Omdat ik me erg bewust ben van mijn eigen gedachten, merk ik het direct als er een gedachte in me opkomt die niet van mezelf is en ik kan er dan echt aandacht aan schenken. Een van mijn studenten beschrijft het zo: 'Ik ken de manier waarop ik denk, de manier waarop ik dingen benader en de woorden die ik gebruik. Als iets uit mijn intuïtie afkomstig is, dan is het anders. Het gaat dan om woorden die ik niet zou gebruiken of een beeld dat ik nog nooit gezien heb, of informatie die nooit uit mijn eigen geest afkomstig zou kunnen zijn. Opeens komt die informatie op, en dan weet ik dat ik er goed op moet letten.'

Als ik mensen leer hun intuïtie te ontwikkelen, zeg ik tegen hen: 'Als je tijd hebt, moet je gaan zitten en je gedachten leren kennen, want zo zul je het eerder herkennen als die "andere" gedachten in je opkomen. Je zult leren beseffen wanneer je in harmonie bent met de gedachten die het universum in je hoofd plaatst en wanneer niet.' Je kunt dit soort bewustzijn ook leren ontwikkelen door meditatie of regelmatige reflectie in stilte.

ONZE REALITEIT VORMGEVEN
MET POSITIEVE EN NEGATIEVE GEDACHTEN

Je intuïtieve talenten zullen zich sneller ontwikkelen als de meerderheid van je gedachten uit een gezonde, positieve geest ontspruit. Helaas zijn niet alle gedachten zo positief! Maar al te vaak is onze geest met negatieve, angstige, bezorgde en zelfs haatdragende gedachten gevuld. Soms zijn deze gedachten op anderen gericht, soms op onszelf. Dat maakt niet uit. Negatieve gedachten, van welke aard ook, zijn een soort gifgas, dat uit onze geest sijpelt en de atmosfeer om ons heen besmet.

Denk je dat ik de kracht van negatieve gedachten overschat? Ik zou wel willen. Eén negatieve gedachte kan soms jaren van positief denken tenietdoen. Stel je bijvoorbeeld eens voor dat je kunstschaatser bent bij de Olympische Winterspelen en dat je aan de beurt bent om de oefening te doen die je al honderden malen hebt doorgenomen. Als je op het verkeerde moment even twijfelt, kun je een sprong missen. Eén negatieve gedachte vormt het verschil tussen winnen en verliezen.

Eén negatieve gedachte kan je er ook van weerhouden toegang te krijgen tot je intuïtie. Weet je nog dat ik in het vorige hoofdstuk zei dat je moet weten dat je mediamiek bent? De kleinste negatieve gedachte kan je intuïtie volledig blokkeren. Dat is de verwoestende kracht van negatief denken. Maar als de geest met zelfvertrouwen en positieve gedachten gevuld is, dan vloeit de intuïtie vrijelijk en raken we beter afgestemd op de hoogste energie van het universum.

Zowel onze negatieve als positieve gedachten hebben de kracht onze werkelijkheid te creëren. We zijn wat we denken. Als onze gedachten positief zijn, dan kunnen we helen en helpen. Maar als we negatief denken en het kwaad macht geven, dan creëren we juist het kwaad. En ik garandeer je dat als je negatieve gedachten hebt, die je ooit zullen dwarsbomen. Energie moet namelijk altijd ergens heen en zal op een gegeven moment bij je terugkeren.

Op onze gedachten is een oud gezegde van toepassing: soort

zoekt soort. Als je blijft doorzeuren over iets dat je dwarszit, dan word je daar depressief van en creëer je negatieve energie om je heen. Heb je ooit mensen gekend met een erg negatieve houding tegenover het leven? Zijn dat niet de mensen die zeggen: 'Ik word altijd geplaagd door ellende?' Maar hier is de vraag: hebben ze een negatieve houding omdat hen steeds ellende overkomt of hebben ze steeds rottigheid omdat ze een negatieve houding hebben?

We moeten leren positieve gedachten te koesteren. Soms betekent dat dat we het positieve in het negatieve moeten zien; we moeten de grillen van het lot accepteren en een manier zien te vinden om overal het goede uit te destilleren. De zaken lopen niet altijd zoals wij dat willen. Ons leven gaat niet over rozen, omdat we op die manier niet groeien en ons ontwikkelen. Maar het is aan ons om ons uiterste best te doen met wat we hebben en een innerlijke omgeving van positieve gedachten te creëren om het licht en de liefde van het universum aan te trekken.

Als de dingen niet lopen zoals je wilt, dan mag je best even in de put zitten en medelijden met jezelf hebben, maar niet te lang. Dan moet je leren zeggen: 'Weet je wat? Dit is de manier waarop het universum het op dit moment wil. Goed, ik heb niet de baan die ik wil of de persoon op wie ik verliefd ben of het huis dat ik wil. Ik ga me nu richten op wat ik wél heb, niet op wat ik niet heb.' Probeer de optimistische, positieve zijde van je situatie te vinden en er misschien zelfs om te glimlachen. 'Ach, als ik het huis had dat ik wilde, had ik misschien onuitstaanbare buren', of: 'Als ik degene op wie ik verliefd ben wel had gehad, dan was die misschien toch niet echt mijn zielsverwant geweest', of: 'Als ik die baan had gehad, had ik 24 uur per dag moeten werken omdat de verantwoordelijkheid als een blok beton op me zou rusten.' Zolang je al het mogelijke hebt gedaan om die dingen te bereiken, moet je ze ook los kunnen laten en je vertrouwen in het universum stellen. Beschouw het glas als halfvol in plaats van halfleeg. Zeg tegen jezelf: 'Goed, ik heb mijn uiterste best gedaan. Nu heb ik geen medelijden meer met mezelf. Ik probeer te genieten van wat ik heb en blijf ernaar streven in de toekomst andere dingen te verkrijgen.'

Ik vraag je niet naïef of overdreven optimistisch te zijn. Ik zeg alleen dat wanneer we ons op positieve gedachten concentreren, we een grotere kans hebben emotioneel, psychisch, fysiek en spiritueel in evenwicht te zijn. En als we in evenwicht zijn, is onze intuïtieve radar veel fijner afgestemd en kunnen we beter boodschappen sturen en ontvangen.

Het omzetten van negatieve in positieve gedachten is alsof je een andere tv-zender opzet; je verandert de energie om je heen zodat je de soort energie die jij verkiest kunt inbrengen. Met deze eenvoudige, maar toch krachtige sleutel kunnen we beter afgestemd raken op onze intuïtie en tegelijkertijd toch psychisch vrijer zijn. Maak er een gewoonte van onnodige negatieve energieën in positieve om te zetten. Een van mijn studenten zegt het zo: 'Als je positief denkt en je het goede tot je toelaat, dan gebeurt het vanzelf. Als je slechte dingen wilt voortbrengen, dan ga je je gang maar, maar ik vind het veel gemakkelijker het goede teweeg te brengen.'

Op intuïtieve gedachten afstemmen

Hier zijn enkele eenvoudige geheimen waarmee je gemakkelijker op je eigen intuïtieve gedachten kunt afstemmen.

1. *Ga met de eerste gedachte mee die in je hoofd opkomt.*

Als je op iemand of iets afstemt, maak dan je geest leeg, stel de vraag die je hebt en luister naar het eerste dat in je opkomt. Laat de gedachte vrij in je hoofd rondzweven. Zeg het zo nodig hardop. Probeer niet logisch te werk te gaan. Het logische brein heeft niets met intuïtie te maken; je mag het alleen gebruiken als je interpreteert wat je ontvangt. Vertrouw de eerste gedachte of boodschap die je bereikt.

2. *Berg je persoonlijke agenda weg.*

Vlak voordat ik een telefonische reading met een cliënt zou hebben, vertelde mijn secretaresse me eens dat er een groot probleem met de telefoons in haar kantoor was. Ik moest direct een monteur laten komen als ik het kantoor open wilde houden. Op dat moment belde de cliënt (via een andere lijn). Ik zei: 'Bel me over vijf minuten terug. Ik moet mijn geest vrijmaken.' Ik kan onder vrijwel alle omstandigheden een reading doen, maar tijdens een reading moet ik mijn eigen besognes helemaal uitschakelen. Dat betekent niet dat alles tiptop in orde moet zijn. Het betekent alleen dat je geest kalm en geconcentreerd moet zijn zodat je intuïtieve gedachten kunt herkennen als die binnenkomen.

Dat betekent ook dat je je persoonlijke meningen moet laten vallen, kortom alles wat de boodschappen die het universum je door het medium van je eigen gedachten geeft kan vertroebelen. In dit werk gaat het om de waarheid. Dat is juist het mooie ervan: de waarheid zoeken, de waarheid begrijpen en de waarheid onder ogen zien, want in de waarheid worden we bevrijd. Als er in je leven dus instabiele factoren zijn, dan moet je eerst de waarheid over jezelf onder ogen zien en, althans voor dat moment, de persoonlijke zorgen uitbannen die je mogelijk blokkeren.

3. Besteed aandacht aan alles wat je doorkrijgt.

Als ik een reading houd, merk ik dat ik me op vele niveaus van mijn gedachten bewust moet zijn. Ik vraag mezelf voortdurend af: 'Welke gedachte krijg ik door, waarom krijg ik die door en wat betekent die in de context van deze reading?' Soms krijg ik een gedachte of beeld door dat normaal gesproken op mijn eigen leven van toepassing zou zijn en niet op dat van mijn cliënt, maar bij nader onderzoek blijkt er dan toch ook een boodschap voor mijn cliënt in te zitten.

Bijvoorbeeld: terwijl ik een reading voor iemand houd, denk ik plotseling aan Steve, een vriend van mij. Het rationele gedeelte van mijn geest zal dan zeggen: 'Ik concentreer me momenteel niet op mijn leven. Waarom denk ik aan Steve?' Dan zeg ik: 'Ken je iemand die Steve heet?' waarop de cliënt zegt: 'Ja zeker.' Of er zal iets over Steve binnenkomen dat een boodschap voor zijn cliënt bevat. Stel jezelf eenvoudigweg de vraag: 'Wat heeft dit te betekenen?' en vertrouw op je eerste antwoord. Het is net een bol wol: je begint met één draad en volgt die tot je vele meters informatie hebt afgewikkeld. Misschien heeft Steve net een andere baan of moet hij op zijn cholesterol letten omdat hij een hoge bloeddruk heeft. Ik begin die gedachte te verkennen met mijn cliënt en bijna altijd is er wel een gemeenschappelijk element. 'Steve' was gewoon een soort steno van het universum om de boodschap over te brengen.

4. Ga met de stroom mee.

Ik weet wanneer mensen hun intuïtie gebruiken en wanneer ze alleen maar raden, en daarom blijf ik mijn studenten aansporen totdat ik kan voelen dat ze 'hun draai gevonden hebben'. Maar als ze die eerste intuïtieve gedachte aanboren, dan lijkt het bijna of er een alternatieve bewustzijnsstroom in de hersenen vrijkomt en ze die intuïtiestroom kunnen volgen tot die afgelopen is.

Je moet jezelf er voortdurend toe aanzetten de gedachtestroom steeds verder te onderzoeken. Blijf vragen: 'Wat betekent dit? Wat wil ik hierover nog meer leren? Wat is er voor nodig? Wat zal het zijn? Waar zal het gebeuren?' Laat de stroom zelf stoppen; als je pas bezig bent met het ontwikkelen van je intuïtie, is het belangrijk de gedachten te laten stromen. Blijf dezelfde vragen stellen die die intuïtieve flitsen verduidelijken. Hoe meer je oefent, hoe beter.

Het gebruiken van de kracht van je gedachten is gemakkelijk, als je je eenmaal ervan bewust bent en vastbesloten bent ze positief te houden, vrij van negatieve elementen en blokkades. Let gewoon op de gedachten die uit het niets opkomen en blijf ze volgen tot je de bedoeling ervan begrijpt. Dit is geen hogere wiskunde. Het is niets anders dan het leegmaken van je geest en je op je gedachten concentreren!

13
Stap 3: gebruik je vijf zintuigen om het zesde te versterken

Hoe communiceert ons hogere zelf met ons? De hoofdverbinding zijn de gedachten, maar onze vijf zintuigen en onze emoties spelen ook een rol. Sommige mensen zien beelden of woorden, anderen horen stemmen, weer anderen ruiken geuren en er zijn er ook die emoties ervaren die zonder enige aanleiding lijken op te komen. Onze vijf zintuigen versterken te zamen met onze emoties ons zesde zintuig.

Iedereen bezit een eigen unieke radar en zal zijn zintuigen op zijn eigen manier gebruiken. Je intuïtie heeft vaak een favoriet zintuig dat het gebruikt om in contact met je bewuste geest te komen, maar informatie kan van al onze zintuigen afkomstig zijn. Naarmate je je eigen intuïtieve 'stijl' ontwikkelt, merk je wellicht welk zintuig je favoriete is. Maar de geesten die met je willen communiceren, kiezen wellicht een heel ander zintuig of gebruiken diverse zintuigen. Het komt bijvoorbeeld geregeld voor dat een geest je iets laat zien dat met hem verband houdt (een beeld van zijn naam of een bezitting die iets betekent) en dat je tegelijkertijd de geur ruikt die met diegene verbonden is.

Het gaat erom dat je altijd aandacht besteedt aan wat je doorkrijgt. Het is net alsof je een andere taal probeert te doorgronden, want als je beelden en gevoelens doorkrijgt, moet je die eerst proberen te begrijpen en dan in je eigen termen vertalen.

Gezichtsvermogen: het ware zien

Slechts weinig mensen zullen publiekelijk toegeven dat ze geesten hebben gezien, maar in kleine kring ligt dat anders; dergelijke waarnemingen zijn een veel vaker voorkomend fenomeen dan publiekelijk wordt besproken. Heb je ooit in je ooghoek iets zien langs schieten, maar zag je niets toen je je hoofd opzij draaide? Veel geesten lijken het gemakkelijker te vinden zich in onze ooghoeken te manifesteren dan recht in ons blikveld.

Visuele indrukken van geesten kunnen in velerlei gedaanten voorkomen, niet alleen in het zien van de geest zelf. Er kan een beeld van iemand door je gedachten flitsen. Soms gaat het beeld van beweging of geluid vergezeld. Sommigen zien duidelijke beelden, alsof er een film voor hun ogen vertoond wordt. Ik heb mensen gehoord die hun waarnemingen zo precies konden beschrijven dat het leek alsof er een tv voor hun neus stond. Malcolm Mills, mijn vriend en zakenpartner (hij is zelf astroloog en medium), vertelde me onlangs dat hij een goede vriend had gezien die twintig jaar geleden gestorven was:

'Ik zat op een dag alleen thuis naar een cd van Leonard Cohen te luisteren, waarop een nummer stond dat me aan mijn vriend Timmy herinnerde. Ik keek op en zag Timmy recht voor me zitten, even werkelijk als jij en ik nu. Hij was iets groter dan in het echt, onberispelijk gekleed (wat me verraste, omdat dat niets voor hem was) en had een glimlachende blik. Hij bleef zeker dertig seconden zo zitten en daarna verdween hij langzaam.'

Paranormale waarnemingen zijn niet altijd zo overduidelijk. Als ik bij een reading een antwoord moet hebben en niet weet wat ik moet zeggen, zie ik soms plotseling iets op de muur. Het kan een schaduw zijn of het zonlicht dat een soort figuur vormt. Vaak zie ik een initiaal of een naam, hetzij op de muur, hetzij voor mijn geestesoog, en dan denk ik: dit moet voor degene zijn met wie ik praat.

Soms laten de geesten me de vreemdste beelden zien, die wat mij betreft nergens op slaan maar die voor degene voor wie ik de reading houd een heel specifieke betekenis hebben. Als ik iets niet begrijp, dan zeg ik dat meestal toch, omdat de ander mogelijk wél weet wat het betekent. Als ik bijvoorbeeld een hotdog zie en geen idee heb van de betekenis, zeg ik: 'Ik zie een hotdog. Betekent dat iets voor jou?' Dan krijg ik mogelijk een naam door en vraag: 'Wat heeft dat met Peter te maken?' Meestal zegt de cliënt dan zoiets als: 'Peter was mijn vader en hij was gek op hotdogs.' Dan krijg ik misschien een gevoel van een of andere viering en vraag: 'Was er een verjaardag?' De cliënt antwoordt dan: 'Zijn verjaardag was gisteren en ik heb aan hem gedacht. Ik heb ook hotdogs gegeten!'

Dergelijke beelden komen dan bij me op. Als ik een reading houd, gebeuren er dingen die in de context van de communicatie zinvol blijken te zijn. De betekenis van de beelden wordt pas na verloop van tijd duidelijk. Mijn vriend 'Tony' herinnert me eraan dat ik hem een reading heb gegeven waarin ik Sedona in Arizona, een paasei, een bel en een bos zag. Ik vertelde hem ook dat hij snel zou verhuizen. Hij verhuisde later naar Sedona in Arizona, naar Bell Rock. Zijn huis kijkt uit over een bos, en zijn verhuisdatum was enkele dagen voor Pasen!

Zoals met alles wat we via onze geest ontvangen is de interpretatie van deze beelden essentieel voor ons begrip ervan. Het paasei kon op Pasen duiden maar ook op een verhuizing naar een kippenboerderij. Zo zullen veel mensen ook getallen zien als ze intuïtieve indrukken opdoen. Als je het getal 6 ziet, dan kan dat op de maand juni duiden, maar ook op een jaar dat op een zes eindigt, op zes maanden, zes uur of zes dagen vanaf nu of op een adres met een 6. Je moet het getal in de context zien van alle andere informatie en indrukken die je doorkrijgt, en de betekenis ervan dan zo goed mogelijk interpreteren.

GEHOOR: GELUIDEN EN STEMMEN VAN GENE ZIJDE

Sommige studenten van me – niet veel, eerlijk gezegd – horen woorden of stemmen in of buiten hun hoofd die hun intuïtieve informatie geven. Soms is het de stem van een overleden dierbare of een stem die niet te herkennen is. Veel mensen horen vlak voordat ze in slaap vallen stemmen of worden door een stem gewekt. Dat is mij ook wel overkomen. Maar je moet precies weten waar de stem vandaan komt. Ik vertel mensen hun instinct en intuïtie te gebruiken als ze stemmen horen. 'Voel of die van een hoge of lage plek afkomt,' zeg ik. 'Zeg dan een kort gebed ter bescherming; als wat je hoort je niet bevalt, vertel je de stem dat hij moet vertrekken, dat hij niet welkom is. Als je het wel vertrouwt, vraag je de geest wat die wil. Laat je niet bang maken, want een geest kan je alleen in zijn greep krijgen of je schade toebrengen als je dat toestaat. Jij hebt de macht over geesten, zij niet over jou. Omring jezelf met wit licht en ga slapen.'

Geesten zullen andere soorten geluiden gebruiken om met ons te communiceren. Vaak zal een dierbare zich bekend maken door een lied. Robin Nemeth vertelde me dat ze op een dag tijdens het autorijden aan haar vader dacht, die niet zolang geleden gestorven was. Ze had de autoradio aan, en op dat moment zei de omroeper: 'Oké, deze is speciaal voor jou, van je vader,' waarna *Wind beneath my Wings* klonk. Voor Robin en haar vader was *Wind beneath my Wings* een heel speciaal liedje.

Jeannie Starrs-Goldizen zat thuis in New Jersey in de keuken met een vriendin van haar. De vriendin zei: 'Hoorde je dat? Het leek wel geschuifel in de gang of iemand die kaarten schudde. Zit er iemand te kaarten in huis?' Jeannie, die wist dat ze de enigen in het huis waren, begon hard te lachen. 'Dat was mijn oma! Ze overleed toen ze 89 was en ik heb jarenlang met haar kaartgespeeld. Als je hoorde dat er kaarten geschud werden, was het oma.'

Sommigen horen voetstappen zonder materiële bron. Ik hoorde een verhaal van een cliënt wiens twaalfjarige dochter Shannon bij een vriend logeerde. Er sliepen vier kinderen op de grond in de woonkamer. Om ongeveer twee uur 's nachts werd Keith, die een jaar of negen was, wakker en hoorde voetstappen. Die kwamen van de voordeur, verplaatsten zich door de gang, liepen recht naar de slapende Shannon toe en stopten. Keith bezwoer dat hij niemand kon zien die het geluid van de voetstappen maakte. De volgende dag vroeg hij Shannon ernaar. 'O, dat was gewoon mijn vader,' zei ze. 'Hij is enkele jaren geleden overleden en wil altijd graag weten waar ik ben.'

Waar het bij mediamieke informatie om gaat, is dat je zeker weet dat de geluiden die je hoort van een hoge bron afkomstig zijn of althans vertrouwd aanvoelen. Als je geschuifel hoort dat 'voelt' alsof het van je grootmoeder is, prima. Als een stem klinkt of voelt als die van je broer of een andere vriend, prachtig. Zo niet, zeg dan dat die moet vertrekken. Vergeet nooit een gebed ter bescherming op te zeggen en controleer alles wat je hoort met je eigen intuïtieve zintuig.

Geur en smaak: zoete herinneringen

De reukzin is een van onze krachtigste zintuigen. Deze roept vaak sterkere gevoelens, situaties en mensen op dan wat dan ook. Associeer je een bepaalde geur met Kerstmis of Pasen? Zijn er bepaalde bloemen die een dierbare graag kreeg? Gebruikte iemand in je familie en bepaald parfum of aftershave, zodat je steeds aan hen denkt als je Chanel No. 5 of Old Spice ruikt?

Ik heb van mensen gehoord dat ze aan hun moeder of oma dachten en dan een lege kamer binnengingen, waar ze een rozengeur roken. Als ze iemand omhelst, zegt mijn goede vriendin Diana Basehart soms: 'Je ruikt als mijn oma.' Haar grootmoeder had een speciale geur die ontstaat als Diana bij een familielid of vriend is die echt om haar geeft. Een arts die cliënte bij me is loopt het kantoor dat ze met haar vader deelde in en ruikt zijn aftershave. Ik heb ook verhalen gehoord waarin iemand de tabak rook die iemand graag rookte. Vaak is er niet echt een specifieke geur, maar kan iemand zijn vader, moeder of partner herkennen door de subtiele geur die we allemaal afgeven. 'Ik kan het niet alleen voelen als Marty er is, maar ik ruik ook de geur die hij bij zich had. Hij heeft een aparte geur die ik overal kan herkennen,' zegt een cliënt over haar echtgenoot die in 1992 overleed en met wie ze vijftien jaar getrouwd was.

Bepaalde smaken kunnen je ook sterk aan een dierbare herinneren. Als je de spaghetti met tonijn ruikt die je moeder altijd maakte, dan is het heel goed mogelijk dat dat je moeder is die je gedag komt zeggen of je vertelt dat je beter moet eten! Telkens als de oma van mijn vriendin biscuitjes eet, doet dat haar aan haar grootmoeder denken, en die liefdevolle herinnering verbindt hen voor altijd. Soms moet ik door bepaalde etenswaren aan mijn vader terugdenken, die enkele jaren geleden overleden is. Ik denk dan: Hé, papa, ben jij dat?

Al snel daarna krijg ik vaak een belangrijke boodschap die nuttig is voor mijn eigen leven, en dan weet ik dat die van mijn vader kwam.

Tastzin: de kippenvelfactor

Fysieke gevoelens kunnen erg schokkend zijn als ze van gene zijde komen. Enkele van mijn cliënten hebben beschreven dat ze een hand door hun haar voelden strijken, vergezeld van een sterk gevoel van liefde. Anderen hadden het gevoel dat iemand hen vasthield of omhelsde, ook al was er niemand fysiek aanwezig. Het komt ook voor dat iemand aan een dierbare denkt of 's nachts wakker wordt en voelt dat iemand daarnet zijn schouder aanraakte. Mijn studente Martha Gresham vertelde me bijvoorbeeld dat ze 's nachts werkelijk een zachte wang tegen haar gezicht voelt, zoals haar oma deed toen ze nog een klein meisje was.

Andere heel kenmerkende lichamelijke sensaties betreffen veranderingen in temperatuur. Als je langs een geest loopt, dan voel je dikwijls dat het daar kouder is of er waait opeens een warme of juist kille wind door de kamer, terwijl er geen ramen en deuren open staan. Soms kunnen geesten zich nog duidelijker fysiek manifesteren. Een andere cliënte die een huis kocht en renoveerde dat een geest bleek te hebben, werd soms bij het aflopen van de trap door een onzichtbare voet pootje gehaakt.

Ik herinner me dat een tv-producent me eens vroeg om op Maui op Hawaï onderzoek te doen naar een geest. Een inwoner van het eiland bleef volhouden dat de geest van een vrouw 's nachts naast hem in bed kwam liggen. Hij kon dan letterlijk de deuk in het kussen en het matras zien. Voordat ik op het eiland aankwam, had ik al doorgekregen dat er een kerkhof naast het huis van de man lag. Ik gaf de naam van een vrouw die daar begraven lag en zei dat ik de indruk had dat ze iets met een kruis te maken had. Ik zei ook dat er een 'John' bij deze vrouw was. Toen we bij het huis van de man kwamen, zag ik dat er inderdaad een kerkhof achter lag, waar we de grafsteen met de naam van de vrouw erop vonden. Er stond een kruis op haar grafsteen gegraveerd en naast haar was het graf van een man die John heette.

Er was beslist een geest in dat huis. Het probleem ontstond omdat deze man verliefd werd op de geest. Hij wilde zich graag aan iemand hechten en voelde zich veiliger als hij verliefd werd op een geest in plaats van op een echte vrouw. En dan beginnen de problemen: als we ons echte leven niet meer leiden omdat we verliefd worden op de intimiteit die we bij de geesten voelen.

Een van de beste aanwijzingen voor een paranormale ervaring is het ontstaan van kippenvel. Dit heet een 'paranormale detector'. Tijdens een reading krijg ik een naam door en zeg tegen de cliënt dat een bepaalde geest aanwezig is, waarop de cliënt bijvoorbeeld zegt: 'Ik heb vandaag net aan haar gedacht en heb haar naam opgeschreven. O God, ik krijg er kippenvel van.' Heel veel mensen voor wie ik readings houd (en die ik voor dit boek geïnterviewd heb) zeggen dat er tijdens een reading met mij zeker iets zal gebeuren – ik zeg dan bijvoorbeeld iets dat niemand behalve een overleden dierbare kan weten – en dat de haartjes op hun rug, nek of armen dan ineens rechtop gaan staan. Het lichaam is buitengewoon gevoelig en zal ons laten weten dat onze intuïtie aan het werk is.

EMOTIES: JE PSYCHISCHE ALARMSYSTEEM

Onze gevoelens behoren tot de beste aanwijzingen dat er intuïtie in het spel is. Hoe vaak heb je iemand al niet horen zeggen (of heb je dat zelf gezegd): 'Ik heb er geen goed gevoel bij'? Wellicht omschrijf jij dat gevoel dat er 'iets niet goed zit' heel anders dan ik, maar het resultaat is hetzelfde: we weten dat er iets niet in orde is.

Een van mijn studenten vertelde me: 'Vorig jaar vroeg een vriendin of ik een huurwoning in Southampton op Long Island wilde delen. We vonden mensen die een huis hadden en mijn vriendin wist al dat ze het huurcontract wilde tekenen. Maar ik had een vreemd gevoel over die mensen met wie ik een huis moest delen. Staat het idee me aan? Denk ik dat het leuk zou worden? Wat voor gevoel krijg ik bij hen in de buurt? Als het me een goed gevoel geeft, dan is er niks aan de hand. Maar als ik er een slecht gevoel bij krijg, hetzij bij die mensen of zelfs rond het huis, dan doe ik het niet, omdat ik me er nooit thuis zal voelen. Soms is het een fysieke sensatie, dan word ik misselijk of voel me opeens niet lekker. Het is niet zo extreem dat ik dan daarvandaan moet, maar het beïnvloedt mijn stemming altijd.'

Zie je nu hoe we al onze zintuigen kunnen gebruiken om informatie intuïtief op te nemen? Het enige wat je hoeft te doen, is aandacht besteden aan wat er op je pad komt. Soms krijg je indrukwekkende aanwijzingen, zoals beelden, stemmen die nergens vandaan komen, voetstappen zonder dat er iemand in de buurt is, een koude tocht, de geur van een lang vervlogen parfum enzovoort. Veelal zullen de signalen echter aanmerkelijk subtieler zijn. Hoe meer je probeert alle aanwijzingen die het universum je geeft op te vangen, des te beter raak je afgestemd op je hogere zelf. Een van mijn cliënten vertelde me over de vele verschillende contacten die ze met haar vader had: 'Mijn vader vertoont zich in heel verschillende gedaanten. Soms ben ik in de kamer en dan ruik ik de aftershave die mijn vader gebruikte, alsof hij in de kamer bij me is. Soms loop ik naar buiten en dan zie ik een regenboog recht boven me. Soms hoor ik een liedje dat me aan hem herinnert. En soms voel ik een warme of koude tocht door de kamer. Ik denk dat het een kwestie van afstemmen is, van luisteren en accepteren en niet bang zijn.'

Luister naar de overvloedige aanwijzingen die het universum je door al je zintuigen geeft! Je zult verrast zijn hoe gemakkelijk het is om erop af te stemmen!

14
Stap 4:
de emoties van anderen voelen

Is het wel eens gebeurd dat je in een geweldig humeur naar een feest ging, waar je stemming dan opeens zonder reden helemaal omsloeg? Als je ja geantwoord hebt, dan kwam dat doordat je onbewust op de emoties van de mensen in die kamer reageerde. Ik denk dat we allemaal in staat zijn af en toe emoties op te pikken, vooral van degenen die we goed kennen, zoals partners, beste vrienden enzovoort. Maar het opvangen van emoties is ook een belangrijk element bij het gebruiken van je intuïtie, vooral als die emoties onderhuids zijn.

Onthoud wat ik in hoofdstuk 4 zei: alles in het universum bestaat uit energie, en ieder van ons heeft een eigen unieke energie-duimafdruk. Energie resoneert of vibreert ook op diverse niveaus. De energie van een gelukkig mens vibreert op een ander niveau dan van iemand die zich ellendig voelt. We maken dergelijke dingen vaak mee. Je bent vast en zeker wel eens een familielid of goede vriend tegengekomen die van buiten gelukkig of tevreden leek, maar bij wie je het gevoel had dat er emotioneel meer aan de hand was. Hoe vaak bleek je daarin gelijk te hebben? We kennen het verschil tussen emotionele energiepatronen, tussen het patroon van geluk en dat van woede, of het patroon van liefde en dat van wanhoop. Als we bewust of onbewust op iemand afstemmen, dan tonen we ons gevoelig voor de emoties en de energie van anderen. Als je dit begrijpt, begrijp je ook beter waarom onze emoties zonder reden opeens kunnen veranderen.

Ik geloof dat het voelen van andermans emoties een fundamenteel onderdeel uitmaakt van ons mens-zijn. Kijk naar kinderen en dieren: ken je wezens die nog beter afgestemd zijn op de emoties van anderen? Een cliënt van me zegt dit over zijn dochter Sara Elizabeth: 'Ze is nog maar acht, en bijna vanaf haar geboorte toonde ze een groter invoelend vermogen jegens haar medemensen dan ik ooit bij andere kinderen heb gezien. Ze kan je stemming binnen de kortste keren peilen. Dan zegt ze: "Papa zegt zus-en-zo maar ik weet dat hij liever dit zegt," of: "Ik geloof dat mama zich niet zo goed voelt op dit moment."'

Ongeveer tien jaar geleden leerde mijn vriend Mark me hoe ik iemands energie kon 'scannen'. Het is alsof je een onzichtbare antenne uitschuift en voelt wat er aan de hand is. Ik laat mezelf gaan en laat God toe en stuur mijn bewustzijn in de richting van degene die ik wil scannen, en dan krijg ik vrijwel altijd informatie. Ik ga van hun kruin naar hun tenen en scan de gedachten, de gevoelens, het gedrag, de gezondheid enzovoort. Ik ben vooral goed in het oppikken van emoties. Ik kan je direct vertellen in welke stemming iemand is, of die nu in de kamer of 5000 kilometer ver weg is, of die nu nog leeft of overleden is.

In vrijwel elke relatie kan het oppikken van iemands emoties buitengewoon waardevol zijn. Al vele huwelijken zijn gered doordat de partner wist dat de ander in een slecht humeur was! Maar er zijn ook minder voor de hand liggende positieve effecten als je emotioneel afgestemd bent. Heb je ooit van de fameuze oosterse zen-filosofie gehoord? Een van de grondbeginselen van zen (zoals ik het begrijp) is het belang van het hier en nu, waarbij je je volkomen bewust bent van wat er op dit moment gebeurt. Voor emotionele afstemming is vereist dat we volledig in het moment opgaan, zodat we een zeer hoge energievibratie kunnen oppikken. Als we op dat bewustzijnsniveau functioneren, kunnen we een veel dieper inzicht verkrijgen over degenen met wie we omgaan. We kunnen dan veel invoelender reageren op de veranderingen bij iemand, en we krijgen daarnaast de kans anderen beter tot hulp te zijn omdat we weten hoe ze er op dat moment werkelijk aan toe zijn.

Jezelf tegen negatieve emoties beschermen

Ik wil beslist enkele valkuilen aan de orde stellen die van belang zijn bij het aanvoelen van de emoties van anderen. Ten eerste lopen we het risico dat we tussen emotionele pieken en dalen heen en weer geworpen worden die niets met ons te maken hebben. Veel gevoelige mensen hebben de slechte gewoonte zich verantwoordelijk te voelen voor de stemmingen van een ander. Ze hebben de neiging de emotionele reacties van een ander op een persoonlijk niveau te duiden, in de veronderstelling dat de energie van de ander een weerspiegeling is van zijn of haar gevoelens jegens ons. Dit is slechts zelden het geval. Gewoonlijk vang je een emotie (droefheid, gekwetstheid, onzekerheid, boosheid enzovoort) op die veroorzaakt wordt door een gebeurtenis lang voor dit specifieke moment. Soms worden de gevoelens door een chemisch of hormonaal gebrek aan evenwicht bij de ander veroorzaakt, en ook dat heeft niets met jou te maken.

Ik heb een studente Katherine, die buitengewoon empathisch is en heel goed is in het direct 'aanvoelen' van mensen. Ze kan binnen enkele minuten na een eerste contact aangeven of ze met de ander op goede voet zal staan of dat er een zekere negativiteit verborgen ligt waar ze niets mee te maken wil hebben. Ze vertelde me over een cliënte die voor diverse readings bij haar was geweest. 'Ik moest haar uiteindelijk vragen me niet meer te bellen omdat ze te vaak belde en afhankelijk van me werd. Maar telkens als ik telefonisch met deze vrouw sprak, raakte ik bevangen door gevoelens van treurnis. In haar readings kwam niets specifieks voor dat een dergelijke emotie voor haar rechtvaardigde, maar als ik met haar sprak, werd ik altijd heel erg bedroefd.'

Als je met dergelijke pijnlijke emoties geconfronteerd wordt en je niets met de oorzaak ervan te maken hebt, besef dan dat het niets met jou te maken heeft. (Als je wel met de oorzaak te maken hebt, span je dan in om er iets aan te doen.) Laat het voorbijgaan, want alle emoties gaan uiteindelijk voorbij. Als je het gevoel hebt dat je kunt helpen, doe dat dan, maar wel vanuit het besef dat je niet de oorzaak van de negatieve emoties bent. Je kunt dan veel vrijer te werk gaan.

Ten tweede kan het werkelijk kwetsend voor je zijn als je de negatieve emoties van anderen voelt zonder dat je je ervan kunt losmaken. Helaas hebben de negatieve emoties waarmee velen die in de zorgsector werken (zoals verpleegkundigen, artsen, psychotherapeuten en paranormale *healers*) elke dag weer geconfronteerd worden, een grote weerslag op hen. Toen ik een pilot-aflevering voor een tv-programma aan het maken was, zei ik tegen mijn producers: 'Laten we die-en-die vragen,' en ze zeiden: 'Heb je het niet gehoord? Ze heeft darmkanker.' Waarop ik zei: 'Wat is het toch vreemd dat veel mediums die echt om mensen geven of die healers zijn, kanker krijgen of jong sterven.' Maar ik besefte al snel hoe dat kwam: deze healers zijn voortdurend bezig heel veel van zichzelf te geven, zodat ze niet op hun eigen gezondheid letten. Ze beschermen zichzelf niet en worden daardoor vergaarbakken van andermans negatieve energie. Ze nemen ook niet de tijd om de energie uit hun systeem te verwijderen en worden vervolgens ziek. Om gezond te blijven bij dit soort werk moeten we onze batterijen opnieuw opladen met goed eten, adequate rust, meditatie, het gezelschap van goede vrienden en alle andere dingen waardoor we ons meer onszelf gaan voelen.

Ten derde: als je gevoelig bent voor de emoties van anderen, word je waarschijnlijk ook sneller gekwetst als iemand wél haat, woede of jaloezie op jou richt. Je moet jezelf altijd proberen te beschermen tegen opzettelijke vernietigende energieën die jouw kant op gestuurd worden. Omring je ter bescherming met een sterk wit licht en stuur de negatieve energie terug naar de plek waar die vandaan kwam. Als ik dat doe, wens ik niemand iets slechts toe, want dat zou maar op mezelf terugslaan. Maar ik sta mezelf niet toe de negativiteit van een ander in me op te nemen. Als ik dat doe, draag ik bij aan mijn eigen slachtofferschap.

Ondanks alle valkuilen is het voelen van de emoties van anderen op een intuïtief niveau een talent dat onze relaties enorm kan verrijken. Ik vind het dan ook heerlijk te kunnen zeggen dat het ontwikkelen van die intuïtie voor mijn studente Paula een geheel nieuwe wereld opende. 'Voordat ik met mijn intuïtie begon te werken, had ik geen gevoelens. Helemaal niet. Geen liefde, geen woede, geen vreugde, haat, jaloezie, mededogen, niets. Ik huilde zelfs nooit. En nu word ik door alles geraakt. Ik voel een ongelooflijke vrijheid; vrijheid om van mensen te houden, om te voelen wat zij voelen. Het is de vrijheid om degene te zijn die ik altijd al moest zijn.'

Hier volgt je oefening: probeer af te stemmen op de emoties van anderen. Je kunt beginnen met je intieme vrienden, familie, collega's enzovoort, en dan op de emoties letten die je opvangt als je in de supermarkt of op een feestje bent, kortom in elke situatie waarin je mensen om je heen hebt die je kent. Probeer een 'treffer' te krijgen op mensen die je voor het eerst ontmoet. Als je ontdekt dat je negatieve of destructieve emoties ondervindt, sluit jezelf dan af. En onthoud: de emoties die je opvangt hebben vaak niets met jou te maken. Het is gewoon een andere manier om af te stemmen op het enorme scala aan informatie dat het universum je op elk willekeurig moment te bieden heeft.

15
Stap 5:
hoe krijg je intuïtieve informatie?

Dromen, voorgevoelens, geestverschijningen, een bepaald liedje op de radio... we krijgen aanwijzingen en tips in vele vormen, maar we moeten wél opmerken wat we ontvangen. Boodschappen zijn zelden spectaculair. Als het universum ons waarschuwt, dan lijkt dat niet op Mozes die in de film *De tien geboden* de berg Sinaï beklimt. Het is niet waarschijnlijk dat je opeens een stem hoort die 'Ik ben Uw Heer!' buldert. Mogelijk is het slechts een vage gedachte die in je hoofd opkomt, waarbij je je afvraagt: 'Waar kwam dat vandaan?' en aangezien ieders intuïtie uniek is, is er geen exact recept om met het universum te communiceren.

Boodschappen kunnen in allerlei vormen, formaten en gedaanten binnenkomen, en op elk tijdstip, zowel overdag als 's nachts. Ze kunnen komen als je 'ontvankelijk' bent of niet. Het kan op het drukste moment van de dag gebeuren, als je helemaal niet wilt denken omdat je bezorgd of van streek bent of met iets bezig bent, maar toch is er dan opeens die gedachte of dat gevoel: 'Bel die-en-die.' Soms zit ik gewoon met een vriendin aan de telefoon te praten – terwijl ik me helemaal niet bewust ben van mijn zesde zintuig of dat deel van mijn hersenen helemaal niet wil gebruiken – en dan krijg ik tijdens zo'n gesprek toch een boodschap die voor mijn gesprekspartner een geweldige openbaring blijkt te zijn.

Mijn vriend Malcolm krijgt steeds boodschappen van zijn beste vriend Timmy, die in 1976 overleed. 'Ze komen binnen via symbolen, interessante toevalligheden of grapjes of herinneringen die voor ons toentertijd wat betekenden,' zegt Malcolm. 'Voordat hij overleed, speelden Timmy en ik bijvoorbeeld een kaartspelletje waar hij erg goed in was. Ik geloof dat ik in al die jaren maar eenmaal gewonnen heb. Maar na zijn overlijden werd ik er opeens veel beter in. Telkens als ik zit te kaarten, lijkt het alsof Timmy vlak achter me staat en me vertelt welke kaart ik moet spelen. Soms denk ik dat hij door de kamer loopt en de kaarten van anderen bekijkt; het lijkt wel alsof Timmy mij een oneerlijke voorsprong geeft. Misschien wil hij wat goedmaken omdat hij altijd van mij won.'

Dikwijls zijn boodschappen tamelijk vaag. Soms krijg je alleen een gevoel door of 'een zeker besef', zoals mijn studente Lisa het noemt. 'Er is niets engs aan,' zei ze tegen me. 'Het is net alsof je een auto bestuurt en rechtsaf wilt slaan, waarna iets in je zegt dat je linksaf moet.' Het gaat erom dat je er aandacht aan besteedt en niet bij voorbaat afwijst wat je intuïtie je doorgeeft. Mijn cliënte Eleanor zegt: 'Je kunt een boodschap gemakkelijk negeren omdat de telefoon gaat of omdat die boodschap op dat moment niet echt iets betekent of niet belangrijk lijkt. Maar als ik een bepaald gevoel over iets krijg, dan probeer ik daar altijd even de tijd voor te nemen om te zien wat er gebeurt. Ik heb van Char geleerd dergelijke dingen niet te negeren.'

Dromen en dagdromen zijn vaak voorkomende manieren waarop boodschappen van je hogere zelf zich kenbaar maken, omdat je bewuste geest dan niet in de weg zit. Je kunt uren over een beslissing die je moet nemen of een probleem dat je moet oplossen zitten dubben, waarna je midden in de nacht opeens de oplossing ziet. Of je richt je aandacht op iets anders – een ander project, een telefoontje of eten koken – en dan schiet je opeens iets te binnen waardoor alles logisch in elkaar grijpt. Dan heeft je intuïtie een manier gevonden om alle storende elementen in je bewuste geest te ontwijken om je een oplossing vanuit een hoger, wijzer gebied aan te reiken.

Ik krijg de accuraatste berichten over mijn eigen leven vaak als ik wakker word tijdens een droom die heel realistisch is. In deze dromen komt mijn vader vaak naar me toe om me iets mee te delen. Veel mensen dromen over overleden dierbaren die terugkomen om hen te waarschuwen. Als je bewuste geest slaapt of afwezig is, kunnen onze dierbaren nu eenmaal gemakkelijker met ons communiceren. Ik raad al mijn cliënten en studenten aan pen en papier naast het bed te leggen, zodat ze kunnen opschrijven waarover ze dromen.

Soms is het geen droom, maar niet meer dan een gedachte. Als je om drie of vier uur 's nachts wakker wordt in de wetenschap dat je een boodschap gekregen hebt of je merkt dat je niet meer in slaap kunt komen omdat er steeds iets door je hoofd blijf gonzen, schrijf het dan op. Het kan een boodschap zijn. Veel mensen ontdekken dat ze bijna meteen weer in slaap vallen, omdat de geesten – of hun eigen hogere zelf – weten dat er een belangrijk bericht overgebracht is.

Als onze bewuste geest afwezig is of slaapt, kunnen geesten die niet het beste met ons voor hebben ook binnenkomen. Daarom raad ik je altijd aan een gebed ter bescherming op te zeggen en jezelf met wit licht te omringen als je midden in de nacht boodschappen krijgt, vooral als ze van geesten afkomstig zijn die je niet herkent. Maar meestal is een droom over een dierbare afkomstig van de hoogste, zuiverste liefdesbron. Als ik bijvoorbeeld over mijn vader droom, weet ik dat ik de informatie die hij overbrengt kan vertrouwen.

Mijn vriendin 'Sarah' ondervindt dat schrijven voor haar ook heel goed werkt om in contact met haar hogere zelf te komen. 'Soms heb ik een ellendige dag zonder goed te weten waarom, en dan ga ik op een mooi, rustig plekje zitten, schrijf wat in mijn dagboek en kijk gewoon wat dat oplevert. Vaak wordt me dan duidelijk wat me dwarszit en krijg ik ook mogelijke oplossingen aangereikt. Het is voor mij een prima manier om contact te leggen.'

Het klinkt misschien raar, maar ook in bad of onder de douche krijgen veel mensen boodschappen door. Ook dit komt waarschijnlijk doordat onze bewuste geest dan niet al te actief is en we meer ontspannen zijn. Maar water is ook een helend en reinigend element. We beginnen ons leven omringd door water in de baarmoeder. In bepaalde culturen staat water voor de intuïtieve, zachtere kant van de natuur. Wat de reden ook is, als je plotseling een boodschap krijgt terwijl je in bad zit of aan het douchen bent, let er dan op.

Heb je ooit een vraag gehad over iets dat je al dan niet zou moeten doen, waarna er iets gebeurde dat je vraag leek te beantwoorden? Mensen die niet in intuïtie of geesten geloven, zullen je vertellen dat het allemaal toeval is, maar ik heb zoveel verhalen gehoord en ook zelf al zo vaak antwoorden gekregen, dat ik niet in toeval geloof. Het is eigenlijk zelfs logischer in intuïtie te geloven dan om te zeggen dat er zoveel toeval in het universum bestaat!

Hier is een voorbeeld van 'toeval'. Toen ik een lijst van mogelijke gasten voor mijn tv-show aan het samenstellen was, stelde mijn co-producent Stuart voor een item te maken over het gebruiken van magneten bij healing. Ik zei: 'Heel goed, ik denk erover na en laat het je nog weten.' De volgende dag kwam ik twee verschillende mensen tegen (een vriend en een volslagen onbekende) die me vertelden dat ze healing-magneten in hun schoenen droegen. Dat was geen opzetje van Stuart. Ik vroeg deze mensen niet naar magneten, maar ze vertelden me er spontaan over. Ik hoef je niet te vertellen dat het item doorging.

Tami, een sympathieke vrouw die cliënte van me is, erfde een klein bedrag van haar vader. Ze wilde het geld gebruiken om een zwembad in haar achtertuin aan te leggen. 'Ik heb tijdens mijn schooltijd aan wedstrijdzwemmen gedaan en mijn vader moedigde me daarbij altijd aan,' schreef ze me. 'We zijn zelfs samen badmeester geweest. Ik wil dit zwembad aanleggen ter nagedachtenis aan mijn vader, en ik weet ook dat mijn vier kinderen er veel plezier aan zouden beleven.' Toch wist Tami niet zeker of ze het zwembad aan moest leggen; de hele erfenis zou er bijna aan opgaan. Daarom vroeg ze haar vader om haar een teken te geven dat dit de juiste besteding ervan was. 'Precies op dat moment klonk er een nummer dat ik bij zijn dood aan mijn vader had opgedragen op de radio. Ik wist dat ik mijn antwoord gekregen had: duim omhoog voor het zwembad.'

Geesten lijken energie op vele manieren te kunnen manipuleren om ons te laten weten dat ze in de buurt zijn. Bij mij begonnen lampen zonder reden te flikkeren en schakelden de tv en de radio zichzelf in. Er lijkt een soort affiniteit te bestaan tussen de geestesenergie en de energie die bij elektriciteit hoort. Een cliënte vertelde me dat haar moeder na het overlijden van haar vader steeds weer ontdekte dat er lampen in huis brandden. En ik vind het interessant dat Thomas Edison, de uitvinder van de gloeilamp, ook aan een apparaat werkte om met de doden te communiceren.

We kunnen de energie van voorwerpen die mensen gebruikt hebben of hun foto als middel aanwenden om contact te zoeken. Ik weet zeker dat je op tv wel eens een programma over vermiste kinderen hebt gezien waarbij een medium de jas of tandenborstel van het kind pakt en dan doorkrijgt wat er gebeurd is of waar het kind is. Dat gebeurt werkelijk. Vergeet niet dat ieder van ons zijn eigen unieke energie-duimafdruk heeft die we achterlaten op plaatsen waar we geweest zijn en op voorwerpen die we aangeraakt hebben (net als onze vingerafdrukken). Het verschil is natuurlijk dat wanneer ik iemands energie opvang, ik dikwijls kan zien waar ze geweest zijn, waar ze zijn en wat er met hen gebeurd is. Ik kan hetzelfde met foto's. Als ik naar de foto van een vriendin kijk, denk ik soms: 'Die moest ik vandaag maar eens bellen.' En als ik bel, dan zegt ze tegen me: 'Hoe wist je dat ik met je wilde praten?'

Een van de voornaamste manieren waarop ik informatie doorkrijg, is via namen en initialen van mensen. Namen zijn feitelijk een transportmiddel om iemands energie naar me toe te brengen, en dan kan ik die scannen. Als ik iemands naam doorkrijg, brengt die me in contact met zijn ziel. Daarom geven we kinderen de namen van overledenen, omdat de energie van de naam die ziel met ons verbindt.

HELDER WORDEN

Een van de grootste geschenken bij het ontwikkelen van je intuïtie is dat je mensen van wie je houdt kunt helpen. Je kunt hun adviezen geven en als een doorgeefluik fungeren voor berichten voor hen van gene zijde. Maar soms is het juist het moeilijkst een reading te doen voor iemand om wie je geeft. En het kan nog moeilijker zijn dat voor jezelf te doen!

Ik heb in de loop der jaren ondervonden dat je niet moet proberen om al te bewust voor iemand een reading te houden. Dan lukt het niet. Laten we eens aannemen dat je verliefd bent en wilt weten of dat ook voor de ander geldt. Stel je voor dat je helemaal geobsedeerd bent door de ander; je denkt voortdurend aan de ander, vraagt je steeds af of die nog zal bellen, wat die van je vindt enzovoort. Is het mogelijk dat al die gedachten en emoties je intuïtie in de weg staan? Dat is inderdaad vaak het geval. Je moet proberen je te laten gaan, je te ontspannen en emotioneel neutraal proberen te worden.

Zelfs als je je laat gaan, is het soms moeilijk het verschil tussen intuïtie en *wishful thinking* te duiden. Als je emotioneel bij iets betrokken bent, dan kunnen de indrukken of boodschappen die je krijgt geblokkeerd worden of vervagen, of je kunt er een dubieuze interpretatie aan hechten. Je moet leren luisteren naar de gedachten die je binnenkrijgt en persoonlijke opinies of verlangens niet de kans geven daartussen te komen. Een trucje waarmee je voor jezelf enige afstand creëert is door een vraag te stellen alsof je die voor een ander stelt. 'Is Mike geschikt voor Char?' 'Krijgt Suzie deze baan?' Breng deze vraag dan over naar de toekomst en kijk wat je doorkrijgt. Sommige mediums gebruiken tarotkaarten, astrologie, I Ching of runentekenen als ze voor iemand een reading houden om hen te helpen wat objectiever signalen te kunnen ontvangen. Het gaat erom dat je je best doet om afstand te nemen van je eigen gevoelens over het betreffende onderwerp. Je kunt jezelf erg gemakkelijk voor de gek houden als je iets maar genoeg wilt. Je moet neutraal proberen te worden.

Een veelgemaakte fout bij het verzoeken om helderheid (of om welk verzoek aan het universum dan ook) is dat je een onduidelijke vraag stelt. Als ik een reading voor iemand houd en de ander vraagt me: 'Ga ik verhuizen en zo ja waarheen?' dan ontstaat er verwarring, omdat ik geheel verschillende boodschappen kan krijgen over de vraag of iemand gaat verhuizen en waarheen. Ik zeg tegen mensen dat ze één vraag tegelijk moeten stellen. 'Ga ik verhuizen?' is de eerste vraag. Je kunt daar intuïtief een aanwijzing voor krijgen. En dan: 'Waarheen ga ik verhuizen?' Vragen moeten eenvoudig en duidelijk zijn, zonder aanleiding te geven tot verwarring.

Als je eenmaal afstand van je emoties genomen hebt, ontspannen en neutraal bent en eenduidige, specifieke vragen stelt, maar je toch nog steeds niet het gevoel hebt dat je helder tegenover een bepaalde kwestie staat, probeer dan je oor bij een ander te luisteren te leggen. Ik heb diverse goede vrienden die ik raadpleeg als ik het gevoel heb dat ik geen duidelijk beeld van mijn persoonlijk leven heb. De een is astroloog van beroep en de ander is gewoon een goede vriendin met een verbazingwekkend goede intuïtie. En soms hoef je alleen maar je verlangen naar helderheid aan het universum kenbaar te maken, waarna het universum een reactie geeft. Er zijn mensen naar me toe gekomen die zeiden: 'Weet je wat? Ik heb een bepaald gevoel over jou.' En dan luister ik bijna altijd. Maar wat er ook tegen me gezegd wordt, ik weeg het altijd af tegen mijn eigen instincten. Ik zeg mijn gebed ter bescherming op en vraag dan: 'Is dit een goed of slecht advies?'

Een laatste punt: ik denk dat het voor iedereen die zijn intuïtie gebruikt heel belangrijk is psychisch en chemisch in evenwicht te zijn. Als je niet in evenwicht bent, dan zul je volgens mij boodschappen sneller verkeerd interpreteren of staan je persoonlijke besognes de boodschappen in de weg. Als je voor een ander een reading houdt, moet je jezelf helemaal van je eigen leven losmaken. Je mag niet aan jezelf, je bezigheden of je eigen onopgeloste problemen denken die niets met de ander te maken hebben. Als je belangrijke problemen hebt, vraag dan hulp om die op te lossen. Ik geloof sterk in therapie van goede, gekwalificeerde healers; ik ben zelf in therapie gegaan als ik de behoefte had aan objectieve steun. Als ik geloof dat een cliënt baat heeft bij therapie, zal ik niet aarzelen hem dat te vertellen. We bepalen ons lot voor een heel groot deel zelf; we moeten leren een evenwicht te bereiken en van onszelf te houden zodat we onze bestemming kunnen bereiken.

De kernvraag: wat betekent het?

Zoals bij alles wat we in onze geest ontvangen, gaat het erom hoe we de boodschappen interpreteren. Ik geloof dat interpretatie het belangrijkste onderdeel van een reading is. Als ik een boodschap aan iemand doorgeef, betracht ik altijd uiterste behoedzaamheid over de interpretatie, omdat die essentieel is voor het juiste antwoord. Ik zou bijvoorbeeld het woord 'huwelijk' kunnen opvangen, maar zou dat dan wel of niet op het sluiten van een huwelijk duiden? Moeten ze het wel of niet doen?

Veel boodschappen zijn symbolisch. Stel dat het eerste dat je bij een reading binnenkrijgt een boek is. Wat betekent een boek? Heeft het met het schrijven van een boek te maken? Met teruggaan naar school? Op de boekhouding letten, dus voorzichtig zijn met geld? Ik heb ooit een reading gehouden voor een vrouw die Cheryl Herbeck heette. Ze zei dat zij en haar man problemen met de zaak hadden. Ze vroeg of ik dacht dat ze het zouden redden. Ik zei: 'Heb je samen met je man een restaurant?' 'Nee, we hebben een firma in medische apparatuur,' antwoordde ze. 'Ik dacht dat jullie in de restaurantsector zaten, want ik krijg door dat een kok jullie bedrijf gaat aankopen,' zei ik. Ongeveer zes maanden later werd de zaak van de Herbecks inderdaad door een investeerder aangekocht. Zijn naam? Dr. Cook.

Als ik een boodschap voor iemand interpreteer, doe ik mijn uiterste best die zo helder mogelijk te laten worden. Laten we eens veronderstellen dat een cliënt iemand heeft ontmoet en wil trouwen. Ik stem af op de naam van de potentiële huwelijkspartner en word erg nieuwsgierig. Ik probeer zoveel mogelijk informatie te krijgen over het leven van die partner, bijvoorbeeld of er ex-partners of kinderen zijn, hoe de relatie met de ouders is enzovoort. Het is me gebleken dat als ik de relaties van de partner met anderen begrijp, ik kan opvangen of hij of zij voor mijn cliënt een goede keuze is.

Als je een boodschap ontvangt, blijf dan vragen stellen over wat je binnenkrijgt en waarom. Probeer diverse interpretaties uit; uiteindelijk zal er eentje zinnig blijken te zijn. Naarmate je meer ervaring krijgt in het interpreteren van boodschappen, zal het natuurlijk steeds gemakkelijker worden om snel een juiste interpretatie te maken. In het begin is het gewoon een kwestie van vallen en opstaan. Maar als je een boodschap onjuist hebt geïnterpreteerd, vraag jezelf dan wel af: 'Waarom is die boodschap gekomen? Wat kreeg ik eigenlijk door? Heb ik diep genoeg gegraven? Zaten mijn eigen besognes me in de weg?' Soms kan de boodschap zelf verkeerd zijn omdat die van bedrieger-geesten afkomstig was of van iemand die niet het beste voor had met jou of je cliënt. Meestal is mijn ervaring echter dat als ik een boodschap van een bedrieger-geest heb gekregen, er ook iets was dat me had moeten waarschuwen. Het kwaad waarschuwt ons altijd op een bepaalde manier.

Zolang je jezelf met wit licht beschermt, aandacht besteedt aan wat je binnenkrijgt en blijft graven tot het je een goed gevoel geeft, zal je vermogen om boodschappen juist te interpreteren blijven groeien. Als je in harmonie bent, dan zul je dat vanzelf weten. En het is een geweldig gevoel als de interpretatie helemaal blijkt te kloppen en de juiste boodschap afgeleverd is! Bedenk echter altijd dat wat er na de reading gebeurt, jouw zaak (of die van je cliënt) is. Het universum geeft ons allerlei signalen, en we kunnen boodschappen juist blijven interpreteren tot we erbij neervallen, maar het is onze vrije wil die ze zal opvolgen dan wel negeren. Soms is het zelfs ons lot een waarschuwing te negeren omdat we de les moeten leren. Onthoud dat geen enkele boodschap van een medium of geest het laatste woord biedt. We moeten allemaal dat woord voor onszelf spreken.

HET BELANG VAN GEDULD

Vaak krijg ik boodschappen door die op dat moment geen betekenis lijken te hebben maar die later toch zinvol blijken. Dat komt omdat geesten de tijd niet op dezelfde wijze als wij ervaren. Voor hen zijn verleden, heden en toekomst allemaal op hetzelfde moment zichtbaar, en daarom geven ze me bijvoorbeeld de naam van iemand die pas enkele jaren later een rol in het leven van de cliënt gaat spelen. Ik vraag mijn cliënten om tijdens onze readings zorgvuldig aantekeningen te maken en om die aantekeningen dikwijls te raadplegen. Ze komen vaak tot de ontdekking dat een naam of een waarschuwing over iemand enkele maanden later opeens wél duidelijk is.

Geduld is een van de belangrijkste deugden als het om intuïtie gaat. We zijn natuurlijk het ongeduldigst omtrent de zaken die ons het meest bezighouden, maar als we ergens emotioneel bij betrokken zijn, kunnen we door de bomen het bos niet meer zien. We blokkeren dan de signalen die het universum ons geeft. We moeten tot rust komen en vertrouwen zien op te bouwen. Als we ons laten gaan, dan zal onze vraag het universum in gaan, en als er een antwoord is, zal dat ons uiteindelijk bereiken. Op sommige is geen direct antwoord mogelijk. Niet alles is voorbestemd; soms hangt het antwoord op je vraag af van de daden van een ander. En soms mogen we het antwoord niet weten omdat we een bepaalde ervaring moeten doormaken ten einde onze ziel te laten groeien. Maar als we ons laten gaan en God toelaten, kortom als we er vertrouwen in hebben, dan geven we het universum de gelegenheid te gelegener tijd te reageren. Als we een vlinder achtervolgen, blijft die ons steeds net voor, maar als we geduldig wachten, strijkt die uiteindelijk op ons neer.

Begin dus de boodschappen te noteren die je van je intuïtie ontvangt. Let op toevalligheden, gedachten die uit het niets komen, gevoelens dat iets 'juist' of 'verkeerd' is in een bepaalde situatie, dromen, dagdromen enzovoort. Je kunt ook een dagboek beginnen waarin je deze berichten noteert. Let erop of bepaalde boodschappen veelvuldig opduiken. Probeer deze boodschappen dan zo goed mogelijk te interpreteren. Onderzoek elke boodschap zo volledig mogelijk. Wat betekent die? Waarmee is die verbonden? Op hoeveel manieren kun je dat bepaalde symbool, dat beeld of die gedachte interpreteren? Houd je eigen accuratesse bij terwijl je je intuïtieve 'antenne' blijft ontwikkelen. Het universum is een station dat 24 uur per dag uitzendt: het is aan ons om er op af te stemmen!

16
Stap 6: jezelf tegen
negatieve energieën beschermen

Ik ben opgegroeid in een gezin waar mijn vader me elke avond welte-rusten kuste met de woorden: 'Ik houd van je. Zeg nu je gebedje op.' Ik prevelde altijd mijn gebedje, zodat ik een beschermende macht om me heen bracht. Ik geloof sterk in het beschermen van jezelf tegen welke machten dan ook, zowel hier als in het hiernamaals, die niet het beste met je voor hebben.

Weet je nog dat ik in hoofdstuk 6 zei dat we onze persoonlijkhe-den met ons meenemen als we sterven? Helaas geldt dat zowel voor de slechte als de goede. Zoals er goede en slechte mensen zijn, zo zijn er in het geestenrijk positieve en negatieve energieën. Gelukkig zijn er rond de meesten van ons positief ingestelde geesten. We wor-den omringd door onze dierbaren, door engelbewaarders, door gelei-degeesten wier taak het is om ons te helpen. Maar er zijn ook geesten die op de lagere niveaus aan gene zijde opereren. In plaats van zich daar te ontwikkelen, richten ze zich er nog steeds op om mensen hier te manipuleren.

Sommige van deze geesten dwalen rond in gebouwen of verschij-nen als klopgeesten (geesten die met dingen gooien en in het alge-meen voor narigheid zorgen). Ik ben al in veel huizen en plaatsen ge-weest waar geesten rondhingen. Ik bracht eens een bezoek aan de *Queen Mary*, waar het wemelt van de geesten. Toen ik in de machine-kamer kwam, zei ik tegen de mensen die me vergezelden: 'Er is hier een man die... heet', waarbij ik hun de voornaam en de eerste letter van zijn achternaam gaf. Ik zei tegen hen: 'Hij is hier om het leven gekomen, tussen ijzer.' Later hebben die mensen de logboeken ge-controleerd, waarbij ze op de naam stuitten die ik opgegeven had. Het was een Engelsman die omgekomen was toen hij tussen de ijze-ren deuren in de machinekamer kwam.

Ik geloof niet dat de man in de machinekamer een slechte geest was. Hij was misschien gewoon teruggekomen om het bestaan van geesten te bewijzen. Misschien wist hij niet dat hij dood was. Vaak beseffen geesten die plotseling sterven niet dat ze dood zijn, zoals een soldaat die op het slagveld op een landmijn loopt en op slag dood is. Hij herpakt zich, blijft met zijn geweer doorlopen en zegt tegen zijn maat: 'Jemig, dat scheelde niet veel', maar zijn maat ziet of hoort hem niet. De soldaat blijft maar doorlopen totdat hij uiteindelijk iets opmerkt waardoor hij weet dat hij dood is. Dat zijn het soort geesten dat op de plek blijft waarop ze gedood werden, omdat ze niet precies weten hoe ze de overgang moeten maken. Er is iemand anders voor nodig, zoals een 'reddende' geest, een overleden dierbare en soms een medium zoals ikzelf, die deze dwalende zielen vertelt dat ze zich naar het witte licht moeten begeven en naar gene zijde moeten overgaan.

Ik geloof dat er andere geesten zijn die het gewoon aangenaam vinden om naar hun favoriete plaatsen terug te gaan. Op de *Queen Mary* zag ik diverse geesten in de balzaal dansen en reuze veel plezier hebben op de plaats waar ze tijdens hun leven zo genoten hadden. Maar op veel plaatsen waar geesten rondwaren, heb ik het gevoel dat de geesten niet op hun plek zijn. Er klopt iets niet, hun energie heeft iets dreigends.

Mijn studente 'Stephanie' kwam ooit zo'n geest tegen. Ze bezocht met haar drie kinderen het huis van haar vriendin Terry, niet ver van haar huis in New Jersey. Stephanie wist het op dat moment nog niet, maar in dat huis hadden in de achttiende eeuw slaven gewoond. Toen ze bij het huis aankwam, zag Stephanie een man in het raam staan. Ze vroeg Terry wie die man was. 'Heb ik dat niet verteld?' zei Terry schertsend. 'Dit is een spookhuis!' Die avond vertelde Terry aan Stephanie welke vreemde dingen er in de loop der jaren in het huis voorgevallen waren.

Toen ze rond half een die nacht naar huis ging, begon Stephanie zich erg ongemakkelijk te voelen. Ze keek voortdurend in haar achteruitkijkspiegel om te zien of ze gevolgd werd, maar er was niemand. Ze bleef dit gevoel de hele weg naar huis houden. 'Ik wist dat er iets niet in orde was,' zei ze later tegen me.

Terwijl haar kinderen zich klaarmaakten om naar bed te gaan, kreeg Stephanie een vreemde gewaarwording die ze nog nooit eerder had gevoeld. 'Toen ik ging zitten, gingen de haartjes op mijn armen rechtop staan en ik kreeg het heel koud, niet te beschrijven gewoon. Het was een levenloze, lege kilte. Terwijl ik die voelde, ging er maar één gedachte door mijn hoofd: sta op en doe het nu. Vraag me niet waarom, maar ik stond op, pakte de bijbel en het flesje wijwater dat ik in huis had en begon alle kamers te zegenen. Toen ik naar de kelder liep, begon mijn hand waarin ik het wijwater hield te beven en kreeg ik het nog kouder. Ik zei: "Rotzak, je slaat me niet, hoor!" terwijl ik doorging met zegenen. Ik liep zelfs de garage in en zegende ook de buitenkant van het huis. Daarna was alles weer in orde. Maar ik geloof werkelijk dat een geest uit het huis van mijn vriendin Terry met me mee gelift was.'

Dit soort geesten zijn er niet om iemand te helpen; ze hangen rond omdat ze zich niet willen ontwikkelen of omdat ze strak verbonden zijn met een plek of iemand die nog hier is. En soms houden mensen geesten bij zich omdat ze dat zo willen. Ik heb mensen gekend die weigerden de geest van hun overleden partners los te laten, ook al wilde die geest werkelijk naar het volgende niveau overgaan. Het is erg droevig als zoiets gebeurt. We moeten tenslotte allemaal blijven groeien, zowel hier als aan gene zijde, en soms is het verlenen van toestemming om verder te gaan het beste geschenk dat we onze dierbaren kunnen geven.

Helaas brengen veel van de technieken die mensen leren om in contact met geesten te komen ons in aanraking met wezens van een lager niveau of met bedrieglijke geesten die niet het beste met ons voor hebben. Eerder al sprak ik over Ouija-borden, waarmee veel jongeren spelen. Ik heb ook gehoord dat iemand mensen in een zwarte spiegel liet kijken, waarin ze boven op hun eigen gezicht een ander gezicht zagen. In sommige gevallen zagen ze de gezichten van overleden dierbaren, wat natuurlijk prachtig was. Maar een dergelijke techniek is gevaarlijk, want je hebt geen enkele controle over het soort geesten dat binnenkomt. Ik sta ook erg wantrouwend tegenover trance-mediums; dat zijn mensen die in trance raken en dan geesten toestaan hun lichaam over te nemen en via hen te spreken. Hoe weten ze wie er spreekt en of die geest de waarheid vertelt en het beste met hen voor heeft? Ik heb trance-mediums gezien die het ene moment nuttig advies gaven en enkele seconden later mensen in de verkeerde richting manipuleerden.

Het gaat erom dat we zowel door geesten als door de levenden bedrogen kunnen worden. Het is belangrijk je gezonde verstand te gebruiken, te zamen met je zesde zintuig. Ik zal je later in dit hoofdstuk enkele specifieke manieren geven om je te beschermen, maar vraag niet om problemen door technieken te gebruiken die het verkeerde soort geesten aantrekken.

JIJ HEBT DE CONTROLE, DUS BESCHERM JEZELF

Helaas kunnen we bedrogen worden door geesten die 'eerlijk lijken maar slecht voelen', zoals Shakespeare ooit zei. Tenslotte leerde ook de duivel alles over deugdzaamheid voordat hij uit de hemel werd verdreven en kunnen kwade geesten deugdzaamheid voor hun eigen snode plannen gebruiken. Je kunt zelfs goed en kwaad ontvangen van dezelfde geest: het goede geeft je eerst een vals gevoel van veiligheid, waarna het kwade je in een andere richting meevoert. Je moet weten hoe je dit moet ontleden. Je moet leren hoe je een boodschap op waarde kunt schatten met behulp van je eigen hogere zelf.

Mijn vriend Malcolm zegt het zo: 'Ik merk dat de meeste op angst gebaseerde wezens geesten van een lager niveau zijn. Dat is een van de tests die ik op een bewust niveau gebruik. Ik stel mezelf de vraag: "Wacht even, waar komt dit vandaan? Van een gewijde plek of uit lagere oorden?" In de loop der tijd leer je hoe je kunt weten dat er iets niet deugt.'

Ik kan niet genoeg benadrukken dat intuïtie en het contact opnemen met geesten geen spelletje is. Je moet er verstandig mee omgaan en je best doen om contact te krijgen met het hoogst mogelijke niveau van geestesenergie. Je moet echt goed weten met wie je te maken hebt en wat er aan de hand is en heel erg voorzichtig zijn. Als je je macht aan geesten geeft, dan zullen ze die zeker nemen, zoals een levend mens die op macht uit is ook jouw macht zal overnemen als je hem de kans geeft. En als je je macht aan een geest of mens overgeeft, verzwak je jezelf omdat de psyche gespleten wordt als je jezelf niet volledig onder controle hebt.

Maar gelukkig: wij hebben de macht over de geesten, en niet andersom, tenzij we hun de macht geven om ons te manipuleren. Een geest of persoon heeft alleen macht over jou als je die aan hem geeft. De enige manier waarop het kwade over het goede kan heersen, is als we dat toestaan, omdat het goede uiteindelijk veel meer macht heeft dan het kwade.

Wij zijn overigens niet de enigen die de taak hebben onszelf te beschermen. Herinner je je onze geleidegeesten, engelbewaarders en dierbaren aan gene zijde nog? Een van hun taken is het geven van bescherming. Ik geloof dat verschillende geesten zich op verschillende niveaus met ons bezighouden. Witte Veder, een van mijn gidsen, laat zich vaak zien om me te beschermen als ik tv- en radioprogramma's maak, waar in feite iedereen kan opbellen. Maar de beste manier om jezelf tegen een macht te beschermen die niet het beste met je voor heeft, is volgens mij het inroepen van een hogere macht. Vraag om advies, hulp, informatie en bescherming van het hoogste niveau van goedheid, liefde en wijsheid dat we God noemen en zeg dan tegen de ongewenste geest dat hij moet vertrekken. Als we op het hoogste niveau beginnen, is het veel moeilijker voor geesten van een lager niveau om binnen te komen, en als ze dan toch verschijnen, kunnen we ze veel gemakkelijker herkennen.

Er zijn drie specifieke manieren waarop ik mijn studenten leer in contact te komen met hun hogere macht en zich te beschermen tegen negatieve energie die hun kant op kan komen.

1. Weet dat je beschermd bent.

Zoals je moet weten dat je intuïtieve gaven hebt om je natuurlijke intuïtie te activeren, zo zul je ook beschermd worden als je weet dat je beschermd bent. Maar de geringste angst of twijfel kan ervoor zorgen dat een negatieve energie je leven binnenkomt. Als je denkt: 'O jee, ik ben bang dat er een kwade geest aankomt,' dan stel je jezelf daarvoor open. Verzet je tegen een negatieve geest. Zeg tegen hem te vertrekken (of gebruik een krachtiger term). Ik heb het idee dat als je geest sterk is en je meent wat je zegt, je kunt eisen dat een geest vertrekt, en dat die dan ook weggaat.

Vertrouw op je vermogen om jezelf tegen negatieve energieën te beschermen en vertrouw erop dat je voor het kwaad gewaarschuwd wordt. Ik heb ondervonden dat het kwaad altijd ergens kenbaar maakt wie en wat het werkelijk is, als we tenminste alert zijn op de aanwijzingen. We hoeven alleen maar te weten dat we beschermd zijn en stevig vasthouden aan onze verbinding met het hoogste niveau van goedheid, liefde en wijsheid.

2. Omring jezelf met een verblindend wit licht.

Vorm je een beeld van een wit licht dat je vanaf je kruin tot je voeten omringt. Beschouw het als een soort elektriciteit. Je intuïtie is de stroom die door een draad loopt, en wit licht dat je rond jezelf opwekt als je de stroom 'aandoet' is alsof je een isolatiemantel rond de draad vormt.

3. Zeg een gebed ter bescherming naar keuze.

Ik zeg altijd een speciaal gebed ter bescherming dat ik in 1995 schreef, toen ik op een ochtend werd gewekt en geleid werd om dit op te schrijven. Ik zeg dit gebed voor elke reading op en leer mijn studenten om dit gebed of een ander gebed naar keuze op te zeggen.

We vragen het Universele Bewustzijn
dat de hoogste spirituele macht bezit
van Kennis, Wijsheid en Waarheid

om ons te leiden en beschermen
terwijl we met onze gidsen en geesten
in de Geestewereld communiceren
en de wijsheid van het Universum aanboren.

We respecteren deze gelegenheid en
nemen de volledige verantwoordelijkheid op ons
om die niet voor ons ego te gebruiken
of om macht over anderen uit te oefenen
maar met de zuivere bedoeling
om liefde uit te dragen en het leven te healen
op deze aarde en daarbuiten.

© 1995 Char

Veel van mijn studenten kiezen dit gebed, anderen hebben hun eigen gebeden en beschermingsrituelen. Eén vrouw zegt 'Negeren, negeren', als ze een onnodige negatieve gedachte hoort. 'We zeggen allemaal domme dingen zoals "Je hebt mijn hart gebroken",' zei ze onlangs tegen me, 'maar dergelijke dingen mogen geen wortel schieten, dus daarom negeer ik ze. En vreemd genoeg zegt mijn man het nu, net als mijn kinderen en alle collega's op kantoor. Ik denk dus dat het echt werkt!' Een andere studente steekt haar hand voor zich uit en vormt een energiebarrière op de plaats van de hand. Ze gelooft dat deze barrière negatieve energie of geesten zal tegenhouden. Als ze met patiënten werkt, zegt mijn zus Alicia (de gepromoveerde psychologe) twee gebeden op: een voor God ter bescherming van haarzelf en degene met wie ze werkt, en een ter heling: 'Ik vraag altijd toestemming aan mijn patiënten om twee algemene gebeden te zeggen omdat ik niemand wil beledigen. Maar nog nooit heeft iemand gezegd dat ik geen gebed mocht opzeggen. En als dat wel het geval zou zijn, dan zou ik waarschijnlijk moeten zeggen dat we dan niet verder kunnen gaan. Zo sterk geloof ik in bescherming.'

DRIE NIVEAUS VAN BESCHERMING

Ik denk dat we onszelf op drie niveaus moeten beschermen. Ten eerste moeten we ons tegen negatieve geesten beschermen aan de hand van de stappen die ik hierboven beschreven heb. Ten tweede moeten we onszelf tegen negatieve gedachten beschermen, of die nu van onszelf zijn of tegen ons gericht zijn. Zoals ik in hoofdstuk 12 zei, hebben gedachten macht. We moeten leren onze eigen negatieve gedachten te beheersen door onze aandacht op het hoogste goed te richten en niet te oordelen. Maar we moeten ons ook beschermen tegen negatieve gedachten en daden die anderen tegen ons richten.

Vergeet niet dat slechte mensen evenveel schade kunnen aanrichten als slechte geesten. Stel dat je alleen in je flat bent en de aanwezigheid van een onbekende geest ziet of voelt. De meeste mensen zouden dan toch ietwat angstig worden, nietwaar? Maar stel dat je op het volgende moment iemand door je raam naar binnen ziet komen met een nylonkous over zijn hoofd en een wapen in zijn hand? Voor wie zou je banger moeten zijn, voor de ongekende geest of de levende man die door het raam klimt?

Meestal komen er (godzijdank) geen gemaskerde mannen ons huis binnen. Maar we moeten wel leren omgaan met de gedachten en emoties van degenen die het niet goed met ons voor hebben. Helaas heeft niet iedereen altijd het beste met ons voor. En als het universum je waarschuwt voor een negatieve energie die jouw kant op komt, dan doe je er het beste aan jezelf te beschermen.

Als ik zeg dat je jezelf moet beschermen, heb ik het niet over wraak of vergelding. Ik voel er niets voor om iemand die me niet mag een koekje van eigen deeg te geven. Ik plaats mezelf dan op hetzelfde niveau als degene die mij kwaad wil doen. Ik wens niemand iets slechts toe; ik vertrouw erop dat het universum voor diegene zal zorg dragen omdat ik in mijn eigen leven heb gezien dat alles toch weer in evenwicht komt. Maar ik heb ook het gevoel dat het belangrijk is vanuit een niet-oordelende positie te handelen als je met tegen jou gerichte negatieve energie te maken hebt. Als ik een slecht gevoel over iemand heb, kijk ik allereerst in mijn eigen ziel. Komt dit gevoel voort uit mijn eigen jaloezie of onzekerheden? Zo niet, en als ik werkelijk geloof dat de negativiteit van een ander afkomstig is, dan omring ik mezelf van top tot teen met een verblindend wit licht ter bescherming, zo fel dat iedereen die ernaar kijkt er pijn van in zijn ogen krijgt. Dan stuur ik de negatieve energie terug naar waar die vandaan kwam. Die is in mijn hoofd of hart niet welkom.

Het derde niveau waartegen we onszelf moeten beschermen is het zogenaamde 'psychische afval', de negatieve energie die anderen kunnen afscheiden en dan achterlaten. Mensen die in de healingsector werken, weten precies wat ik bedoel. Als we van een lichamelijk, geestelijk of spiritueel probleem genezen zijn, moet de negatieve energie van die oude verwonding of het oude trauma ergens heen. Meestal blijft die in de atmosfeer rond de plek waar diegene genezen is rondhangen, maar soms, en dat is nog erger, stroomt die het energieveld van de therapeut in. Misschien is dat de reden dat sommige ontzettend lieve kennissen van me die in die sector werkten ziek zijn geworden of zelfs jong zijn gestorven. Deze mensen zijn zo zorgzaam en liefhebbend dat ze de ziekte in zich opnemen. Ze weten niet hoe ze de negatieve energie moeten verwerken die vrijkomt uit degenen die ze genezen hebben, maar ze willen anderen zo graag genezen dat het hen niet kan schelen wat er met hen persoonlijk gebeurt.

Hetzelfde kan gebeuren als je je intuïtieve talenten bij anderen gebruikt. Toen ik met professionele readings begon, hield ik me daar aanvankelijk de hele dag mee bezig, en af en toe had ik 's avonds ook nog een radioshow. Ik werd er na enige tijd doodziek van en raakte uitgeput. Ik had het gevoel dat ik door negatieve energie omringd werd. Ik putte mijn accu uit en moest stoppen. Al snel leerde ik hoe ik voor mezelf moest zorgen, en nu beperk ik het aantal readings dat ik per dag doe en zorg ervoor dat ik mezelf voor elke sessie bescherm.

Er zijn diverse manieren om negatieve energie uit je omgeving te bannen. Begin altijd met een gebed ter bescherming en het witte licht. Verschillende soorten wierook of het aansteken van een kaars kunnen ook helpen. Honderden jaren lang hebben de Amerikaanse indianen salie verbrand. Anderen hebben de ervaring dat levende planten in een kamer ertoe bijdragen dat de atmosfeer schoon en gezond blijft. Zoals je eerder hebt gezien, gebruikte Stephanie wijwater om het huis te zuiveren toen ze een bijzonder slechte geest om zich heen voelde. Als je huis eenmaal vol positieve energie zit, zul je echter merken dat negativiteit zich niet lang kan handhaven. Stephanie weet heel goed hoe dit werkt. 'Iedereen die een negatief of kwaadaardig type mens is kan niet langer dan vijf minuten in dit huis verblijven,' zegt ze tegen me. 'Ze worden dan onrustig en nerveus en je kunt ze in hun stoel heen en weer zien schuiven. Eén meisje kreeg zelfs zo'n last van haar maag dat ze zei: "Ik moet gaan, ik voel me niet goed." Glimlachend zei ik: "Ja, dat lijkt me beter."

Als we onszelf bewust beschermd weten – door gebed, het witte licht ter bescherming en met onze gedachten – dan is het voor negatieve geesten erg moeilijk tot ons door te dringen. En als ze toch verschijnen, dan blijven ze niet, zolang we hun maar duidelijk laten weten dat ze niet welkom zijn. De beste bescherming is om je niet in te laten met enige techniek die je in contact kan brengen met geesten van een lager niveau.

Vergeet nooit dat andere geesten je beschermen. We hebben allemaal engelbewaarders en geleidegeesten die ons vergezellen. En het belangrijkste: we beschikken over die geweldige energie die bekend staat als goedheid, liefde en God die ons beschermt. Begeef je altijd, maar dan ook altijd naar het hoogste niveau als je je intuïtie gebruikt. Wees je bewust van je gedachten en zeg je gebeden op. Je beste bescherming tegen elke energie die het slecht met je voor heeft is om stevig verbonden te blijven met de bron van de hoogste goedheid, liefde en wijsheid. Mijn vriendin Hope kan het zo mooi zeggen: 'Ik vraag voortdurend om beschermd te worden. Voor een reading of gewoon op een bepaald moment van de dag vraag ik God om me lief te hebben en te beschermen en om er voor mij en de mensen van wie ik houd en om wie ik geef te zijn. En ik vraag dat mensen ook goed en liefhebbend tegenover elkaar zijn. Dat is mijn stille gebedje.'

Ik wil dit hoofdstuk beëindigen met het in het juiste perspectief brengen van negatieve energie. Zoals er negatieve mensen in de wereld zijn tegen wie je de nodige voorzorgsmaatregelen moet nemen (zoals deursloten, autoalarmen enzovoort), zo moet je ook jezelf tegen negatieve energieën beschermen die je mogelijk tegenkomt. Maar houd dit voor ogen: er is geen enkele geest die je iets kan laten doen dat je niet wilt. Jij bent altijd, onder alle omstandigheden, degene die je eigen leven en daden onder controle hebt.

Het belangrijkste is dat het gebruik van je intuïtie je beslist niet kwetsbaar maakt voor negatieve energieën of geesten. Als je in een winkelcentrum loopt, dan zul je daar allerlei soorten mensen ontmoeten. Er komen honderden gelegenheden om te winkelen, praten, eten, rusten, misschien zelfs om een film te zien. Maar jij bent degene die bepaalt van welke gelegenheden je gebruikmaakt. Als iemand die je niet aanstaat naar je toekomt, dan kun je weglopen. Als het aanbod in een winkel je niet bevalt, dan kun je vertrekken. Als je geen Mexicaans wilt eten, dan kun je Chinees of Italiaans of helemaal niks eten. Met je intuïtie werken is net zo. Je hebt altijd de controle over de contacten die je zoekt en de manier waarop je je gave gebruikt. Neem dus de stap en treed de wereld van je intuïtie met vertrouwen binnen, in de wetenschap dat je jezelf tegen negatieve energieën kunt beschermen. En weet dat je beste en meest volledige bescherming ontstaat door je vermogen om zelf te kiezen hoe je het zesde zintuig dat God je gegeven heeft, gebruikt.

Deel 3

Intuïtie in de praktijk

Je hebt zojuist mijn zes stappen geleerd om je eigen intuïtieve gave te ontdekken en gebruiken. Als je bij mij op cursus zat, zou ik je nu vragen om met iemand een duo te vormen en je eerste reading te doen. En als je de oefeningen bij elke stap had gedaan, dan zou je er waarschijnlijk verbaasd over staan hoe goed je erin was om intuïtief dingen van je partner op te vangen.

Helaas kan ik je die ervaring niet geven. In plaats daarvan zal ik je tal van voorbeelden van intuïtie in de praktijk geven, waaruit blijkt hoe ik en mijn studenten onze intuïtieve gaven gebruiken om contact te leggen met geesten en engelbewaarders, nauwere relaties te creëren, iemands gezondheid in de gaten te houden, voorwerpen te vinden, de politie te helpen, op het werk af te stemmen en de overgang naar gene zijde voor onszelf en onze dierbaren gemakkelijker te maken. Ik geef je heel wat voorbeelden van intuïtie in de praktijk zodat je het vertrouwen en de zelfverzekerdheid kunt ontwikkelen die je direct vanaf het begin dient te hebben. Ik garandeer je dat elk verhaal dat je leest een waarheidsgetrouw verslag is van mensen zoals jij, die hun intuïtie gebruiken om hun eigen leven en dat van anderen te verbeteren.

Als je je eigen talenten erkent, vertrouwen in jezelf hebt, voor je informatie altijd naar het niveau van universele wijsheid gaat en leert te vertrouwen wat je binnenkrijgt omdat je dat met je gezonde verstand hebt beoordeeld, dan ben je gereed om de intuïtieve talenten waarover je beschikt optimaal te gebruiken. Ik hoop dat deze verhalen je nog meer zelfvertrouwen geven als je begint je intuïtieve gaven te gebruiken. Ik weet zeker dat je deze intuïtieve verhalen informatief, onthullend en inspirerend zult vinden.

17
Afstemmen op dierbaren, engelbewaarders en geleidegeesten

'Beste Char: Toen ik op een nacht lag te slapen, klom mijn dochter bij me in bed en ik zag twee verlichte gedaanten, alsof ze witte kerstlampjes om zich heen hadden. Eerst dacht ik dat het mijn jongste zoon was die aan het slaapwandelen was, maar die lag naast me. Een van de oplichtende figuren deed iets met zijn handen; ik kon er niet precies achter komen.

Er kwam een grote kalmte over me. Ik voelde een enorme rust en gelukzaligheid. Ik was niet bang; ik lag gewoon naar de twee gedaanten te kijken. Ik wist dat het engelbewaarders waren die over ons waakten, waarna ik weer volkomen rustig ging slapen.'
– 'Judith'.

'Beste Char: Ik was net thuisgekomen nadat ik tien dagen in het ziekenhuis had gelegen. Voor het eerst was ik helemaal alleen. Ik lag in bed te rusten toen de telefoon ging. Ik nam op en hoorde de stem van mijn overleden oma aan de andere kant! Ik ging rechtop in bed zitten. In haar gebroken Engels bleef ze maar vragen hoe het met me ging. Ik zei steeds: "Nana, Nana, dit kan niet, jij bent dood!" Ze zei: "Ach, hoe gaat het met je?" Ik zei dat ik ziek was, waarop ze zei: "Weet ik." Daarna stierf haar stem weg. Ik viel weer in slaap. Toen ik wakker werd, stond de telefoon aan mijn voeteneind. Voordat ik de eerste keer in slaap was gevallen, had die nog op het nachtkastje gestaan (waar die altijd stond). Ik wist dus dat het geen droom was, omdat de telefoon van het nachtkastje naar het bed was verplaatst.

Toen ik nog een klein meisje was, zei mijn oma altijd dat de doden alles wisten wat hier op aarde gebeurde. Nu geloof ik haar.' – Nancy Spinelli.

'Beste Char: Na een bijzonder stressvolle periode in mijn leven ging ik naar Moonstone Lodge bij Phoenix voor een soort spirituele bezinningscursus. Als onderdeel van het programma gingen alle aanwezigen daar in een grote kring zitten en vroeg de cursusleider ons om over zaken in ons leven te praten. Op de laatste dag keek ik naar de weerschijn op een grote tafel in het midden van de kamer. Plotseling begon iets in de weerschijn te bewegen en zag ik een reeks beelden. Ik zag mijn gezicht ouder worden, waarna het begon te bewegen en jonger leek. (Kort nadat ik naar huis was teruggekeerd kreeg ik een facelift, die ik voor mijn reis nog niet had gepland.) Ik zag een nieuwe man mijn leven binnenkomen. (Op dat moment was ik met een ander getrouwd; mijn man was zelfs mee op cursus. Maar nog geen jaar later waren we gescheiden.)

Opeens voelde ik me alsof mijn lichaam heel erg oud was. Ik was een oud indianenopperhoofd geworden wiens linkeroog blind was. Voor hem stond een andere indiaanse krijger met een prachtige hoofdtooi en een staf in zijn hand. Ik wist dat het de zoon van de oude man was. Toen zag ik een klein meisje met een veer, die de oude man kietelde. Hij noemde het kind Wildflower. Ik was me er heel goed van bewust dat ik in een ander leven het kleine meisje was geweest en dat de oude man en zijn zoon mijn geleidegeesten waren geweest. Sindsdien verschijnen deze geesten op wisselende momenten in mijn leven; altijd beschermen ze me en laten ze me weten wat ik moet doen.' – 'Margaret.'

We worden omringd door geesten die van ons houden en met ons willen communiceren. Als we onze natuurlijke paranormale vermogens aanspreken, openen we een kanaal waarmee we intenser contact kunnen krijgen met de overleden dierbaren, evenals met geesten die ons leiden en beschermen. Het is altijd erg bevredigend de verhalen te horen van studenten die hun intuïtie hebben laten ontwaken en berichten van gene zijde horen. Deze berichten komen in allerlei vormen binnen, zoals je uit de drie geciteerde brieven kunt opmaken. Ik hoop oprecht dat de voorbeelden die je in dit hoofdstuk leest, je aanmoedigen met je persoonlijke gidsen, engelbewaarders en overleden dierbaren in contact te komen.

Vergeet daarbij niet wat ik al eerder zei: onze engelbewaarders en geleidegidsen zijn God niet. Geesten weten niet alles en jij bent net zo goed een geest als zij. Jij hebt een vrije wil en hoeft hun advies niet op te volgen. Zorg er altijd voor jezelf te beschermen als je een boodschap van gene zijde krijgt door een gebed op te zeggen en jezelf met wit licht te omringen. En evalueer elke boodschap door die te controleren met behulp van je hogere zelf: je intuïtie, gezond verstand en logica. Met deze voorzorgen kun je van alle liefde en betrokkenheid genieten die het universum je door je gidsen, engelen en dierbaren biedt.

De dood is bijna altijd een moeilijke gebeurtenis voor degenen die achterblijven. Maar het is ook het moment waarop onze dierbaren het vaakst met ons vanaf gene zijde communiceren. Het lijkt erop als hun geesten ons willen geruststellen dat het goed met hen gaat en dat ze nog altijd veel van hen houden. Deze communicatie kan plaatsvinden in de vorm van gevoelens, geluiden, merkwaardige ervaringen, 'toevalligheden' die te opvallend zijn om zomaar toeval te zijn enzovoort. Een vrouw bevond zich kort na het overlijden van haar vader in het washok. Ze zei hardop: 'Hoi, pa, ik ben het. Je kunt nu terugkomen. Ik ben er klaar voor.' Precies op dat moment viel er een fles wasmiddel van de plank. De vrouw liet het opgevouwen wasgoed dat ze in haar hand had vallen en zei: 'Ik neem het terug, pa, ik ben er niet klaar voor!' Maar desondanks zegt ze tot op de dag van vandaag dat ze zijn geest voortdurend om zich heen voelt.

Een aantal jaren geleden bestudeerde mijn vriend en collega-medium Malcolm tarotkaarten met een lieve dame die Jacqueline Murray heette. Ze konden heel goed met elkaar opschieten en spraken elkaar twintig jaar lang twee of drie keer per week over de telefoon, tot haar dood in 1996. Ze overleed heel onverwacht en Malcolm was daar natuurlijk erg bedroefd over. Hij besloot bloemen naar de begrafenis te sturen (die aan de andere kant van het land plaatsvond), maar hij had enige schroom omdat hij niet wist wat de lievelingsbloemen van Jacqueline waren.

Malcolm belde Jacqueline's dochter (zijn petekind) en vroeg haar naar de favoriete bloem van haar moeder. 'Jeetje, dat weet ik niet,' antwoordde ze, 'ik vraag het aan mijn oma.' 'Ik zat thuis te wachten tot ze terugbelde toen ik opeens, zomaar uit het niets, het jaren 50-nummer *Hi Lili, Hi Lili, Hi Lo* in mijn hoofd hoorde,' vertelde Malcolm me later. 'Ik dacht: Lelies! Op dat moment ging de telefoon. Het was mijn petekind. Natuurlijk had haar oma haar net verteld dat lelies de lievelingsbloemen van Jacqueline waren.'

Mijn studente Patti Limine verloor enkele jaren geleden haar grootmoeder. Op de avond van de begrafenis maakte Patti iets uitzonderlijks mee, dat naar haar vaste overtuiging in verband stond met haar grootmoeder die contact maakte. 'Ik was naar bed gegaan en mijn hond lag op bed bij me te slapen,' zei ze. 'Terwijl ik in diepe slaap was, hoorde ik opeens een harde klap. Zowel de hond als ik schoten omhoog. Ik zei hardop: "Wat is er gevallen?" Ik keek mijn slaapkamer rond, maar er was niets.

Ik deed het licht uit en ging weer slapen. Misschien tien minuten later hoorde ik weer precies hetzelfde geluid. Ik knipte het licht aan en keek rond... nog altijd niets. De hond rende naar het voeteneind van het bed en begon in de lucht te blaffen. Ik zei tegen haar: "Eraf!" maar ze weigerde beslist van het bed af te gaan, ook al probeerde ik haar eraf te duwen.

Die nacht hoorden we diezelfde klap driemaal. En hoewel ik met het licht aan sliep, was ik niet zozeer bang voor de geest als wel voor de eigenaardigheid van het verschijnsel. De volgende ochtend vroeg ik er alle anderen naar die in dat deel van het huis sliepen, maar niemand had de klappen gehoord of iets gezien wat 's nachts op de grond gevallen kon zijn. Ik dacht: Goed dan, grootmoeder. Ik weet dat je hier bent. Misschien is dit nieuw voor je en weet je geen andere manier om contact met me te krijgen.'

De tijd tussen waken en slapen is vaak een moment waarop geesten met ons willen communiceren, wellicht omdat dan de ruis van onze bewuste geest geen hinderpaal vormt. Een andere cliënte vertelde me dat ze toen ze zo'n zes maanden na de dood van haar vader 's avonds naar bed was gegaan, het gezicht van haar vader in de hoek van de kamer had gezien. 'Hij was niet in mijn gedachten, dus ik geloofde niet dat ik het op dat moment wenste,' zei ze tegen me. 'Ik weet nog dat ik tegen mezelf zei: "Wees niet bang, wees niet bang," omdat het zo echt was. En opeens verdween het gezicht. Daarna voelde ik me erg vertrouwd met de verschijning. Het is alsof die nog steeds hier over mij waakt.'

Ooit was ik het transportmiddel voor een zeer specifieke boodschap die was opgesteld voordat de betreffende man stierf. De volgende brief vertelt het verhaal.

'Beste Char: In november 1997 zag ik je in de Cleveland-ontbijt-show. Terwijl je probeerde een reading te doen voor de eerste beller, sprak je de naam van mijn vader uit, waarna je je tegenover de beller verontschuldigde omdat je door die geest onderbroken was. Ik draaide me direct om en begon naar de tv te turen; ik wist absoluut zeker dat het mijn vader was. Hij was net overleden en enkele dagen daarvoor had ik tegen hem gezegd: "Als er een manier is om me van gene zijde te bereiken, laat dat dan niet na. Ik herinner me een heel goed medium; haar naam is Char. Probeer met haar contact op te nemen." Je wist op dat moment waarschijnlijk niet dat je zo'n belangrijke rol zou spelen bij het bevestigen van mijn geloof in een leven na de dood.' – Tarrah Sterling.

Ik kreeg ook een erg ontroerende brief van een andere cliënt over zo'n samenloop van omstandigheden die veel te perfect is om het product van zuiver toeval te zijn. In 1998 verloor 'Terry' haar dierbare vader. Terry beschrijft zichzelf als een 'drukke moeder' met vier kinderen, een man en een huis om voor te zorgen, en daarom krijgt ze slechts zelden de kans de krant te lezen. Maar precies vier maanden na het overlijden van haar vader ging ze zitten om de krant te lezen en viel haar oog op de woorden 'Veel liefs, Robert'. Haar vader heette Robert en daarom meende ze dat ze de brief moest lezen. Het was een prachtige brief van iemand die overleden was. Dit stond erin:

'Als ik dood ben, laat me dan vrij, laat me dan gaan. Ik heb nog zoveel te zien en te doen. Je moet jezelf niet aan me binden door te huilen, wees blij dat we zoveel jaren met elkaar gehad hebben. Ik heb je mijn liefde gegeven en jij kunt alleen maar gissen hoeveel geluk je me gegeven hebt. Ik bedank je voor de liefde die je getoond hebt, maar nu is het moment daar dat ik alleen verder reis. Treur dus een tijdje om mij als dat nodig is, maar laat je verdriet dan door vertrouwen getroost worden. Onze wegen blijven maar enige tijd gescheiden, dus koester de herinneringen in je hart. Ik ben niet ver weg, want het leven gaat door, dus als je me nodig hebt, roep me dan en dan kom ik. Hoewel je me niet kunt zien of aanraken, zal ik bij je zijn en als je met je hart luistert, zul je al mijn liefde zacht en duidelijk om je heen voelen en als ook jij alleen deze kant op moet komen, dan zal ik je met een glimlach verwelkomen.

Veel liefs, Robert.'

5 september 1964 – 17 februari 1998.

'Toen ik de datum onderaan de brief las, liepen de rillingen over mijn rug,' schreef Terry me. '17 februari was de verjaardag van mijn vader. Ik kan niet anders dan geloven dat mijn vader wilde dat ik die brief las en de boodschap erin tot me nam.'

Overlijdt een dierbare, neem dan enkele momenten om hen je zegenen en het witte licht ter bescherming te sturen als ze heengegaan zijn. Laat ze weten dat je nog van hen houdt, en als je wilt, vraag hen dan je een teken te geven van hun aanwezigheid. Als ze ervoor kiezen met een teken bij je binnen te komen, dan zul je vrijwel zeker weten dat zij het zijn; vergeet niet dat elke geest een eigen energie-duimafdruk heeft en we verliezen onze persoonlijkheid niet als we naar gene zijde overgaan. Zolang je het witte licht ter bescherming om je heen houdt, kun je je intuïtie gebruiken om een 'kanaal' voor je overleden dierbaren te openen om het contact te blijven onderhouden.

Maar houd je niet al te stevig aan je dierbaren vast. Door jouw behoefte kunnen ze aan de aarde gebonden blijven zodat ze niet naar gene zijde kunnen overgaan. Laat los en laat God toe, en vertrouw erop dat je hun liefde altijd zult behouden, ongeacht waar ze zijn. Ze kunnen op bezoek komen wanneer je het het minst verwacht.

'WIE HEEFT DIE DONUTS OP DE GROND GEDUWD?'

Soms denk ik dat de geesten een behoorlijk bizar gevoel voor humor hebben, omdat ze tamelijk merkwaardige methoden kunnen uitkiezen om van hun aanwezigheid blijk te geven. 'Patricia', een studente van me, vertelde me ooit over een avond waarop ze ergens wat ging drinken, terwijl haar goede vriendin Lala op haar drie kinderen paste. Er kwamen nog enkele andere kinderen en het draaide uit op een logeerpartijtje. Rond middernacht stond Lala in de keuken de vaat te wassen. Het aanrecht was naast een kast, die weer naast de koelkast stond. Het was een rustige winteravond en alle ramen waren dicht en afgesloten.

Nadat Lala alle bekers had omgespoeld en die in een afdruiprek had gezet, vielen plotseling alle bekers uit het rek op de grond. Eigenlijk konden die bekers helemaal niet vallen, maar Lala dacht: Nou ja. Ze pakte ze op en begon ze weer af te spoelen. Weer vielen ze zonder enige aanleiding op de grond. Nu werd Lala achterdochtig, maar ze pakte de bekers toch op en begon ze weer af te spoelen en in het rek te zetten. Maar nu viel er een doos donuts van de koelkast af en kwam op de grond terecht.

Toen Patricia die nacht thuiskwam, vertelde Lala haar wat er gebeurd was. 'O, dat was waarschijnlijk mijn man,' zei Patricia. 'Die houdt van *practical jokes* en is altijd aan het donderjagen. Weet je nog dat we hem zelfs met zijn Supersoaker-waterpistool bestookt hebben?' 'Zeg maar tegen hem dat ik zijn grapjes vanuit het graf niet leuk vind,' kaatste Lala terug.

'Rebecca's' vader had grote problemen met zijn gezondheid. Op een dag zei haar moeder half schertsend tegen hem: 'Als je besluit om van je te laten horen na je heengaan, hoe weten we dan dat jij het bent?' Dit was rond de tijd dat de film *Ghost* in de bioscoop draaide, en ik veronderstel dat hij zich de scène herinnerde waarin de geest een muntstuk verplaatst, want Rebecca's vader antwoordde: 'Ik stuur stuivers.' En jawel, sinds zijn overlijden vinden Rebecca en andere gezinsleden op de gekste plekken stuivers. 'Als ik in mijn auto stap, ligt er een stuiver,' zeg Rebecca. 'Als ik 's ochtends naar mijn werk ga en op mijn stoel ga zitten, ligt er een stuiver. Zelfs mijn man, die een enorme scepticus was, kan niet verklaren dat we steeds stuivers vinden. Dat moet mijn pa zijn.'

Een geest kan zich in velerlei gedaanten manifesteren. Aangezien geesten uit energie bestaan, vinden ze het vaak gemakkelijk elektriciteit te manipuleren. Een cliënte vertelde me dat de deuren van haar auto gedurende ongeveer twee maanden na de dood van haar vader vanzelf op slot gingen. Ze liet de sloten van de auto nakijken, maar er mankeerde niets aan. De auto was trouwens een ouder model Nissan met handmatig bediende sloten. 'Ik veronderstelde dat het mijn vader was die zich ervan verzekerde dat ik in veiligheid was,' zei ze.

Een andere vrouw die haar man had verloren zag enkele veranderingen in een schilderij dat bij haar thuis hing. Ze liet het aan diverse vrienden zien en vroeg hun: 'Zien jullie wat ik zie?' Ze antwoordden: 'We dachten dat je het wel gezien had; het is al twee weken zo.' Het gezicht van de echtgenoot van de vrouw was in het schilderij verschenen. 'Ik dacht al dat ik gek aan het worden was, maar anderen zagen het ook,' vertelde ze me.

De meeste boodschappen die we van geesten krijgen zijn gelukkig niet zo griezelig. Een cliënte vertelde me dat ze in de zomer nadat haar vader overleden was met haar gezin naar Disney World was geweest. 'Mijn vader hield van de natuur en had een vijver bij zijn huis waar elk jaar eenden broedden. Toen we enkele maanden na zijn dood in een hotel in Disney World verbleven, kregen we elke dag bezoek van eenden. We zaten een heel eind van de eendenvijver en er waren heel wat andere kamers op de begane grond die dichter bij de vijver lagen dan de onze. Maar acht dagen lang kwamen de eenden telkens weer naar ons, en we voerden ze niet. Ik had sterk het gevoel dat het een bezoekje van mijn vader was.

Steeds weer bleven er eenden opduiken in het leven van deze vrouw. Enkele maanden geleden zat het tijdschrift *Ducks Unlimited* bij de post. Toen ze de uitgever belde dat ze het niet besteld had, kreeg ze te horen dat het abonnement betaald was, maar ze wisten niet door wie. Diezelfde dag dat ze het tijdschrift ontving, won haar zoon een prijs in een loterij: je raadt het al, het was een eend.'

Kinderen en dieren lijken het gemakkelijker te vinden om geesten te zien dan volwassenen. Shaba is een jonge bastaardhond met veel kenmerken van een Shetlandse herder. Het is een kleine hond die erg aan haar baas 'Kevin' gehecht was. Nadat Kevin overleden was, zag zijn vrouw dat Shaba soms opeens ging zitten en in de ruimte begon te staren. Dat gebeurt wel vaker met honden, maar Shaba draaide dan haar kop om alsof ze iemand door de kamer zag lopen, ook al was er voor mensenogen niets te zien. De hond ging staan en liep met kwispelende staart naar de plek waar ze had zitten kijken. 'Ik weet dat Kevin in de kamer is als ze dat doet; hij is de enige naar wie Shaba ooit toe zou gaan,' zegt zijn vrouw.

Nadat Jeannie Starrs haar zoon Clint had verloren, adopteerde ze direct haar kleinkind C.J., de tweejarige zoon van Clint. 'C.J. ziet zijn vader voortdurend en praat ook met hem,' zegt Jeannie tegen me. 'Toen we eens zaten te eten, kreeg ik door dat Clints geest er was. Ik zei dat tegen mijn vriend Jimmy. 'Let op C.J.' En ja hoor, C.J. rolde zijn servet precies zo op als zijn vader altijd deed. Hij keek naar rechts waar een lege stoel was, alsof hij instructies verwachtte te krijgen, begon te grijnzen en gooide zijn servet naar mij toe. Dat is precies iets wat Clint tegen zijn zoon zou vertellen.'

TERUGKOMEN MET EEN REDEN

Soms komen de geesten van onze dierbaren naar ons toe om een andere reden dan om gewoon te laten weten dat ze er zijn. Toen 'Helen' bijvoorbeeld verloofd was, hadden haar vader en haar toekomstige schoonmoeder veel conflicten over het huwelijk. Ze maakten ruzie over de uitnodigingen, wie wat zou doen enzovoort. Helens verloofde Stewart had als tiener zijn vader verloren maar hij had Helen laten weten wat voor geweldige man zijn vader geweest was; hij was een echte vredestichter geweest. Helen bleef maar denken: 'Ik zou willen dat Stewarts pa nog leefde; hij is waarschijnlijk de enige die een eind zou kunnen maken aan deze chaos.' De situatie escaleerde zo dat Helen haar toevlucht ertoe nam elke avond een gebed op te zeggen: 'Alstublieft, Heer, als u daar bent, vraag Stewarts pa dan om me te helpen dit op te lossen.'

Op een avond was Helen net in slaap aan het vallen toen ze het vreemde gevoel kreeg dat Stewarts pa in de kamer bij haar was. Ze was bang om zich om te draaien en op te kijken omdat ze niet wist wat ze moest doen als ze werkelijk zijn geest zag. 'Ik herinner me heel duidelijk dat ik tegen hem praatte en hem hoorde zeggen dat hij van me hiel en mijn huwelijk met zijn zoon goedkeurde, en dat alles in orde zou komen,' zegt ze. 'Ik zei later tegen mijn verloofde: "Als ik banden van de stemmen van twintig mannen hoorde, kon ik de stem van je vader daaruit halen; zo zeker weet ik dat hij tegen me sprak." En hij had gelijk over het huwelijk. Op de een of andere manier kalmeerden onze ouders voldoende om alles gladjes te laten verlopen. Ik weet zeker dat Stewarts vader een soort positieve invloed over onze families uitoefende.'

Kort nadat ze naar gene zijde overgegaan was, stuurde een moeder een heel lieve boodschap naar haar nieuwe schoondochter. Drie weken voor hun huwelijk ontdekten Chantale Bruno en haar verloofde dat zijn moeder nog maar enkele dagen te leven had. Ze besloten voor haar dood te trouwen, en lieten de huwelijksceremonie de volgende dag in de ziekenhuiskapel plaatsvinden. De laatste woorden van zijn moeder aan het bruidspaar waren dat ze hun vroeg direct een gezin te beginnen.

Het echtpaar trouwde drie weken later opnieuw tijdens de plechtigheid die ze oorspronkelijk hadden gepland. Na de huwelijksreis verhuisden ze naar het huis dat Chantale's schoonmoeder aan hen had nagelaten, het huis waarin Chantale's man was opgegroeid. Op een avond kort daarna wilde Chantale opeens ontzettend graag Monopoly spelen, wat nogal vreemd was omdat ze helemaal niet van bordspelen hield. Terwijl ze in een kast naar het Monopoly-spel zocht, trof ze iets anders aan: een antieke, in papier gewikkelde doopjurk met daarop het woord 'dochter'. 'Mijn man is enig kind, dus we wisten dat die niet van hem was, en hij kon zich niet herinneren dat hij die jurk ooit had gezien,' zegt Chantale. 'Ik zei tegen mijn man dat het een boodschap van zijn moeder was.' Een week later ontdekte ik dat ik zwanger was; we kregen een meisje, dat we naar mijn schoonmoeder noemden. Ik geloof werkelijk dat de jurk een boodschap van haar was dat we snel een dochter konden verwachten.'

Is dat niet precies iets wat je van een grootmoeder in spe zou verwachten? Maar omdat deze grootmoeder een geest was, kon ze in de toekomst kijken. Ze kon haar schoondochter laten weten wat ze kon verwachten terwijl ze tegelijkertijd een lief cadeautje voor het komende kleinkind gaf. We mogen ons gelukkig prijzen dat liefde niet verandert, zelfs niet door een vroegtijdige dood.

Geesten waken over ons: gidsen en wachters

Als een dierbare doorkomt, is het prettig te weten dat ze er zijn, dat het goed met ze gaat en dat ze nog steeds van je houden. Het is ook een heerlijk gevoel te weten dat je op spiritueel niveau beschermd wordt door de mensen die je kende terwijl ze op aarde verkeerden. En zoals ik in hoofdstuk 4 al besproken heb, hebben we geleidegeesten en engelbewaarders die ons al evenzeer helpen.

Soms weten we wie deze gidsen en wachters zijn, omdat deze geesten in hun laatste aardse gedaante een band met ons hadden. De eerste keer dat ik Gordon Meltzer in persoon ontmoette, was in St. John's Hospital in Santa Monica in Californië. Gordon was de manager van Miles Davis en Miles lag in het ziekenhuis, geveld door wat een dodelijke ziekte zou blijken. Gordon had nooit in paranormale verschijnselen geloofd, en hoewel Miles me in de loop der jaren vaak geraadpleegd had, zocht Gordon altijd een rationele verklaring voor elke voorspelling van mij die uitkwam.

De familie van Miles had Gordon gevraagd alle bezoekers bij het ziekenhuis weg te houden Dus toen ik belde en hem vertelde dat ik naar het ziekenhuis wilde komen met een vriendin die healer was, toonde Gordon zich bepaald niet enthousiast, maar hij wilde er toch wel met de familie over praten. Ze vonden het goed dat ik kwam en eisten dat Gordon in de kamer bleef terwijl ik bij Miles was.

Gordon herinnert zich dat ik die dag in het ziekenhuis aan het bed van Miles zat (die in coma lag) en tegen hem zei: 'Maak je geen zorgen, want je moeder en vader zijn hier in de kamer bij je.' Omdat Miles' ouders al veertig jaar daarvoor gestorven waren, was Gordon hierdoor enigszins verrast. Maar hij bleef in de kamer voor de healingsessie, die ongeveer een half uur duurde, waarna hij met me meeliep naar de uitgang van het ziekenhuis. Toen we bij de deur kwamen, zei hij: 'Weet je, dat was erg interessant wat jij en je vriendin in die kamer deden. Maar wat was dat nu met Miles' vader en moeder? Die zijn allang dood.'

'Weet je dat niet?' antwoordde ik. 'Iedereen heeft een engelbewaarder die over je waakt. De ouders van Miles zijn engelbewaarders. De jouwe is je overleden grootmoeder Anna uit Rusland.' Zelden heb ik iemand zich zo snel zien oprichten als Gordon toen hij dat hoorde. Maar het was waar, zijn grootmoeder was zijn engelbewaarder aan gene zijde. En nu hij een specifieke naam en relatie hoorde, die ik alleen via paranormale weg te weten had kunnen komen, opende zich voor Gordon een geheel nieuw perspectief op het leven, de dood en de geesten.

Julie Krull, een andere cliënte van me, kreeg een aanwijzing toen ze een nieuwe engelbewaarder kreeg. 'Ik had een droom over een collega die enkele maanden eerder overleden was,' schreef ze me. 'Ik was gek op hem, maar omdat hij getrouwd was vertelde ik dat noch aan hem, noch aan een ander. In de droom zei hij dat hij nooit bij me weg zou gaan. Het leek heel echt en zoiets was me nog nooit overkomen, maar ik nam toch aan dat het maar een droom was. Maar toen ik mijn reading bij jou had, begon je meteen over mijn droom, ook al had ik die nooit bij je ter sprake gebracht. Je zei dat de geest van deze man me nooit zal verlaten en dat hij mijn engelbewaarder zou zijn.'

We hebben overal rondom ons engelbewaarders. Soms vertonen ze zich ook in fysieke gedaante op aarde. Ik denk dat veel brandweerlieden absoluut engelbewaarders zijn die besloten een stoffelijke gedaante aan te nemen zodat ze hier mensen kunnen beschermen. Veel honden en katten die hun eigenaars beschermen zijn ook gedaanten van engelbewaarders die op aarde leven.

Het is geweldig om je engelbewaarders te kennen. Als je de aanwezigheid van een geleidegeest of engelbewaarder rondom je voelt, zeg dan een gebed ter bescherming en zeg dan: 'Ik wil graag weten wie je bent', of iets dergelijks. Vaak zal het antwoord opeens als gedachte in je hoofd opkomen.

Geleidegeesten zijn er speciaal om ons te leiden als we met de astrale wereld verbinding krijgen en ook om ons in de juiste richting te leiden terwijl we op aarde zijn. Dikwijls waren we in een eerder bestaan met onze geleidegeesten verbonden, zoals de indiaanse gedaanten in het verhaal van 'Margaret' dat je eerder in dit hoofdstuk hebt gelezen. Een andere studente van mij die van Iers-katholieke afkomst was, heeft ook indiaanse geleidegeesten. 'Al mijn vrienden vertellen me dat ik voor een volbloed indiaan kan doorgaan, dus het is geen verrassing dat mijn geleidegeesten ook indiaans zijn,' zegt ze. (Veel geleidegeesten lijken indiaans te zijn; wellicht komt dat door de sterke traditie in veel van die culturen om geesten in ere te houden.)

Elke energie waarmee we in contact komen heeft een bestaansreden. Veel van onze geleidegidsen en engelbewaarders komen naar ons toe omdat ze reageren op karma dat ze in het verleden bij ons hebben opgebouwd. Er kunnen zelfs nog niet afgehandelde kwesties uit een vorig leven tussen ons en hen resteren, en als deze geesten zich verder willen ontwikkelen, dan zullen ze ons moeten helpen. Een van mijn cliënten zei het zo: 'Als we van deze aarde vertrekken, is ons werk nog niet af. We moeten blijven leren en groeien en anderen helpen hetzelfde te doen.' Vergeet niet dat het doel van iedere geest is om het hoogste bewustzijnsniveau te bereiken, waarbij hij opgaat in de goedheid, wijsheid en liefde die God is. Geesten moeten bereid zijn om zowel hier als in het hiernamaals veel moeite te doen om zich te blijven ontwikkelen.

We hebben ook verschillende engelbewaarders en geleidegeesten voor verschillende behoeften. Ze komen op bepaalde momenten ons leven binnen om ons met bepaalde zaken te helpen; sommigen blijven, anderen vertrekken weer. Als je bijvoorbeeld in het openbaar wilt leren spreken maar dat nog niet veel gedaan hebt, dan krijg je wellicht een geest te leen die een groot spreker was. Deze 'taakspecifieke' geesten zijn er om je te helpen als je een nieuwe uitdaging aangaat. Er zijn ook andere hoogontwikkelde geesten die ons hele leven op aarde bij ons blijven en ons bijstaan bij onze groei.

Op astraal niveau beschermen geleidegeesten en engelbewaarders onze energievelden. Als je ooit iets over aura's hebt gelezen, weet je dat we overal om ons heen energie uitstralen. Een deel van die energie bevindt zich in deze dimensie en een deel in de astrale dimensie. Maar vanwege een fysiek of emotioneel trauma kan ons energieveld verzwakt of beschadigd raken. Soms kan het zelfs grote 'gaten' of plaatsen ontwikkelen waar het uiteenvalt. Als dat gebeurt, is het voor negatieve energieën en geesten heel gemakkelijk toegang te krijgen. Maar de geesten rondom ons kunnen ons tegen die negatieve energieën beschermen en ze in toom houden totdat we het veld zelf weer kunnen herstellen.

Ik geloof dat 'denkbeeldige speelkameraadjes' van veel kinderen in werkelijkheid hun engelbewaarders, geleidegeesten en overleden dierbaren zijn. 'Let goed op een kind,' zei iemand ooit tegen me. 'Je kunt het zien als ze met een denkbeeldig vriendje spelen en als ze met iemand praten die wij niet maar zij wel kunnen zien. Let op hun gezichten, kijk hoe ze hun ogen bewegen, luister hoe ze praten en reageren op stemmen die we niet kunnen horen. Let op de manier waarop ze fysiek met deze wezens omgaan. Je kunt het verschil tussen een denkbeeldig speelkameraadje en een wezen dat voor onze ogen gewoon onzichtbaar is echt merken.'

Hoewel de meeste volwassenen deze wezens dus niet kunnen zien, kunnen we hun aanwezigheid om ons heen vaak wel opmerken als een gevoel dat we beschermd worden. Dit gevoel heeft niets met vertrouwen te maken; een onzeker iemand kan het net zo gemakkelijk hebben als een zelfverzekerd iemand. En het hoeft niet altijd te maken te hebben met slechte of goede dingen die ons overkomen. Tenslotte moet iedereen zijn eigen lessen doormaken. Maar als je je intuïtieve antenne uitsteekt, dan kun je goed merken wanneer je beschermd wordt door geesten, zowel hier als in het astrale vlak.

Enkele waarschuwende woorden

Ik wil waarschuwen tegen een al te sterke band met geesten: ik heb mensen gezien die geestelijke relaties verkiezen boven werkelijke relaties op aarde. Ik kende een vrouw die zo afhankelijk was van haar geleidegeest dat ze bijna niet meer in de werkelijkheid leefde. Ze werd 's ochtends wakker en zei dan tegen haar gids: 'Hoi, wat gaan we vandaag doen?' Psychisch gezien verving haar gids iedereen met wie ze een intieme relatie zou kunnen opbouwen. Dat was duidelijk niet gezond. Het is nooit gezond van een andere persoonlijkheid afhankelijk te worden, noch op aarde noch in het hiernamaals.

De andere neiging die ik soms heb waargenomen is dat mensen hun geleidegeesten of zelfs God de schuld geven als er iets vervelends in hun leven gebeurt. 'Waarom werd ik niet gewaarschuwd? Waarom hebben mijn gidsen dat niet verteld? Waarom heeft mijn engelbewaarder me niet geholpen?' We kunnen onze gidsen niet als excuses gebruiken. We moeten de verantwoordelijkheid voor ons eigen leven nemen. We zijn allemaal hier om de aardse en spirituele lessen te leren die deze dimensie ons moet leren. Sommige lessen moeten we meemaken zonder dat we die van tevoren kennen. We moeten eerst en vooral op onze eigen intuïtie en ons gezond verstand vertrouwen.

Alle geesten hebben grenzen. Ze zijn God niet en wij evenmin, zelfs al maken we allemaal deel uit van Gods goddelijke energie. Vergeet niet dat je gidsen ook werken om zichzelf naar steeds hogere niveaus in de geestenwereld op te werken. Ze zijn zeker niet onfeilbaar. We moeten erkennen dat er een energieniveau is dat goedheid, liefde en God is en we hebben geen geesten nodig om dat te bereiken. Als we vertrouwen in onze eigen geest en onze eigen intuïtie hebben, dan kunnen we die goddelijke energie direct aanboren.

Het gebruik van onze intuïtie om met onze dierbaren, geleidegeesten en engelbewaarders te communiceren, kan ons opbeurende adviezen opleveren, en daarnaast een gevoel dat we beschermd en onvoorwaardelijk bemind worden. De meest helende energie en de sterkste kracht in het universum is liefde, en we worden omringd door de liefde van onze persoonlijke geleidegidsen. Als we op de aanwezigheid van liefde in ons leven afgestemd zijn en die op onze beurt aan anderen aanbieden, dan kunnen wij en de geesten die ons bewaken voortgaan op het pad naar onze uiteindelijke vereniging met God.

18
Intuïtieve waarschuwingen: gevaren voorspellen en rampen afwenden

Ga even rustig zitten en denk eens terug aan een tijd waarin je iets wilde. Misschien voelde je je tot iemand aangetrokken of wilde je zaken met iemand doen. Misschien wilde je verhuizen. Waarschijnlijk was het een heel eenvoudig verlangen, maar tegelijkertijd werd je door iets gewaarschuwd. Je probeerde er alles aan te doen om die intuïtieve gedachte of dat gevoel te laten verdwijnen, maar je kwam niet verder dan een botte ontkenning ervan. De tijd leert dat je een slechte keuze hebt gemaakt. Dan pas herinner je je de waarschuwing die je gekregen hebt en zegt: 'Ik wist dat ik het niet had moeten doen.'

Die waarschuwing was het universum dat je in bescherming wilde nemen. Telkens als je intuïtie je voor gevaar waarschuwt, moet je proberen ervan te leren. Probeer je het gevoel te herinneren en gehoorzaam aan je eerste instincten. Dit is een moment waarop de ratio je meer in de weg kan zitten dan je van dienst kan zijn. Als er gevaar op handen is, waarschuwt het universum je. Je moet leren te luisteren.

Dikwijls zijn onze eerste ervaringen met intuïtie waarschuwingen. Mijn vriend Mark zegt daarover: 'Dieren voelen instinctief aan of er gevaar is, en wij ook. Wij begraven dat instinct alleen onder vele lagen rationeel denken. Maar als het op waarschuwingen aankomt, moet je juist letten op de instinctieve, intuïtieve reactie.'

Stuart Krasnow is co-producent van mijn tv-show en leert momenteel op zijn eigen intuïtie te vertrouwen, vooral als het op waarschuwingen aankomt. 'Ik denk dat we ingebouwde sensoren hebben waarnaar we moeten luisteren. Enkele dagen geleden ging ik met enkele vrienden in Los Angeles ontbijten. We zaten allemaal in dezelfde auto en terwijl we door een stille straat reden, wilde mijn vriend die reed keren. Maar ook al voeren velen dagelijks die simpele manoeuvre uit, ik had er een raar gevoel over en zei: "Weet je wat? Laten we gewoon het blok rondrijden." Misschien was er politie in de buurt, misschien zou er iets gebeurd zijn... Het leek me gewoon niet veilig om daar te keren.'

Toen ik onlangs in New York was, stond ik op een dag voor de lift te wachten in de lobby van het hotel waar ik logeerde. Ik zag een jonge man rondhangen die me een onprettig gevoel gaf. Toen de lift stopte en ik erin stapte, volgde hij me. Het rationele deel van mijn hersenen zei: ''t Is wat, hij staat bij je in de lift,' maar het instinctieve deel schreeuwde: 'Pas op!' Vlak voordat de deuren zich sloten, zei ik: 'O jee! Ik ben iets vergeten!' Ik sprong de lift uit en liep naar de receptie. Toen ik een halve minuut later weer bij de lift kwam, was de jongeman weer in de lobby. Zodra hij zag dat ik naar hem keek, sprong hij snel in een andere lift en verdween.

Ik zei al eerder dat angst ons ervan kan weerhouden onze door God gegeven intuïtie te gebruiken. Maar soms kan angst ook een vriend zijn. Het kan een signaal zijn dat er iets niet goed zit, dat er gevaar in de buurt is. Soms is angst het enige dat tot mensen doordringt en hen ertoe aanzet zich te beschermen zodat een ramp wordt afgewend.

Niet zo lang geleden ontving ik een brief van mijn cliënte Debby White. Ik wil de gehele brief citeren omdat haar verhaal over het opvolgen van een intuïtieve waarschuwing zonder meer indrukwekkend is.

'Op 19 december 1997 maakte ons gezin van zes personen zich op om de volgende dag naar Vail in Colorado te vertrekken. Mijn jongste dochter Cassie was aan het fietsen met een vriendin en had me verteld waar ze heen was. Ik had het erg druk en mijn zoon bestelde pizza's voor het avondeten.

We bestellen vaak pizza's, die altijd door dezelfde bezorger gebracht werden. Maar toen ik die avond opendeed, stond er een nieuwe bezorger voor de deur. Toen ik hem aankeek, ging er een rilling door me heen. Ik wist dat hij iets verschrikkelijks had gedaan. Ik betaalde voor de pizza's en sloeg de deur dicht. Direct flapte ik eruit: "Waar is Cassie?" Panisch greep ik mijn autosleutels en reed naar de plek waar ze aan het fietsen moest zijn. Ik werd doodsbang toen ik haar daar niet zag. Ik keerde naar huis terug en zag tot mijn opluchting Cassie achter het raam. Ik vroeg me af wat er aan de hand was omdat het gevoel zo sterk was geweest.

Toen ik binnenkwam hoorde ik dat een buurman Cassie naar huis had gebracht. Ze was naar het huis van die buurman gerend omdat een man had geprobeerd haar zijn auto in te lokken. Mijn man had de politie al gebeld en de buurvrouw had het kenteken van de auto genoteerd. Binnen een uur belde de politie terug, die ons vertelde dat we blij mochten zijn met een dochter die zo slim was dat ze die auto niet was ingestapt: het kenteken stond op naam van een zedendelinquent die net uit de gevangenis was ontslagen waar hij een straf wegens ontucht met kinderen had uitgezeten.

Toch kon ik mijn vreemde gevoel over de pizzabezorger niet van me afzetten. Ik belde de pizzabakker en vertelde de eigenaar een leugentje om bestwil. Ik zei dat ik het niet zeker wist, maar dat ik meende dat een van zijn bezorgers iets ongepasts over mijn dochter had gezegd. Ik vroeg hem niets tegen zijn medewerkers te zeggen maar om te controleren of een van zijn chauffeurs een bepaald kenteken had (namelijk dat van de auto van de man die geprobeerd had mijn dochter te ontvoeren) en om me terug te bellen. De eigenaar verklaarde zich uiteraard bereid dit na te gaan. Even later belde hij me terug met de mededeling dat het kenteken klopte. Zo kon ik mijn vrienden, buren en de buurt waarschuwen. We zouden er nooit achter gekomen zijn dat de man die mijn dochter belaagde de pizzabezorger was als mijn intuïtie het me niet had verteld.'

Dit vermogen om gevaar te signaleren is iets dat we bij onze kinderen beslist moeten ontwikkelen, omdat dat hen bescherming zal bieden als we niet in de buurt zijn. Als een goede vriendin van mij ergens met haar jonge zoon rondrijdt, controleert ze altijd bij hem of hij dezelfde 'treffers' krijgt uit de omgeving. 'Op een avond gingen we bij een tante van me op bezoek die in een buitenwijk in de buurt van ons huis woont,' zei ze tegen me. 'Toen we langs het huis reden, kon ik niet zien of ze thuis was en daarom zei ik: "We zoeken een telefoon en bellen haar op." We reden naar een benzinestation dat in het duister gehuld was. Ik had er een raar gevoel bij. Ik keek naar mijn zoon en vroeg: "Lijkt het je een goed idee om uit te stappen en hiervandaan te bellen?" Hij zei: "Nee, als er een slechterik in de buurt was zouden we hem niet kunnen zien." "Heel goed," zei ik tegen hem. "Ik ben het met je eens. Onthoud goed, Brian, dat als iets niet in orde lijkt, dat meestal ook echt het geval is." Ik wil zeker weten dat mijn zoon er aandacht aan schenkt als zijn intuïtie hem tegen gevaar waarschuwt.'

Uiteraard moet je aandacht besteden aan angstgevoelens als die opkomen en nagaan waar die vandaan komen. Hope Grant zei tegen me: 'Af en toe, als ik ergens word uitgenodigd, heb ik het gevoel dat ik er niet heen zou moeten. Meestal volg ik mijn gevoel, maar eerst ga ik bij mezelf na of ik dat gevoel niet heb omdat ik gewoon geen zin heb in die uitnodiging. Intuïtie betekent ook dat je erg eerlijk moet zijn tegenover jezelf.'

Maar uiteindelijk geloof ik dat het in ons eigen belang is om goed op die waarschuwende, vage angstgevoelens te letten. Ik ken te veel gevallen waarbij mensen een waarschuwing kregen en het later betreurden dat ze die niet hadden opgevolgd. Enkele jaren geleden had ik een studente op cursus die pas gepromoveerd was, veel geld verdiende en als ongetrouwde meid een zorgeloos leventje leidde. Ze ging met haar vriend bij vrienden in Forest Hills in New York op bezoek. Ze reden in haar gloednieuwe Mercedes met open dak door de wijk, waar het vanwege het US Open tennistoernooi erg druk op straat was. Toen ze de auto parkeerden, zag ze een stel jongens op straat. Ze zei tegen haar vriend: 'Vince, die jongens deugen niet.' Vince zei tegen haar. 'Doe niet zo neurotisch. Houd op zeg.' De vrouw antwoordde: 'Oké, maar ik heb een raar gevoel over die jongen met dat blauwe shirt, rode Nikes en die groene halsdoek.'

Vince (die 1 meter 92 lang is) antwoordde: 'Schat, het zijn jochies van tien die half zo groot en zo zwaar zijn als ik. Kom nou toch.' Toen ze uit de auto stapten, zei Vince: 'Kijk, ze gaan al weg. Ze gaan waarschijnlijk naar bed.' Maar de jongens liepen langs de auto, draaiden zich om en de jongen met de groene halsdoek trok een pistool en richtte dat op Vince's hoofd. Ze dwongen hem zijn sleutels af te geven en reden in de auto weg.

Gelukkig heeft het verhaal een happy end. Alle zes de jongens werden gepakt omdat mijn studente een zeer nauwkeurig signalement van hen kon geven. Toen de officier van justitie vroeg hoe ze dat had kunnen doen, zei ze: 'Ik wist dat ze iets van plan waren, maar ik werd er ervan weerhouden naar mezelf te luisteren.' Mijn studente vertelde me later: 'Ik zal die waarschuwende stem nooit meer negeren.'

Anderen helpen gevaar te vermijden

Als we goed afgestemd zijn op onze intuïtie, dan zijn de waarschuwingen die we ontvangen niet alleen voor onszelf maar ook voor onze dierbaren bestemd. Enkele jaren geleden, nog voor mijn vader overleed, waren mijn ouders van plan me op de nationale feestdag een bezoek te brengen. Het was voor hen vijf uur rijden en voordat ze vertrokken belde ma me op om te vragen of ik iets nodig had. Zonder na te denken zei ik: 'Zeg tegen pa dat hij op de rechterrijstrook blijft.'

Op die dag was het vreselijk druk op de weg door alle vakantieverkeer. Mijn vader reed, en mijn moeder bleef maar tegen hem zeggen: 'Blijf rechts rijden; blijf op de rechterbaan.' Gelukkig hield mijn vader zich aan dat advies, want toen ze enkele uren onderweg waren, viel hij achter het stuur in slaap. De auto reed naar rechts de berm in, en op dat moment werd mijn vader wakker. Als de auto op de linkerrijstrook had gereden, zou die tegen een andere auto zijn gebotst en was er een ongeluk gebeurd. Ik was mijn moeder erg dankbaar dat ze de intuïtieve waarschuwing van haar dochter niet in de wind geslagen had!

De geesten geven me voortdurend waarschuwingen voor mijn

cliënten. Natuurlijk duurt het vaak een poosje voor die waarschuwingen echt effect hebben. Mijn cliënt George zei tegen me: 'Soms noemde je tijdens een reading een naam en zei dan: 'Pas op voor deze persoon.' Dat was dan geen naam die ik kende, maar ik schreef die wel op. Als ik dan enkele maanden later mijn aantekeningen doorlas, bleek er inderdaad vaak iemand met die naam mijn leven binnengekomen te zijn. Af en toe dacht ik: 'Wacht even, dat kan niet degene zijn voor wie ze me waarschuwde. Wanda deugt beslist. Het moet een ander zijn.' Maar als ik dan zaken deed met Wanda, bleek het precies zo te gaan als jij voorspeld had. Als ik je advies over sommige anderen had opgevolgd, zou ik honderdduizenden dollars hebben bespaard.'

Mijn vriend Mark zweert dat ik hem geholpen heb een inbraak te voorkomen. 'Char waarschuwde me dat ik mijn huis door een beveiligingsdienst moest laten bewaken omdat iemand bij een inbraak iets zou stelen,' zegt hij. 'Het geval wilde dat een vriend me die dag opbelde. Omdat hij wat geld kon gebruiken en ik de stad uit ging, vroeg ik hem een dag of twee op het huis te passen. Hij trok in het huis en gelijk de dag erop al probeerde iemand in te breken. Omdat die vriend in huis was, werd de inbraak voorkomen, en dat allemaal dankzij Chars waarschuwing.'

Een van mijn studenten kreeg eens een 'treffer' toen ze aan de telefoon zat. 'Ik zat met een vriendin van me te praten die op reis zou gaan. Ik kreeg steeds maar een auto door. Daarom vroeg ik haar uiteindelijk: "Is er een probleem met de voorkant van je auto?" Haar man kwam aan de lijn, en tegen hem zei ik: "Dit klinkt raar, maar je moet de auto laten controleren. Het linkervoorwiel zal eraf vliegen en dan volgt er een groot ongeluk als je vrouw achter het stuur zit."

De man bleef even stil en zei: "Je hebt zojuist het werk beschreven dat we aan de auto van mijn vrouw hebben uitgevoerd. Als ze erin reed, leek de auto te trillen; daarom was ze ermee naar de garage gegaan. Aan de linkervoorkant was de ophanging kapot waardoor het wiel er bijna afgevlogen was. Als ze er nog twee kilometer mee gereden had, zou dat haar einde betekend hebben." '

Zoals ik in hoofdstuk 15 al zei, kan paranormale informatie op vele manieren binnenkomen, en dat geldt ook voor waarschuwingen. Chantale, een cliënte van me, hoorde een stem vanuit het niets. Op dat moment was Chantale's dochter Virginia een jaar oud. Op een dag lag Chantale op de bank te soezen terwijl haar dochter in de kamer ernaast speelde. Opeens hoorde Chantale een mannenstem zeggen: 'Nee Virginia, raak dat niet aan!' Ze sprong op omdat ze dacht dat haar man vroeg thuisgekomen was (het was pas halverwege de middag). Maar toen ze naar haar dochter ging kijken, zag ze dat ze op de slaapkamervloer met een vlijmscherpe schaar zat te spelen. Haar man was nergens te zien en zijn auto stond ook niet op de inrit, zodat die stem niet van hem had kunnen zijn. Chantale zei tegen me: 'We wonen in het huis waar mijn man opgegroeid is; allebei zijn ouders zijn overleden. Ik geloof dat het de stem van mijn schoonvader was die ik gehoord had en die me waarschuwde dat mijn dochter zichzelf in gevaar bracht.'

Van alle mensen die ik ken lijkt Larry de absolute ster in het voorspellen van rampen. Hij gaat er zeker niet prat op en gelukkig komt het ook niet al te vaak voor. Maar als het gebeurt, zijn zijn waarschuwingen zeer indrukwekkend. De nacht voordat Richard Nixon overleed, droomde hij daar bijvoorbeeld zeer gedetailleerd over. 'Ik zag hem op een veranda zitten waar hij getroffen werd en door zijn knieën zakte,' herinnert Larry zich. 'In de droom probeerde ik hem te helpen. We probeerden hem weer rechtop in een stoel te krijgen en ik was bezig eerste hulp te verlenen toen de ambulance arriveerde, enzovoort. Het was zo'n indrukwekkende droom dat ik de volgende ochtend aan mijn vrouw vroeg: "Is Richard Nixon dood of ziek?" Waarop ze zei: "Niet dat ik weet."

Ik bleef de hele dag naar CNN kijken, maar pas om negen uur die avond kwam het bericht. Als ik lees hoe hij gestorven is, wordt daarin exact bevestigd wat ik gezien had. Nixon zat op de veranda van zijn huis in New Jersey en had om zijn verzorgster gevraagd toen hij een beroerte kreeg. Hij was op zijn knieën gevallen, waarna zij hem hielp met opstaan en de ambulance belde.'

Larry voorspelde ook de dood van prinses Diana. 'Ik weet niet waar het vandaan kwam,' geeft Larry toe. 'De dinsdag voor haar tragische ongeval zat ik een stapel documenten in mijn kantoor door te kijken toen ik een boulevardblad met foto's van Diana en Dodi el-Fayed op de voorpagina tegenkwam. Toen ik de foto's bekeek, kon ik die krant niet meer loslaten. Terwijl ik die in mijn hand hield, dacht ik: 'Deze vrouw zal binnenkort overlijden. Het zal een dramatische, snelle, gewelddadige dood zijn, en de reacties in de hele wereld zullen overweldigend zijn.' Ik dacht dat het een helikopterongeluk zou zijn; dat bleek dus niet te kloppen. Maar ik zag dat het geen verdrinking, geen ski-ongeluk en geen ziekte zou worden. Ik zag dat ze een gewelddadige dood bij een of andere botsing zou sterven.

Ik vergat het voorval geheel en hoorde niets over haar tot mijn schoonzus ons met het nieuws belde. Toen mijn vrouw me vertelde: "Er is iets met Diana gebeurd," was mijn eerste gedachte: "O, ze gaat zeker met die vriend van haar trouwen." Toen herinnerde ik me mijn voorgevoel. Ik keek mijn vrouw aan en zei: "Weet je nog wat ik je enkele dagen geleden vertelde?" Hoewel ik niet wilde geloven dat ik dergelijke dingen kon voorspellen, kwam het op dat moment allemaal weer terug.'

Voordat we het onderwerp waarschuwingen laten rusten, wil ik nog een wat vrolijker noot toevoegen. Soms kan het feit dat we geen angst of een ander waarschuwingssignaal voelen een bevestiging zijn van wat het universum ons wil laten doen, ook al is dat niet noodzakelijkerwijs logisch. Mijn vriendin Annie zweert dat zij de ideale partner bij een vliegreis is, omdat ze zeker niet bij een vliegtuigongeluk om het leven zal komen. Een andere vriendin werd ertoe overgehaald met een groepje mensen een tandem-parachutesprong te maken, ook al had ze enorme hoogtevrees en had ze nog nooit in een klein vliegtuigje gezeten. Ze deed mee aan alle oefeningen en schreef zich in voor de sprong (met de allerlaatste ploeg). Ze bad dat het te laat zou worden om nog te springen. Uiteindelijk was het haar beurt een pak aan te trekken en in het vliegtuig te stappen. 'Ik had op het laatste moment kunnen weigeren, maar toen ik eenmaal in dat pak stapte, was ik opeens niet bang meer,' zei ze. 'Als ik zelfs maar de geringste angst en twijfel had gehad, dan had ik dat pak weer uitgetrokken en had heel beslist geweigerd, maar dat deed ik niet. Tijdens het opstijgen met het vliegtuig stond ik versteld over mijn eigen kalmte. Toen ik aan de beurt was, stapte ik met de sprongleider op de vleugel en gilde het tijdens de hele sprong uit van genot.'

Martha Gresham had een soortgelijke ervaring waarbij haar absolute doodsangst in absolute kalmte veranderde. Ze was altijd doodsbang geweest om te vliegen, maar enkele jaren geleden moest ze vanwege familieomstandigheden opeens een vliegreis maken. Toen ze uit het raampje van het vliegtuig keek, zag ze haar geleidegeest naast de vleugel op zijn paard in de lucht rijden. Op dat moment was haar angst voorgoed verdwenen. Nu vliegt ze zonder problemen in kleine toestellen door buien of nevel. Ze zegt dat ze weet dat ze door haar geleidegeesten beschermd wordt als ze vliegt.

WAARSCHUWINGEN DIE WE MOETEN NEGEREN

Het interessante aan al deze waarschuwingen is, dat we die soms juist niet moeten opvolgen. Soms moeten we een bepaalde gebeurtenis gewoon meemaken omdat het een belangrijke levensles is, hoe pijnlijk die ook kan zijn. Het is net alsof je je vinger op een hete kachel legt als kind; je hebt dan een belangrijke les geleerd door de pijn. Ik geloof dat velen van ons intuïtief voor bepaalde relaties gewaarschuwd worden, maar in die interacties zit dan iets – een karmische band wellicht – die ons ertoe brengt onze instincten te negeren en toch door te zetten.

Onthoud dat het enkele feit dat je een waarschuwing krijgt niet betekent dat je die direct op moet volgen. Het kan een advies zijn over je leven in de toekomst zodat je beter met het eindresultaat om kunt gaan. Mogelijk heb je een voorgevoel over een bepaalde zakelijke deal, maar zet je die toch door, waarna je opgelicht blijkt. Maar als je door die deal geleerd hebt hoe je mensen en zakelijke offertes beter kunt taxeren, dan kan die ervaring om een waarschuwing in de wind te slaan en vervolgens bedrogen te worden, je toch van pas komen als je later met grotere, lucratievere overeenkomsten te maken krijgt.

Op de dag van mijn huwelijk werd ik gewaarschuwd dat mijn huwelijk geen succes zou worden. Ik negeerde de waarschuwing, maar jaren later nog hielp de herinnering aan die waarschuwing me met het verwerken van mijn scheiding. Zo leerde ik de belangrijke les dat ik beter naar mijn intuïtieve gevoelens over mijzelf en anderen moest luisteren. Zo bleek ook hoe sterk ik kon zijn als ik op elk aspect van mijn hogere zelf vertrouwde: op mijn intuïtie, ratio en gezonde verstand. Vanwege die ervaring heb ik het gevoel dat ik erop voorbereid ben om tal van situaties in het leven het hoofd te bieden.

Wees dus alert op die plotselinge prikkel in je nek die je erop alert maakt dat er iets niet helemaal in orde is. Let goed op je eerste instinctieve reactie op iemand die je ontmoet. Er is een reden voor het belang van eerste indrukken: die zijn namelijk vaak juist. Als je angst voelt opkomen, ga dan na of de angst zonder goede reden opkwam. Zo ja, dan is het gewoonlijk je intuïtie die je voor mogelijk gevaar waarschuwt. Het gaat in elk geval hierom: *Besteed er aandacht aan.* Het is helemaal aan jou om je ervan bewust te zijn. En hoe meer aandacht we eraan besteden, des te meer zal het universum aan het licht brengen, omdat we in harmonie verkeren met onze eigen instincten.

19
Je intuïtie gebruiken
in intieme relaties

Als je een geliefde in de ogen kijkt, dan ondervind je een diep gevoel van verbondenheid. Je merkt dat je elkaars zinnen afmaakt. Het lijkt bijna alsof je de gedachten van de ander kunt lezen en hij of zij de jouwe. Of misschien ben je pas moeder geworden en ligt de baby die je altijd al zo graag wilde rustig in de kamer naast je te slapen, en voel je je net zo met dat kind verbonden als toen het nog in de baarmoeder zat. Of misschien ontmoet je iemand voor het eerst en is er direct een band tussen jullie. Het lijkt alsof je die ander al je hele leven of vele levens lang gekend hebt. Er zit geen logica in, maar je kunt het gevoel dat niet alleen vertrouwdheid, maar zelfs intimiteit met deze vreemde omvat niet ontkennen.

Bijna alle relaties strekken zich uit over de grenzen van de logica, rede en gedeelde ervaringen en betreden het territorium van de intuïtie. Dat onverklaarde gevoel van verbondenheid is een universeel kenmerk van onze intiemste vriendschappen, romances en familiebanden. Intuïtie blijkt vooral in relaties erg nuttig: we kunnen conflicten voelen aankomen en voorkomen, degenen die we liefhebben op zoveel mogelijk manieren aanraken en onszelf en onze dierbaren helpen om een vollediger mens te worden terwijl we ons te zamen ontwikkelen.

Vreemd genoeg kan onze intuïtie binnen intieme relaties zowel opbloeien als geblokkeerd raken. We voelen ons waarschijnlijk intuïtief meer verbonden met degenen van wie we houden, maar toch kunnen bepaalde aspecten van onze intuïtie door die emotionele band geblokkeerd worden, vooral als het erop aankomt om bijvoorbeeld in de context van een reading op hen afgestemd te raken. Een vriendin van mij zegt: 'Als je te dicht bij iets of iemand staat, raak je er blind voor hoe je de zaken eigenlijk graag zou willen hebben.' Door je intieme kennis van iemand, gecombineerd met je eigen gevoelens over die ander, kunnen bepaalde intuïtieve contacten vertroebeld raken.

Maar meestal worden relaties alleen maar intenser door intuïtie. Laatst zei een man tegen me: 'Als ik de kamer binnenkom, dan zegt mijn vrouw soms tegen me: "Wat is er met je? Er zit je iets dwars." En soms legt ze de telefoon neer nadat ze met iemand heeft zitten praten, dan kom ik binnen en vraagt ze: "Heb je een slecht gevoel over deze persoon?" Ze weet zonder dat ik het zeg of er iets aan de hand is, en dat heb ik ook bij haar.'

Een vriendin van mij beschreef eens hoe ze iets opving waardoor ze zich zorgen ging maken over haar dochter. 'Toen mijn dochter twaalf was, kwam ze de kamer binnen en zei: "Mama, alle kinderen gaan vrijdag bij Sandy logeren, en ik ben ook uitgenodigd." Zodra ik dat hoorde, wist ik dat ze eigenlijk niet wilde. Dus zei ik tegen haar. "Als je het niet erg vindt, heb ik liever niet dat je daarheen gaat. Die mensen lijken me niet zo geschikt." Ze zei: "Goed, ik zeg het wel tegen ze." Ze was helemaal niet kwaad. Als je je kinderen echt goed kent, weet je wat ze denken zonder dat er iets gezegd wordt.'

Onbetekenende voorvallen? Natuurlijk. Hebben ze er echt iets mee te maken dat iemand zijn dierbaren zo goed kent dat die hun stemmingen en gevoelens kan duiden? Misschien. Maar wat is het vermogen om iemands gevoelens te 'duiden', of zelfs een band aan te gaan op een intiemer niveau, meer dan het vermogen om dingen te onderscheiden door niet slechts onze vijf gewone zintuigen te gebruiken? En dat is waar het bij intuïtie om draait.

Iemand vinden om lief te hebben

Lang geleden werden alle huwelijken door de families van het bruidspaar gearrangeerd. (In bepaalde culturen is het nog altijd traditie dat de bruid en de bruidegom elkaar pas bij de bruiloft voor het eerst zien.) Later werden onze romantische partners bijna altijd mensen die we uit de gemeenschap kenden of anders waren ze wel kennissen van iemand die we kenden. Maar in onze moderne wereld geldt dat niet langer. We ontmoeten voortdurend mogelijke partners via anonieme bronnen zoals het internet, het werk, contactadvertenties enzovoort. Ik geloof dat het voor ons geluk en onze veiligheid belangrijker dan ooit is dat we mensen aan de hand van ons hogere zelf beoordelen. Of we nu online zitten te chatten, iemand op het werk vragen mee uit te gaan of door een vriend worden gekoppeld: als we verstandig zijn gebruiken we onze intuïtieve antenne om er enig idee over te krijgen of de ander de ware voor ons is.

Natuurlijk hebben we soms geluk. Soms lijkt het wel alsof het universum een grote neonreclame uithangt met daarop het woord 'Deze', waarbij een pijl naar een bepaalde man of vrouw wijst. Toen Robin Nemeth haar toekomstige echtgenoot ontmoette, ging het ook zo. Op een avond ging ze met een vriendin naar een karateschool in de buurt waar Robin woonde. Darrell, de eigenaar van de school, vroeg Robin waarom ze karate wilde leren.

'Ik moet afslanken,' zei ze.

'Dat is de verkeerde reden,' antwoordde hij. 'Wat voor werk doe je?'

'Ik ben chiropractor,' zei ze.

'Ik geloof niet in chiropraxie,' zei hij.

Wat een etter, dacht Robin. Maar in de loop van de avond zag ze dat hij liep alsof zijn voet pijn deed. Na de les zei ze tegen Darrell: 'Als je iets aan je voet wilt laten doen, moet je bij mij komen.'

'Ik heb je toch gezegd dat ik niet in chiropraxie geloof,' zei hij. En daarbij bleef het.

Twee weken later zat Darrell bij Robin in de wachtkamer het intake-formulier in te vullen. Ze hadden een sessie (waarbij hij nog altijd erg kritisch was) en spraken af dat hij de volgende dag terug zou komen. Maar die avond werd Robins vader met geweld overvallen en ging ze naar het ziekenhuis om bij hem te zijn. Om een of andere reden belde Robin de verpleegster in haar praktijk en vroeg haar contact op te nemen met Darrell om ervoor te zorgen dat hij wist waarom ze de afspraak niet na kon komen. Hij stuurde haar op zijn beurt een kaartje met als ondertekening: 'Liefs, D. Schulze'. 'Niet bepaald superromantisch,' herinnert ze zich.

Op de dag dat Robins vader uit het ziekenhuis kwam, belde ze haar vriendin en zei: 'Ik heb het gevoel dat ik beslist naar karate moet.' Na afloop liep ze Darrells kantoor binnen en zei: 'Wil je met ons mee uit eten?'

'Ik maak geen afspraakjes met leerlingen,' zei hij.

'Ik ook niet met patiënten,' antwoordde Robin, 'Maar misschien wil je toch meekomen?'

Hij ging akkoord, en zo begon het. Robin herinnert zich: 'Je weet hoe de wereld opeens blijft stilstaan in films? Voor mij bleef de wereld stilstaan toen we in dat restaurant zaten. Toen Darrell me naar huis reed, parkeerde hij de auto bij mijn huis, draaide zich naar me toe en zei: "Ik weet dat dit belachelijk klinkt, maar wil je met me trouwen?" Ik zei: "Zal ik je eens wat zeggen? Ja! Maar ik moet eerst weten of je ook kinderen wilt." "Tot op dit moment niet," zei hij tegen me. "Als het een meisje is, wil je haar dan Brittany noemen?" zei ik. En dat was het dan.

Over instinct gesproken... Hij kon niet met een leerling trouwen en ik niet met een patiënt, maar toch deden we het. We trouwden twee maanden later en zijn nu elf jaar bij elkaar. We hebben twee prachtige dochters (de oudste heet Brittany) en hebben echt een geweldig huwelijk. We hadden beiden het gevoel dat dit huwelijk voorbestemd was.'

'Voorbestemd', dat betekende dus dat de aantrekkingskracht tussen Robin en Darrell zo sterk was dat het niet van belang was of ze elkaar nu lang of kort kenden. Of ze nu wel of niet een afspraakje behoorden te maken of zelfs al een ander hadden (Robin had op dat moment een vriend). Hun intuïtie omtrent hun liefde voor elkaar was zo sterk dat alle traditionele hinderpalen daarvoor moesten wijken.

Ik geloof dat we altijd door het universum over onze relaties getipt worden. Je zit er bijvoorbeeld over te denken om met iemand een relatie aan te knopen, en dan zit je een paar dagen later opeens met een vriend of zelfs een onbekende over diegene te praten. Of je nodigt iemand thuis uit en zodra diegene je huis binnentreedt, begint de hond te blaffen en ontbloot hij zijn tanden. Informatie uit het universum kan op vele manieren binnenkomen. Het kan je hond zijn die tegen je afspraakje begint te blaffen of diverse mensen die tegen je zeggen: 'Je zou die vrouw eens moeten ontmoeten!' En dan blijkt het steeds weer dezelfde vrouw te zijn. Of je eigen intuïtieve gevoel zegt 'Ja!' of 'Oppassen!'

Soms is de informatie die we over een relatie krijgen natuurlijk heel specifiek. In de zomer van 1975 belde ik mijn pas gescheiden zus Elaine op en zei: 'Ik wil dat je de datum 3 februari in je agenda omcirkelt. Je bent op die datum weer getrouwd. Ik zie een man met donker krullend haar en drie zonen en ik geloof dat hij de juiste voor je is.' 'Je bent gek,' zei ze tegen me. 'Ik moet mijn leven eerst weer op orde krijgen. Ik heb nu geen behoefte aan een nieuwe relatie en ben zeker niet van plan in februari alweer getrouwd te zijn. Dat is nog maar zes maanden.' Ik zei: 'Ik zeg je niet dat het moet gebeuren. We hebben allemaal een vrije wil. Maar als het moet gebeuren, dan is het goed.'

Natuurlijk vergat ik het telefoontje direct. (Ik herinner me de details van mijn voorspellingen niet, zelfs niet als het om mijn eigen familie gaat!) Maar die herfst ontmoette Elaine David, de man met het donkere krullende haar en drie zonen. (Over voorbestemd gesproken: David was de neef van een vriend van een van Elaine's vriendinnen, die de ontmoeting had gearrangeerd. Niet bepaald een directe band!) In december waren ze beiden tot het besef gekomen dat dit een speciale relatie was en spraken ze erover te gaan trouwen, misschien in de zomer van het jaar daarop. Maar het universum had andere plannen. In januari brak een van Davids zonen beide benen bij een ski-ongeluk, zodat het gezin een geplande vakantie naar Californië moest afzeggen. David belde Elaine op en zei: 'Weet je, het is eigenlijk stom om te wachten met trouwen. Waarom doen we het niet meteen?'

'Vraag me niet wat er in me gevaren was waardoor ik zei: "Je hebt gelijk!" herinnert Elaine zich. 'We keken op de kalender voor een mogelijke datum en toen zag ik 3 februari met een grote rode cirkel eromheen. Naar adem snakkend riep ik uit: "O, mijn god!" Ik was

Chars voorspelling helemaal vergeten. Ik belde haar op en begon in de hoorn te gillen: "Jij hebt dit voorspeld! Jij hebt voorspeld dat ik op 3 februari getrouwd zou zijn en David en ik gaan op 1 februari trouwen! Hij is de man met het donkere krullende haar." '

Ik prijs me gelukkig te kunnen zeggen dat David en Elaine 24 jaar later nog steeds gelukkig getrouwd zijn. 'Als ik een tekening van de perfecte echtgenoot zou maken en een lijst van zijn eigenschappen ernaast zou opschrijven en dan zei: "Zoek deze man voor me", dan zou David het zijn,' zei Elaine. 'Ik ben ontzettend blij dat hij in mijn leven is gekomen. En ik ben ontzettend blij dat mijn zus me tevoren al over hem verteld heeft!'

Als je de tijd neemt om intuïtief af te stemmen, dan zul je veel meer zekerheid hebben over het vinden van de juiste partner, of dat nu logisch lijkt te zijn of niet. Martha Gresham bijvoorbeeld weet heel zeker dat haar intuïtie zegt dat ze nog eens zal trouwen, ook al is ze 71 jaar.

Veel levens, veel relaties, in vele vormen

Vaak komen mensen met een brandende vraag naar me toe voor een reading: 'Zal ik mijn zielsverwant ooit vinden?' Nu geloof ik dat we meer dan een zielsverwant hebben omdat ik denk dat een zielsverwant niets anders is dan iemand die onze ziel helpt te groeien. Je grootste vijand kan je zielsverwant zijn omdat jullie beiden zaken op het karmische vlak moeten afhandelen, en tot die kwesties geregeld zijn, zullen jullie elkaar in elk leven steeds weer tegenkomen.

Wat de zielsverwanten betreft zoals de meeste mensen die zien – een eeuwige verbondenheid tussen twee zielen – heb ik zeker mensen gekend die hun zielsverwanten gevonden hebben en er soms zelfs mee getrouwd zijn. Maar ik geloof dat onze zielsverwanten soms als onze kinderen worden geboren. Soms blijken onze beste vrienden het te zijn, soms is het een van onze ouders of een vertrouwde adviseur. Wat de les ook is die we in dit leven moeten leren, ons zielsverwant zal daarbij opduiken.

Een jonge moeder die ik ooit kende deed op een keer de deur open toen er geklopt werd en zag een jongetje van een jaar of vier staan. Hij zei: 'Mama vertelde me dat hier een jongetje woont. Mag ik binnen komen om te spelen?' De moeder was verbijsterd. Ze had inderdaad een zoontje van twee, maar ze had het jongetje nog nooit eerder voor haar voordeur gezien. Ze vroeg zijn naam en of hij zijn telefoonnummer wist, waarop ze zijn moeder belde. Het bleek dat het kind vlakbij woonde, maar de twee gezinnen hadden nog nooit contact met elkaar gehad. 'Het was vreemd,' zei mijn vriendin, 'maar zodra ik dat jongetje zag, wist ik dat hij een heel speciaal vriendje van mijn zoon zou worden. Ze begonnen direct met elkaar te spelen en zijn nu al bijna dertig jaar bevriend. Ze waren getuige bij elkaars huwelijk. Ik geloof werkelijk dat er vanaf het begin een speciale band was.'

Zou een dergelijke vriendschap het begin van een zielsverwantenband kunnen zijn? Waarom niet? Ik geloof dat we vele levens op deze aarde doormaken, in vele lichamen van beiderlei kunne. Niets kan ons ervan weerhouden om als man geboren te worden terwijl onze zielsverwant ook als man geboren wordt. Ik vraag me vaak zelfs af of mensen tot anderen van hetzelfde geslacht worden aangetrokken omdat ze een karmische band uit vorige levens met deze persoon voelen. Er bestaat een aantrekkingskracht van zielen die uitgaat boven het geslacht dat we toevallig op dat moment innemen.

Het is mogelijk dat we de mannelijke of vrouwelijke energie behouden die we in een vorig leven hadden en in ons nieuwe lichaam meenemen. De laatste keer is iemand misschien vrouw geweest, en ook al wordt de geest ditmaal in een mannelijk lichaam geboren, toch bezit die nog de vrouwelijke seksuele energie en verlangens waardoor die zich tot mannen voelt aangetrokken. Seksuele energie is een enorme drijvende kracht in de menselijke geest. Veel van onze daden worden erdoor bepaald; kijk maar eens naar president Bill Clinton. En uit die energie putten we meer dan we weten. Het zou me niet verrassen als we het residu van de seksuele voorkeur van het ene leven in het andere met ons meedroegen.

Soms zal een zielsverwant opduiken, maar zal de relatie toch geblokkeerd blijven, en wel door angst. Een van mijn studentes zweert dat ze de man die haar zielsverwant is kent, maar hij is ongeveer twintig jaar jonger dan zij. 'Dat geeft niet,' zegt mijn studente. 'We zijn op zoveel niveaus met elkaar verbonden dat het niet erg is dat we ditmaal geen geliefden zijn. We zijn in andere levens geliefden geweest en ik geloof dat we dat ooit weer zullen worden.'

Denk nu niet dat alle relaties voorbestemd zijn. Vergeet niet dat we in een universum leven waar zowel de vrije wil als het lot werkzaam zijn. Ja, soms is een bepaalde relatie voor ons voorbestemd. Ja, soms kan die relatie grenzen en beperkingen overschrijden. Maar iets kan voorbestemd zijn om te gebeuren en dan kunnen de beslissingen die we nemen de loop van de toekomst toch veranderen. Als twee mensen zielsverwanten waren en ze voorbestemd waren het leven met elkaar te delen, maar een van hen zou bang worden of met een ander trouwen voordat ze elkaar ontmoetten of bij het oversteken door een vrachtwagen overreden worden, hoe weten we dan welk lot werkelijk hun bestemming was? We weten niet of iets voorbestemd is of niet. Het enige wat we kunnen doen, is onze intuïtie zo goed mogelijk op het universum afgestemd houden.

We moeten echter voorzichtig zijn als we onze intuïtie gebruiken om te bepalen of we een relatie al dan niet zullen aangaan. Als we ons tot iemand aangetrokken voelen en er niet achter kunnen komen waarom dat zo is, dan betekent dat nog niet dat het universum diegene voor ons heeft uitgekozen. We worden wellicht aangetrokken door een vertrouwde energie die helemaal niet goed voor ons is; veel relaties waarin mishandelingen plaatsvinden, vallen bijvoorbeeld in deze categorie. Stel dat iemand in zijn jeugd door een van zijn ouders mishandeld wordt, nooit enige waardering krijgt en misschien zelfs geslagen wordt. Het kind blijft dan op zoek gaan naar waardering, maar tegelijkertijd kan het zich aangetrokken voelen tot de energie die het van zijn ouders ontving, ook al was die negatief. We zullen vaak steeds weer dezelfde fouten maken tot we het verleden hebben leren begrijpen en daardoor meer van onszelf leren houden.

In elk leven leren we verschillende lessen en soms zijn die lessen op onze seksuele energie gericht. Het is ook mogelijk dat onze les ditmaal is dat we niet moeten toegeven aan de aantrekkingskracht van een ander. Voor diegenen die zo ongelukkig zijn zich tot kinderen aangetrokken te voelen of die anderen misbruiken, geloof ik dat hun les is dat ze hetzij hulp moeten zoeken en het verlangen moeten uitbannen, hetzij weerstand moeten bieden aan de verleiding van een relatie die een ander schade toebrengt. We hebben allemaal een vrije wil. Je kunt ervoor kiezen niet aan relaties te beginnen die destructief zijn. Als je het gevoel hebt dat een relatie niet deugt of de ander zal kwetsen, dan moet je er niet aan beginnen, omdat relaties ons bij onze groei moeten helpen. Dat is de enige reden dat het universum ons relaties laat aangaan: om elkaar te helpen om meer in contact met ons hogere zelf te komen.

GROEIEN DOOR ONZE RELATIES

Optimale relaties zijn de beste manier om in deze wereld te leren en te groeien, en onze dierbaren zijn onze beste leraren. Een van mijn cliënten adopteerde kort na het overlijden van haar eigen dochter een dochter. Ik zei tegen deze vrouw: 'Je geadopteerde dochter is geestelijk met jou, je man en je zoon verbonden. Je bent in andere levens bij haar geweest en ditmaal heeft ze jou uitgekozen.' 'Ik weet precies wat je bedoelde,' zei mijn cliënte later tegen me. 'In *De bergen van Tibet*, een kinderboek over dood en reïncarnatie, wordt er veel over gesproken dat kinderen hun ouders uitkiezen, en dat dat al helemaal voor geadopteerde kinderen geldt. Mijn geadopteerde dochter is nog maar acht, maar ze heeft me al heel wat lessen geleerd.'

Niet lang voordat ik een reading voor een journalist gaf, had hij zijn intuïtie gevolgd en contact opgenomen met zijn oudere halfbroer. 'Mijn vader had twee zoons en een dochter, scheidde van zijn eerste vrouw en trouwde met mijn moeder,' zei hij. 'Toen ik opgroeide, was ik erg close met mijn oudste halfbroer, maar in de loop der jaren waren we elkaar uit het oog verloren. Opeens schreef ik hem zomaar een brief, zonder dat ik een reden kon bedenken. Ik heb vast en zeker een gevoelige snaar geraakt, want hij stuurde een handgeschreven brief van diverse kantjes terug. Mijn broer dicteert brieven altijd aan zijn secretaresse, dus het was zeker bijzonder dat hij die brief zelf schreef. Het was het begin van een volledig hernieuwde relatie. Ik ben met Kerstmis dat jaar met mijn gezin naar hem toe geweest en nu e-mailen we voortdurend met elkaar.'

Het is erg belangrijk om onze relaties te koesteren. Als je van iemand houdt, laat dat dan vandaag nog weten, want niemand weet wat er morgen gebeurt. Zorg ervoor dat je 100 procent van je liefde en affectie geeft. Zelfs als het allemaal niet meer loopt en je verder moet, heb je met een zuiver geweten al het mogelijke gegeven. En zolang de relatie duurt, of dat nu een paar dagen of verscheidene levens is, dan heb je er toch zoveel mogelijk uitgehaald omdat je alles wat je bent hebt gegeven.

Maar vreemd genoeg leren we het meest in onze relaties door onze emoties níet de overhand te laten krijgen over wie we zijn en wat we moeten worden. Veel te vaak laten mensen zich tot slechte relaties verleiden omdat ze enorm naar liefde en affectie hunkeren. Als iemand erg eenzaam is en heel graag verliefd wil worden, kan hij zijn intuïtie en zelfs zijn gezonde verstand door zijn hoop en verlangens laten overstemmen. In plaats van een partner te zoeken die echt geschikt is, laten ze zich door hun fantasieën in een slechte relatie lokken.

'Weet je wie me altijd vragen of ze hun zielsverwant ontmoet hebben?' vroeg een van mijn studentes me laatst. 'De mensen die een relatie hebben die niet bij hen past! Ze blijven maar vragen hoe dat komt en wat er aan de hand is, terwijl ze steeds maar exact hetzelfde met exact dezelfde partner blijven doen. Je zou toch denken dat ze er nu zo onderhand wel achter zouden zijn dat ze beter snel hun lesje kunnen leren zodat beiden weer verder kunnen.'

Vaak zal het universum je laten weten wanneer het tijd is een bepaalde relatie achter je laten. Een jonge vrouw die ik ken had al tien jaar, sinds ze op de middelbare school zat, een relatie met dezelfde man. Hij zat in een andere staat op school en ze hadden beiden geprobeerd erachter te komen wat de volgende stap in de relatie moest zijn. Zou ze bij hem gaan wonen? Zou hij weer teruggaan? Moesten ze zich verloven? Nu raakte de opa van de jonge vrouw gewond bij een ernstig ongeluk. Hij lag enkele maanden in het ziekenhuis voordat hij uiteindelijk overleed. De jonge vrouw had de taak op zich genomen vrijwel dagelijks naar het ziekenhuis te gaan en nam de verantwoordelijkheid voor de verzorging van haar grootvader op zich. 'Ik miste mijn vriend in die tijd echt, maar als hij dan kwam, maakten we altijd ruzie,' herinnert ze zich. 'Op een dag ging ik met mijn ouders naar de kerk. Ik was erg somber over mijn grootvader en teleurgesteld in mijn vriend. Ik dacht: als hij er in slechte tijden niet is, wat heeft deze relatie dan voor zin? Opeens werd het me duidelijk: deze relatie is voorbij. Zodra ik dat dacht, leek er een enorme last van mijn schouders te vallen, en dat had ik beslist niet verwacht.

De volgende dag overleed mijn opa. Mijn vriend belde me en zei dat hij pas op de dag van de begrafenis kon komen. Maar op de eerste dag van de wake voor mijn grootvader, vroeg iedereen me waar mijn vriend was. (Op dat moment had ik niemand nog verteld dat ik wilde stoppen, zelfs hem niet.) Een van de jonge chirurgen die mijn opa behandeld had, kwam naar de wake. Dat verraste ons allemaal, omdat artsen dat meestal niet doen bij hun patiënten. Hij ging naast me zitten en begon te praten. Om een lang verhaal kort te maken: we gingen enkele maanden met elkaar uit. Het was een belangrijke relatie voor me omdat ik behoefte had aan iemand die me van mijn vriend, die ik al zo lang kende, los kon weken. Ik geloof dat het universum me vertelde om de eerste relatie te beëindigen en omdat ik luisterde, bracht het die arts op het juiste moment op mijn pad.'

Soms moet je genoeg van iemand houden om die uit je leven te verwijderen. Er kan een moment komen dat je allebei ontzettend veel van elkaar houdt, maar toch beseft dat er iets moet veranderen. Misschien heeft je partner je bedrogen, drinkt of gokt hij of zij te veel. Misschien mishandelt hij je kinderen. Als je de relatie in de huidige vorm voortzet, zullen jij en anderen gekwetst worden. Om te blijven groeien, moet de relatie veranderen. Op dat moment komt de vrije wil om de hoek kijken. Als jullie allebei de waarheid onder ogen kunnen zien en ermee aan de slag kunnen, kan de relatie te redden zijn; zo niet, dan moet je de relatie uit liefde voor jezelf en je partner beëindigen.

Een vrouw die Annie heette kwam ooit voor een reading naar me toe omdat ze zich zorgen maakte over haar vriend. Hij was op dat moment op vakantie in Australië en had haar niet uitgenodigd mee te gaan, waarop zij om een reading had verzocht. Annie zei niets over haar vriend, maar ik ving direct op dat ze problemen met hem had. 'Hij is het land uit,' zei ik tegen haar. 'Het spijt me, maar hij denkt helemaal niet aan je, ik krijg zelfs door dat hij met een ander is.' Ik gaf haar de dringende raad in therapie te gaan en eraan te werken meer van zichzelf te leren houden.

In plaats van van streek te raken door dit nieuws, dat de meeste mensen toch als slecht zouden beschouwen, kalmeerde Annie er juist door omdat het bevestigde wat ze instinctief al wist. Maar toen de vriend twee weken later terugkeerde, was hij juist erg zorgzaam en liefdevol tegen haar, zodat ze de reading uit haar gedachten zette, totdat ze een hotelrekening voor 'de heer en mevrouw die-en-die' op de ladekast van haar vriend vond. Toen ze hem daarmee confronteerde, gaf hij toe dat hij in het vliegtuig naar Australië iemand ontmoet had en de hele vakantie met haar had doorgebracht.

Annie was verstandig. Ze maakte een eind aan de relatie met haar vriend en volgde een korte therapie om de problemen met haar eigenliefde op te lossen. Ze vertelde me dat ze zich veel zelfbewuster en rustiger voelt nu deze man uit haar leven is verdwenen. Ze is blij dat ze kon inzien dat deze relatie haar niets goeds bracht en dat ze ervoor koos er een einde aan te maken.

Je moet ervoor zorgen dat je altijd trouw blijft aan je eigen waarheid, je instincten over je eigen ziel en de behoeften daarvan. Laat je er door de behoeften van het moment niet van weerhouden een integer leven te leiden; dat betekent dat je in harmonie moet leven met wat het hoogste bewustzijnsniveau voor jou en ons allemaal wil. Als we weten dat we in harmonie met het universum zijn, dan zullen we de stappen kunnen zetten die noodzakelijk zijn om weer heel te worden, ook al betekent dat dat we anderen op dat moment pijn doen.

Als je intuïtie van zich doet spreken, moet je jezelf en je partner de waarheid vertellen, zelfs als je relatie daardoor op het spel komt te staan. Mogelijk kom je dan weer alleen in het leven te staan, maar als je intuïtie je vertelt: 'Ik verdien het niet om zo behandeld te worden', en je niet de moed hebt om daar iets aan te doen, dan zul je als mens nooit groeien. Als je geliefde genoeg om je geeft, dan zal die hopelijk boven zichzelf uitstijgen. Hij of zij zal de confrontatie als een gelegenheid beschouwen om eerlijk te zijn en met je mee te groeien. Maar ongeacht de uitkomst moet jij het risico nemen. Als de relatie eindigt, dan moet dat maar. Als het een relatie was die gebouwd was op oneerlijkheid en ongelijkheid, dan was dat voor geen van beiden positief. Vergeet niet dat het grootste geschenk dat we onszelf soms kunnen geven, is te leren goed voor onszelf te zijn, en dat is vaak een les die we het best leren als we alleen zijn.

Liefde over het graf heen

We kunnen tijdens onze levens geweldige relaties hebben, die ons helpen in aanraking met ons hogere zelf te komen terwijl ze ons gevoel van liefde en verbondenheid met het universum verdiepen. En die relaties verdwijnen niet met de dood. Een van de belangrijkste redenen dat mensen voor een reading naar mij toe komen, is om iets te horen van de dierbaren die overleden zijn. Ik zal je vertellen dat je dierbaren die band al even graag in stand willen houden als jij.

Liefde is de brug die ons met elkaar verbindt, hoe groot de afstand ook is, zelfs over de grenzen van de dood heen. En liefde is niet exclusief. Iemand die zijn partner verliest en dan hertrouwt is niet ontrouw aan de doden. (De doden beschouwen het althans zeker niet als ontrouw.) Het leven is voor de levenden. Als je van iemand houdt, houd je van diegene om wie en wat hij of zij is. Je houdt van hun ziel, die uniek is. Als degene van wie je houdt overlijdt, kan de liefde zich voortzetten, maar dat betekent niet dat je geen liefde voor iemand anders kunt voelen.

Het belangrijkste is dat je je herinnert dat liefde ongeacht de omstandigheden bestaat. Shakespeare schreef het al in een van zijn beroemdste sonnetten: 'Liefde is geen liefde/als zij plots verandert/of met de vertrekkende vertrekt.' Onze omstandigheden mogen weliswaar veranderen, maar liefde blijft. Het lichaam waarin liefde opduikt, kan van het ene in het andere leven veranderen, maar liefde blijft.

Een van mijn studenten verwoordde het prachtig: 'Het beste geschenk dat we hebben is elkaar. En hoe groter je levenscirkel is, des te meer mensen ken je en des te meer mensen zijn er wier levens jij raakt en die jou raken; dat zal je in de ware zin van het woord verrijken. Je zult rijk zijn in de liefde die je geeft en ontvangt.'

20
Een intuïtieve gezondheid-checkup

Bijna iedereen die ik ken heeft de volgende ervaring wel gehad: je staat op het punt om naar bed te gaan maar hebt het gevoel dat er iets lichamelijk niet helemaal in orde is. Je hebt geen specifieke symptomen zoals een loopneus, hoofdpijn of spierpijn, alleen een gevoel dat je je niet helemaal lekker voelt. Je let er verder niet op en gaat naar bed, maar de volgende ochtend word je wakker met flinke koorts, buikpijn of hoofdpijn.

Als we er aandacht aan besteden, kunnen we zelfs op de geringste verschillen in onze gezondheid en ons welzijn afstemmen. En soms kunnen we al gewaarschuwd worden voordat de veranderingen werkelijk zichtbaar worden. Een goede vriend van me ging voor controle naar zijn dokter en vroeg of die vooral een moedervlek op zijn rug wilde bekijken. De dokter zei dat alles in orde was. Maar zes maanden later werd mijn vriend midden in de nacht wakker uit een droom. Hij had in de droom een wit hek gezien met daarop in rode letters het woord 'kanker' geschilderd. Hij ging direct naar de dokter en liet de moedervlek nogmaals bekijken. Ditmaal luidde de diagnose dat het een melanoom in stadium vier was, huidkanker dus. De man was in zijn droom gewaarschuwd. Nog eerder dan de dokter wist hij intuïtief wat hem mankeerde.

Een van mijn chiropractor-cliënten ziet dit voortdurend in haar praktijk. 'Patiënten kunnen je vrijwel altijd precies vertellen wat er met hen aan de hand is, ook al weten ze het niet op een bewust niveau,' zegt ze tegen me. Daarom geloof ik dat de ziektegeschiedenis van de patiënt een van onze beste diagnosemiddelen is, en de belangrijkste diagnostische vaardigheid is luisteren. Ja, röntgenonderzoek of MRI's of CAT-scans zijn nog altijd noodzakelijk, maar je moet ook luisteren naar wat de patiënt je vertelt, omdat die vaak precies weet wat er aan de hand is.

De non-verbale signalen van een patiënt zijn even belangrijk als de verbale. Iedereen maakt immers wel eens mee dat hij met een vriend in de kamer zit en nog voordat de ander iets zegt al weet wat er aan de hand is. Als artsen moeten we onze mond kunnen houden en kunnen luisteren naar wat de patiënt ons zowel verbaal als non-verbaal meedeelt.'

In de loop der jaren ben ik er heel goed in geworden om gezondheidsproblemen van mijn dierbaren en cliënten waar te nemen. Mijn moeder heeft de laatste jaren veel problemen met haar gezondheid. Telkens als ze ziek werd, was ik daar tevoren voor gewaarschuwd. Vorig jaar vertelde iets me dat ik bij mijn moeder langs moest gaan. Toen ik daar aankwam, werd ze net naar het ziekenhuis gebracht. Toen ik in Los Angeles woonde, was ik steeds tijdig in Michigan als mijn moeder ziek werd. Ik geloof dat als we iemand werkelijk en onvoorwaardelijk liefhebben, dat een deur voor ons opent om op elk niveau met diegene verbonden te zijn, ook op het intuïtieve niveau.

Veel moeders hebben een dergelijke intuïtieve band met hun kinderen. Chris Blackman vertelde me ooit een verhaal over de keer dat haar zes weken oude dochtertje ziek was. Chris ging met haar naar de kinderarts, die antibiotica voorschreef. De volgende dag kreeg het meisje steeds hogere koorts. Chris belde de dokter en kreeg de assistente aan de telefoon die zei: 'Maakt u zich geen zorgen, de antibiotica werken pas na een etmaal echt goed.' 'Nadat ik had opgehangen, zei ik tegen mezelf: "Dit zit niet goed," zei Chris tegen me. 'Ik belde terug en zei: "Ik wil de dokter spreken", maar de assistente weigerde. Ik zei: "Goed, dan komen we naar de praktijk en blijven daar zitten tot we de dokter kunnen spreken."

Op dat moment werd de assistente werkelijk boos, maar ze verbond me toch met de dokter door.' Chris beschreef de symptomen van haar dochter, waarop de dokter zei: 'Gaat u direct naar het ziekenhuis, ik zie u daar.' Het bleek dat de dochter van Chris bacteriële meningitis had, en als ze niet snel naar het ziekenhuis was gebracht, was het meisje wellicht overleden. 'Iets vertelde me dat ik niet naar de assistente moest luisteren. Je moet op je strepen staan en beslist de dokter te spreken vragen,' zegt Chris. 'Op dat moment noemde ik het geen intuïtie; ik dacht dat het gewoon moederinstinct was. Nu weet ik dat dat hetzelfde is.'

Een van mijn studenten heeft een intuïtieve band met haar huidige vriend, wat ook inhoudt dat ze lichamelijke kwalen opvangt. 'Als Ned last heeft van zijn linkerschouder, dan krijg ik daar ook plotseling last van, ook al heb ik hem een poosje niet gezien of gesproken. Als ik hem dan twee weken later zie, dan zeg ik: "Jemig, wat heb ik een last van mijn schouder!" en dan vraagt hij: "Welke?" en als ik dan zeg "De linker", dan glimlacht hij alleen maar.'

Specifieke afwijkingen herkennen

Het beroemde medium Edgar Cayce kon in iemands lichaam doordringen en dan vertellen welke gezondheidsproblemen diegene had. Ik kan dat soms ook. Ik 'scan' het lichaam van de cliënt en dan krijg ik een gezondheidsprobleem door. Ik zie of voel de slechte bloedsomloop, diabetes, migraine of wat dan ook. En ook al zal ik nooit een medische diagnose stellen, ik vertel de cliënten wel wat ik doorkrijg over henzelf of hun dierbaren. Ik beveel hen aan naar een arts te gaan en zich te laten nakijken, voor het geval dat. Eerlijk gezegd heb ik het zelden bij het verkeerde eind. Mijn cliënte Cheryl Herbeck schreef me onlangs om me aan een reading van enkele jaren geleden te herinneren. 'Je vroeg me hoe het met de gezondheid van mijn vader stond. Je zei dat je me niet wilde verontrusten maar dat je het gevoel had dat er iets met zijn bloed niet goed was. Toen ik die avond thuiskwam, belde ik mijn vader op om te vertellen hoe fantastisch de reading was geweest. Toen ik hem vertelde dat je had gezegd dat er iets met zijn bloed aan de hand kon zijn, bekende hij dat hij iets voor me geheim had gehouden zodat ik me geen zorgen zou maken: hij had leukemie!'

Nadat Mike's moeder een bypass-operatie in haar been had ondergaan, leek alles goed te gaan, alleen heelde de incisie niet goed. Uiteindelijk werd het been gangreneus en bevalen de artsen onmiddellijke amputatie aan. Maar Mike weigerde overhaast te beslissen.

'Ik belde Char om haar oordeel over de situatie te vragen voordat we iets zouden ondernemen. Ze zei dat ze mijn moeder het ziekenhuis zag verlaten met haar been intact, en stelde voor dat we een andere oplossing zouden zoeken. Misschien moesten we een andere dokter zoeken. Dat kostte me nogal wat tijd, maar uiteindelijk opereerde een andere dokter het been van mijn moeder tweemaal. De eerste operatie mislukte maar de tweede slaagde wel. Het gaat nu goed met zijn moeder. Ze loopt weer en ze heeft uiteraard haar been nog.'

Soms kunnen we heel specifieke dingen intuïtief oppikken; soms krijgen we alleen maar het gevoel dat alles al dan niet goed zit. Mijn studente Joanna krijgt er een kick van om 'instant-readings' voor mensen te doen. Er komt iemand bij haar die ergens naar vraagt, en dan zegt Joanna: 'Oké, zeg tegen hem dat hij zijn bloeddruk moet laten controleren. Verder moet hij op zijn diabetes letten, en ten derde moet hij goed letten op wat hij eet, want hij wordt weer veel te dik.' En dat gaat dan allemaal over iemand die ze nog nooit gezien heeft! Aan de andere kant krijgt mijn vriendin 'Agnes' niet per se specifieke diagnostische informatie door, maar ze kan wel de uiteindelijke afloop zien. 'Ik heb een vriendin die al heel lang fibromen had en uiteindelijk besloot ze weg te laten halen,' zei Agnes tegen me. 'Deze vrouw maakte zich grote zorgen dat de artsen iets ergers zouden vinden, mogelijk kanker. Ze bleef me maar vragen: "Wat denk jij? Denk je dat het kwaadaardig is?" Intuïtief was ik ervan overtuigd dat alles goed zou aflopen. Ik wist dat de operatie zou slagen en vertelde dat aan haar. Er werd een fibroom van vijf kilo verwijderd, maar het was geen kanker en ze herstelde snel.'

INTUÏTIE EN HELING

Ik geloof dat de beste artsen en healers allemaal intuïtie, instinct of hoe je het ook noemen wilt, gebruiken als onderdeel van hun genezing-instrumentarium. Natuurlijk kan intuïtie nooit de plaats innemen van een goede, wetenschappelijk verantwoorde diagnose; dat zou helemaal verkeerd zijn. Maar zoals een mens veel meer is dan een reeks biochemische processen, zo zou een arts meer moeten zijn dan een machine die naar de symptomen kijkt en dan als vanzelf met een diagnose en een behandeling komt. Als dat genoeg was om iemand te genezen, zouden computers ook wel voor dokter kunnen spelen!

Ik heb hierover diverse gesprekken met artsen gehad, met name chiropractors, en ze zijn het met me eens dat er meer aan de hand is dan eenvoudigweg A + B = C: 'symptomen plus kennis geven diagnose.' Een chiropractor herinnerde me eraan dat het niet alleen om symptomen gaat. De hele patiënt moet bij de genezing in aanmerking worden genomen. 'Als je een nieuwe patiënt ontmoet, moet je echt op je instincten vertrouwen, omdat er een groot verschil kan zijn tussen wat je volgens het boekje moet doen en wat er werkelijk noodzakelijk is,' zei ze. 'Soms zijn mensen om lichamelijke redenen ziek, soms om psychische, en soms om spirituele redenen. Ik denk dat het bij het behandelingsproces hoort om op de patiënt te kunnen afstemmen en uit te zoeken waar die werkelijk behoefte aan heeft. Je moet ontdekken wat echt helpt om de patiënt weer beter te laten worden.'

Ze voegt eraan toe: 'Uiteraard leer je tijdens je studie alle technieken, maar als je je handen op iemands ruggengraat legt, dan moet je wel weten waar je heengaat. Ik heb hier wel stagiaires gehad die vroegen: "Hoe weet je dat het daar pijn doet?" En dan zeg ik tegen ze: "Dat zijn de bionische hulpjes die ik in mijn duimen heb laten implanteren. Die zijn echt geweldig." Maar als je je handen op iemands ruggengraat legt, dan weet je waar je heen moet als je goed op de patiënt bent afgestemd.'

'Peggy' is een uitstekende massagetherapeut die precies dezelfde ervaring heeft als ze haar cliënten masseert. 'De helft van de tijd weten cliënten niet welke spier last geeft, dus daarom probeer ik intuïtief de plek te vinden waar de pijn zit,' zegt ze. 'Je moet naar de patiënt luisteren én er daarnaast ook gevoel voor ontwikkelen. Hoe meer ervaring ik in massagetherapie krijg, des te beter ben ik op mijn cliënten afgestemd.'

Ik ben zo gelukkig een echt geweldige chiropractor in Michigan te hebben, dr. Jeffrey Fantich. Hij is een van de meest intuïtieve healers die ik ken, hoewel hij volstrekt zeker van zichzelf is. 'Ik weet dat er meer is, maar ik vind het niet prettig om het intuïtie te noemen,' zei hij onlangs. 'Maar als ik met mensen praat die heel erg goed in het genezen van mensen zijn – en dan doel ik op het hele scala, van hartchirurgen tot masseurs – dan denk ik dat ze je allemaal zullen vertellen dat het niet alleen ervaring of training is; er komt nog meer bij kijken.

Als ik met patiënten werk, dan begin ik met het bekijken van een gebied dat niets met de klacht te maken lijkt te hebben. Maar ik word door iets gedreven om daar beter naar te kijken. Ik weet niet of dat uit mijn ervaring of instinct voortkomt, misschien uit beide.

Ik geloof sterk in training en ervaring. Ik ben arts en ik bevestig elke diagnose met alles wat ik weet: standaard orthopedische en neurologische onderzoeken, diagnostische beelden, alles wat bij een bepaalde klacht geïndiceerd is. Maar ik geloof ook dat sommige artsen zich van andere onderscheiden doordat ze op hun intuïtieve zijde afgestemd zijn en daardoor beter tot de kern kunnen doordringen. Uiteraard ben ik van mening dat het vanuit een medisch standpunt verkeerd zou zijn geheel op je intuïtie te vertrouwen. Maar vooral in moeilijker gevallen – als iets niet verloopt zoals je zou willen en je weet dat er meer aan de hand is – dan gaan artsen naast de gebruikelijke onderzoeken ook af op wat ze hun 'ervaring' noemen. Maar instinct zou daarvoor een andere term kunnen zijn. Ik denk dat het bij de eigenschappen van een goede arts hoort dat hij zowel op zijn ervaring als op zijn intuïtie kan vertrouwen.'

Als een arts een echte healer is, dan speelt intuïtie naar mijn mening een rol in zijn of haar vermogen om patiënten een optimale behandeling te geven. Het gaat er niet alleen om dat je voelt wat er medisch gezien met iemand aan de hand is; het is ook belangrijk om geestelijk en emotioneel afgestemd te zijn. Als je een arts raadpleegt voor je eigen gezondheid, overtuig je er dan van dat je op elk niveau goed op hem bent afgestemd. En wees niet bang om naar je eigen intuïtie te luisteren als het om je fysieke welzijn gaat. Niemand kent tenslotte je lichaam beter dan jij, omdat niemand er elk moment van de dag in leeft. Je moet gewoon vertrouwen op je gevoel en dan een goede dokter zien te vinden die zonder te oordelen naar je klachten luistert.

Je intuïtie kan belangrijk zijn om gezond te blijven terwijl je hier op aarde bent. Chiropractor Robin Nemeth vat het aldus samen. 'De beste dokter die we hebben is er een die in ons woont, maar die we heel vaak negeren en uitbannen omdat we denken dat we niet weten waar we het over hebben. Maar dat weten we wel. En dat is werkelijk de essentie van onze intuïtieve gave: om te luisteren en op onszelf te vertrouwen.'

21
Intuïtie op het werk

Bijna alle succesvolle zakenmensen zullen je vertellen dat intuïtie of 'gevoel', zoals sommigen het noemen, een grote rol in hun succes heeft gespeeld. De carrièrekeuze die goed 'voelt'... de nieuwe medewerker over wie je 'weet' dat hij het prima zal doen... de overeenkomst die je laat lopen ook al ziet die er op papier geweldig uit... de creatieve sprong waaruit een nieuwe industrie, technologie of wetenschappelijke ontdekking voortkomt... dat zijn allemaal voorbeelden van intuïtie op het werk.

Zelfs mensen die niet in paranormale verschijnselen of intuïtie geloven zien er de waarde van in om meer te weten dan wat er aan de zakelijke oppervlakte speelt. Ik zal nooit vergeten dat Gary Hughes zijn zakenpartner voor een reading naar me toe stuurde. 'Hij zat me al tijden te pesten omdat ik wel eens een medium raadpleegde,' zei Gary. 'Ik zei: "Luister, ik regel een reading bij Char voor je. Ik zeg niets over je tegen haar, maar ik garandeer je dat ze dingen zal vertellen die je me nooit verteld hebt en die ik onmogelijk kon weten."

Ik zat in de kamer ernaast toen hij zijn reading kreeg, en toen hij naar buiten kwam, keek hij me met een vreemde blik aan. Hij zei dat Char bijzonderheden over de dood van zijn vader had verteld die hij nog nooit aan iemand had verteld. Ze had hem geadviseerd over de ziekte van zijn moeder, had over zijn relatie met zijn zussen gesproken en nog veel meer. Daarna zei hij: "Gary, we moeten Char op de loonlijst zetten. We kunnen een fortuin met haar verdienen in zaken." Ik was het met hem eens, ook al wist ik dat ze het nooit zou doen.'

Veel van mijn cliënten komen bij me voor advies over hun loopbaan of hun bedrijf. Na onze sessies zeg ik vaak tegen hen: 'Kijk, je kunt dit ook zelf. Het is niet moeilijk om af te stemmen. Neem een moment om afstand te nemen van de situatie, laat je geest tot rust komen en stel dan een vraag over de overeenkomst, de betreffende persoon of de volgende carrièrestap en wacht af wat je doorkrijgt. Vertrouw op je instincten; ze zullen je slechts zelden de verkeerde kant op sturen.'

Intuïtief een carrière kiezen

Is je loopbaan wel de juiste voor je? Heb je het gevoel dat je huidige beroep precies is wat je wilt? Als we geluk hebben, past onze carrière bij onze talenten en instincten. Martha Gresham wist van jongs af aan dat ze binnenhuisarchitect wilde worden. 'Hoewel ik nooit een echte opleiding heb gevolgd, ben ik toch heel bekend in mijn werk, en heb ik voor mijn werk prijzen van de Amerikaanse Bond van Binnenhuisarchitecten gekregen. Ik heb altijd gebruik gemaakt van mijn intuïtieve talent als het op ontwerpen aankwam: ik kan een huis binnenlopen en dan direct zien hoe het eruit ziet als het klaar is. Als ik dat niet kan, neem ik de opdracht niet aan.' Nancy Newton werd mediator nadat ze diverse jaren ambtenaar was geweest. 'Ik wist intuïtief dat het tijd was om te vertrekken, vanwege mijn persoonlijke groei,' zei ze. 'Ik was altijd goed in counseling, zelfs al op de middelbare school. En daarom heb ik "Partners voor de Jeugd" opgericht. Zo kunnen jeugdorganisaties uit de hele staat met elkaar netwerken en jonge mensen stimuleren om samen te komen om hun eigen problemen op te lossen.'

Soms hebben we een aanmoedigend knikje van het universum nodig om te ontdekken wat we eigenlijk zouden moeten doen. De eerste keer dat ik voor Patti Cimine in New York een reading hield, werkte ze als office manager in een chiropractorpraktijk. Ze had het daar niet naar haar zin, maar ze wist niet goed wat ze dan moest doen. Patti had economie gestudeerd, maar wilde niet terug naar de schoolbanken om een MBA te halen. Een vriendin van haar gaf haar als verjaardagscadeau een reading bij mij.

Tijdens de reading vroeg ik Patti: 'Ben je chiropractor? Werk je in de healingsector?' Toen ze me vertelde dat ze alleen maar in de praktijk van een chiropractor werkte, zei ik: 'Je handen kunnen helen en je hebt de hersenen voor zaken. Je moet massagetherapeut worden. Je kan je eigen zaak hebben en werken op de tijdstippen die jij verkiest, zodat je de vrijheid hebt die je zoekt.'

'Voor die reading had ik er nooit over gedacht massagetherapeut te worden,' vertelde Patti me later. 'Maar twee dagen later begon ik opleidingen te bellen, en hoe meer ik over dat beroep te weten kwam, hoe sterker ik erin geïnteresseerd raakte. Mijn prestaties op de opleiding waren erg goed, en mijn ervaring in de chiropractorpraktijk kwam ook van pas; ik wist hoe ik met patiënten moest omgaan, hoe ik de verzekeringsrompslomp moest regelen enzovoort. Ik doe dit nu een jaar of zo en het had gewoon niet mooier kunnen zijn. Ik heb een eigen zaak en een heel flexibel werkschema. Als ik kinderen heb, zal ik mijn werktijden aan hen kunnen aanpassen. Ik kan dan zoveel mogelijk tijd aan hen besteden.'

Jaren geleden heb ik ook mijn zus Alicia een onverwacht loopbaanadvies gegeven. Toen ze 33 was, besloot Alicia weer te gaan studeren. Ze wilde psychologe worden, maar de opleiding was erg zwaar. Een tijdlang ging ze 's avonds naar college, werkte ze overdag als kleuterleidster en moest ze ook nog voor haar man en twee kinderen zorgen. Maar ze redde het. Ze studeerde af, voltooide een stage, ontving haar licentie en slaagde er zelfs in schoolpsychologe te worden. De school waar ze lesgaf bood aan een functie als psychologe voor haar te creëren als ze daar ook bleef lesgeven. Alles leek in kannen en kruiken voor Alicia, tot ik haar belde.

Ik zei tegen haar dat ik haar in de postdoctorale opleiding van de Universiteit van Michigan had gezien. Ze zei tegen me dat ik gek was. (Ach, zussen onder elkaar...). 'Ten eerste ben ik uitgeput,' zei ze. 'Ten tweede ik heb nu echt wel genoeg op mijn bordje en ten derde neemt de Universiteit van Michigan jaarlijks hoogstens twee of drie mensen aan bij vierhonderd aanvragen. Dat lukt me op geen enkele manier.' Ik zei: 'Tja, als je wilt, dan krijg je het.'

Alicia besloot zich in te schrijven, alleen om mijn ongelijk te bewijzen. (Bedankt, zusje!). Ze schreef zich samen met een vriendin in en ze werden beiden afgewezen. Alicia belde me en zei: 'Zie je wel?

Je hebt niet altijd gelijk.' Maar ik zei tegen haar: 'Je moet nog wat meer ervaring opdoen. Open een praktijk en schrijf je over een paar jaar nog eens in.' Op dat moment had Alicia alleen nog maar ervaring als stagiaire, en daarom begon ze patiënten te ontvangen. Binnen vier jaar had ze een succesvolle praktijk opgebouwd, 'vrijwel zonder enige werving,' zei ze. Ik belde haar weer en zei: 'Dit is het moment. Je heb genoeg ervaring. Als je je nu weer inschrijft, word je aangenomen.' Inmiddels heeft Alicia haar psychologiebul van de Universiteit van Michigan en is ze een gerespecteerd, populair psychologe met een bloeiende praktijk. 'Je had weer eens gelijk, Char,' geeft ze toe. 'Voor zover ik weet heb je het nog nooit bij het verkeerde eind gehad.'

Heel vaak ontdek ik dat wanneer we het beroep proberen op te nemen dat het universum voor ons in petto heeft, er allerlei 'toevalligheden' gebeuren die ons op het pad daarheen helpen. Ik gaf een reading voor een vrouw die als tv-producent werkte en zei tegen haar dat ze meer met haar schrijftalent moest doen. Ik zei dat ze eens wat moest gaan schrijven op de plek waar ze altijd de zomer doorbracht. Binnen enkele maanden stuitte de vrouw op een cursus 'schrijven vanuit het hart' en besloot die te volgen. Ze volgt nu een opleiding 'memoires schrijven' aan de Northwestern University, heeft plannen voor twee boeken en is van plan met haar man naar Martha's Vineyard te verhuizen, waar ze altijd de zomer doorbrachten.

Een succesvol zakenman die ik wel eens raadpleeg zei tegen me: 'Ik probeer mensen te leren hoe ze hun intuïtie kunnen gebruiken om te ontdekken wat ze echt willen, zodat ik kan zien of de functie die we ze hier geven, bij hen past. Dat heeft niets met altruïsme van mijn kant te maken; ik heb gemerkt dat als mensen hun werk echt leuk vinden, ze veel beter gemotiveerd zijn en meer energie hebben. En dat is het soort werknemer dat elke ondernemer graag ziet.'

Iemand zei ooit: 'Zakendoen berust alleen op relaties.' Ik merk zelf dat intuïtie me voortdurend helpt bij mijn zakelijke contacten. Als ik een vergadering binnenloop, scan ik de energie van iedereen in de zaal. Ik krijg hun naam door en voel de energie van hun kruin tot hun tenen. Ik scan hun geest, hun emoties, hun psychologisch gedrag, hun gezondheid. Ik krijg een directe 'treffer' over deze mensen: ik weet of ze eerlijk zijn of niet, wat hun agenda is en of ik denk dat we kunnen samenwerken. En ik ben niet de enige die dat kan. Steeds weer beschrijven mijn cliënten en studenten hun eigen talent om mensen direct en correct te boordelen. 'Niet dat ik nou zo vooringenomen ben,' zei een van mijn studenten tegen me, 'ik denk niet dat de meeste mensen die ik ken me zo zouden omschrijven. Maar ik vorm me wel direct een oordeel over mensen, en de tijd leert meestal dat ik het bij het goede eind had. Ik denk dat mijn instinct wat mensen betreft goed ontwikkeld is.'

Ik ken iemand die partner is bij een investeringsbank en leiding geeft aan een groep effectenmakelaars. Hij is de hele dag met geld bezig, maar zegt toch dat intuïtief inzicht in mensen een van de belangrijkste eigenschappen is die hij bezit. 'Anders dan wat het grote publiek denkt, betreft 80 procent van de beslissingen die ik neem beslissingen over mensen. En ik denk dat intuïtie een belangrijke rol speelt op dat vlak. Ik gebruik mijn intuïtie ontelbare malen per dag, bij vrijwel elke beslissing die ik neem.'

Ik vertelde een vriend ooit dat een man met de initialen J.S. een tijdlang heel goed voor hem zou zijn, maar dat dat zou veranderen. (Mijn vriend vertelde me later dat dat een van de beste adviezen was die ik hem ooit heb gegeven, omdat hij van de relatie kon profiteren zolang die goed was en die kon beëindigen voordat het echt fout liep.) Bij een andere reading zei ik dat hij zakelijk gezien met ene Bob te maken had. Mijn vriend antwoordde: 'Ik doe met drie Bobs zaken. Welke bedoel je?' 'Dat maakt niet uit,' antwoordde ik. 'Alle Bobs zijn goed voor je.' 'En weet je wat het gekke is,' geeft hij toe, 'alle Bobs met wie ik sinds die reading te maken heb gehad, hebben me inderdaad erg veel profijt gebracht.'

Doe hetzelfde als ik als je iemand op zakelijk terrein ontmoet: neem een moment om hun energie te 'scannen' en kijk welke intuïtieve 'treffer' je over hen krijgt. Die eerste momenten, voordat het rationele, analytische deel van de hersenen het overneemt, kunnen uiterst waardevolle informatie verschaffen over het ontwikkelen van profijtelijke zakelijke relaties.

INTUÏTIE GEBRUIKEN IN HET WERK

Zoals ik al zei gebruiken succesvolle zakenmensen voortdurend hun intuïtie, en dan niet alleen doordat ze een ingeving krijgen over de beslissing die ze moeten nemen. Vaak is onze intuïtie vooral belangrijk omdat die ons op problemen kan attenderen die nog niet aan het daglicht zijn gekomen. Larry Jordan, die een maandelijks tijdschrift uitgeeft en een eigen radioprogramma in Wisconsin heeft, zegt: 'Ik ga voortdurend op mijn intuïtie af in mijn werk. Ik houd altijd een hoop ijzers op het vuur bij het coördineren van alle freelancers en al het productiewerk voor het tijdschrift. Soms wordt mijn vrouw, die ook bij het tijdschrift werkt, helemaal niet goed van me omdat ik alles zo voor me uit schuif, maar als iets niet goed voelt, dan ga ik er niet verder mee. En negen van de tien keer blijkt het juist uit te pakken dat ik iets niet gedaan heb.

Vorige week bijvoorbeeld wilde mijn vrouw een groot bedrag overmaken aan de drukker die ons tijdschrift deze maand zou drukken. Ik zei tegen haar dat ze het niet moest doen. "Wat nou?" zei ze. "We moeten dat geld overmaken, anders wordt het tijdschrift niet op tijd gedrukt." Ik zei: "Niet doen." Godzijdank luisterde ze. Het geval wil dat we voor deze aflevering een andere drukker moesten nemen omdat onze vaste drukker dit nummer niet kon drukken. De overeenkomst met de nieuwe drukker zag er op papier heel goed uit, maar ik had weer zo'n voorgevoel en zei dat tegen mijn vrouw: "Dit gaat niet lukken." En inderdaad, er kwam niets van terecht en we moesten naar onze oude drukker terug. Maar als we het geld op vrijdag naar de nieuwe drukker hadden overgemaakt, dan waren we in grote problemen gekomen. Het zou vreselijk moeilijk zijn geworden dat geld op tijd terug te halen om het tijdschrift door onze oude drukker te laten produceren.

Iets vertelde me dat de deal niet zou slagen. De nieuwe drukker klonk weliswaar vertrouwenwekkend en gaf ons op papier alle mogelijke zekerheden, maar ik had gewoon het gevoel dat er iets niet goed zat. Omdat ik naar mijn intuïtie luisterde, hield ik het geld vast en had zelfs een noodplan gereed om het tijdschrift weer naar de oude drukker te brengen.

Ik hoorde iemand zeggen dat we in het bedrijfsleven vaak handelen op basis van "pre-rationele inzichtelijke ervaringen". We hebben veel informatie verzameld die in onze geest ligt opgeslagen en beschikken over het vermogen om daaruit te putten en dingen te combineren. We weten niet waarom we iets geloven of denken, alleen dat we dat doen. Ik weet niet hoe het werkt, maar ik ben in elk geval blij dat het werkt.'

Martha Gresham negeerde ooit haar intuïtie omtrent een belangrijke baan, en ze moest daarvoor een zeer hoge prijs betalen. Martha's bureau voor binnenhuisarchitectuur was flink gegroeid, en ze had nu diverse architecten in loondienst. Een van hen kreeg de opdracht het huis van een beroemde filmster opnieuw in te richten. Als oprichter van het bedrijf hield Martha altijd toezicht op het werk van haar medewerkers, maar deze vrouw had geen enkele informatie over het project aan haar gegeven en Martha had daar geen goed gevoel over. 'Ik wist dat het meubilair niet zou passen en dat de cliënt de gordijnen niet mooi zou vinden,' zei Martha. 'Ik vertelde deze medewerkster dat het project zou mislukken, maar ze zei tegen me dat ze de wensen van de cliënt uitvoerde. Uiteindelijk moest ik haar ontslaan. Helaas nam ze het project mee. Ik hoorde later dat de cliënt het resultaat verafschuwde en het niet eens goed vond dat de gordijnen werden opgehangen. Ik leerde van deze ervaring dat ik op mijn intuïtie moet vertrouwen, niet alleen wat het ontwerp betreft, maar ook als het om mensen gaat.'

Af en toe zal onze intuïtie ons naar zakelijke beslissingen leiden die op dat moment zinloos lijken, maar die op de lange termijn toch erg goed uitpakken. De echtgenoot van een van mijn studenten kocht ooit als investering een huis in een weinig beloftevolle buurt in de stad. Zijn zwager zei tegen hem: 'Je zult dat huis nooit meer kunnen verkopen, en zeker niet met winst.' Maar de man antwoordde: 'Dat denk jij, ja.' Anderhalf jaar later verkocht hij het huis met een winst van 25.000 dollar. De zwager merkte quasi-afgunstig op: 'Telkens als Jack een besluit nam, leek er geen enkele logica achter te zitten, maar altijd weer wist hij er geld uit te slepen.'

Het moge duidelijk zijn dat ik geen pleidooi houd om ogenschijnlijk dom met je geld of je zakelijke belangen om te gaan. Je moet uiteraard ook je verstand gebruiken als je belangrijke besluiten neemt. Maar intuïtie kan je informatie en tips uit een heel andere bron geven, zodat je op onverwachte manieren succes kunt boeken. Een voorbeeld: een vrouw kocht elf jaar geleden een restaurant met haar man. Op dat moment was dat zeker geen logische keuze, omdat ze helemaal geen ervaring op dat gebied hadden en ze allebei in een ander beroep werkzaam bleven. Niettemin werd het restaurant een succes en waren ze blij dat ze hun instinct gevolgd hadden.

Pas anderhalf jaar geleden beseften ze hoe belangrijk die instincten waren. De geadopteerde zoon van het echtpaar (die nooit graag naar school was gegaan en ook nooit hoge cijfers had gehaald) was begin twintig en probeerde erachter te komen wat hij nu eigenlijk met zijn leven wilde. Om hem bezig te houden stelde het echtpaar voor dat hij in het restaurant kwam werken. Het bleek dat de jongen een buitengewoon getalenteerde kok was. Hij is nu meewerkend partner in het restaurant en koopt binnenkort een deel van de zaak. 'Op het moment dat we het restaurant kochten, was onze zoon nog maar veertien en had hij nooit van enig kooktalent blijk gegeven,' zei de vrouw tegen me. 'Hij bakte net als andere kinderen pannenkoeken, en daar bleef het bij. Maar omdat we onze intuïtie volgden en een restaurant begonnen, heeft onze zoon werk gevonden waar hij van geniet. Hij is een succesvolle jongeman geworden die blaakt van zelfvertrouwen, iets waar elke ouder toch van droomt.'

Intuïtie kan een van onze beste adviseurs zijn als het aankomt op het nemen van zakelijke beslissingen. Het universum geeft ons voortdurend aanwijzingen over de weg die we moeten kiezen en de valkuilen die we moeten vermijden. Laten we zeggen dat je erover denkt een overeenkomst te sluiten. Als je intuïtief bent afgestemd, zul je merken dat er iets gebeurt dat je een aanwijzing geeft of het verstandig is op het aanbod in te gaan. Je knoopt bijvoorbeeld een gesprek aan met iemand die degene met wie je de overeenkomst wilt sluiten kent en die je informatie over diens eerlijkheid kan geven. Of misschien gaat je auto kapot terwijl je op weg bent naar een belangrijke vergadering; dat is de manier waarop het universum 'Stop!' zegt.

Een van mijn zakenvrienden zegt het zo: 'Als ik een overeenkomst sluit, trek ik me terug als het niet goed loopt. Telkens als ik iets forceer, loopt het slecht af omdat het niet zou mogen gebeuren. Ik sluit dus overeenkomsten die gladjes verlopen, ook al lijken ze aan het begin nog uiterst onwaarschijnlijk. Door met de stroom mee te gaan, heb ik al veel bereikt waar mijn collega's versteld over staan.'

Als we de tijd nemen om 'af te stemmen' op onze loopbaan, dan kunnen we in harmonie blijven met wat het universum voor ons wil. Intuïtie kan ons ook helpen situaties te vermijden die ons schade kunnen toebrengen. Ik gaf ooit advies aan een man die zijn zaak verkocht. De groep die het bedrijf kocht, wilde gespreid betalen, maar ik zei dat hij zich direct contant moest laten betalen en dus met iets minder genoegen moest nemen omdat ze de termijnen niet zouden betalen. De man nam genoegen met het lagere bedrag en inderdaad, nog geen twee jaar later was de koper failliet.

Een andere student van mij ging naar een vriendin die haarstyliste was en zei: 'Tracy, waarom houd je deze salon toch aan? Ik krijg hier zulke slechte vibraties dat ik er helemaal niet goed van word.' En dat was waar; Tracy gaf toe dat ze elke dag vrolijk naar haar werk ging, maar dat ze aan het eind van de dag hoofdpijn had, zich misselijk voelde en helemaal uitgeput was. 'Ze zoog de negatieve energie in die salon op,' zei mijn student tegen me. 'Ik zei tegen haar dat ze een andere salon moest zoeken en dat alles dan goed zou komen. Ze werkt nu heel ergens anders en heeft het gevoel dat er een enorme last van haar schouders is gevallen. Maar ik geloof eerlijk gezegd dat het nog heel lang had geduurd voordat ze beseft had wat het probleem was als ze niet naar mij geluisterd had, en ik niet naar mijn intuïtie over de salon had geluisterd.'

Ten slotte kan het gebruik van intuïtie bij zakelijke beslissingen ons ook meer gemoedsrust geven. Als we het gevoel hebben dat we in harmonie verkeren met wat het universum voor ons in petto heeft, dan geeft dat een nieuw soort zelfvertrouwen. Je kunt de stress van moeilijke perioden dan met een veel geruster gemoed doorstaan. 'Enkele jaren geleden heb je me een reading gegeven waarin je me vertelde dat mijn zaak een succes zou worden,' schreef een cliënt me onlangs. 'Sinds die tijd zijn er veel crises geweest, waarin ik aan de druk van een miljoenenbedrijf had kunnen toegeven. Maar omdat jij had gezegd dat het een succes zou worden, zette ik toch steeds weer door en wist ik alle tegenslagen te overwinnen. In plaats van 100 miljoen dollar te verliezen, heb ik het bedrijf verkocht en er een leuke winst aan overgehouden.'

INSPIRATIE EN INTUÏTIE

Intuïtie kan ons ook helpen de sprongen te maken van logica naar inzicht die zo kenmerkend zijn voor genieën, Nobelprijswinnaars en pioniers op alle mogelijke terreinen. Waar haalde Steve Jobs het idee voor de personal computer vandaan? Hoe zagen Crick en Watson de structuur van het DNA voor zich? Waar haalde Einstein de formule $E=mc^2$ vandaan, die een revolutie in de natuurkunde betekende? En hoe is het toch mogelijk dat twee componisten op duizenden kilometers afstand van elkaar op hetzelfde moment een vrijwel identiek liedje schrijven?

Mijn chiropractor dr. Fantich is expert in een bepaalde techniek om allergieën te bestrijden. Deze NAET-behandellijn is ontwikkeld door een gerenommeerd arts die naast diverse westerse specialismen ook een graad in de oosterse geneeskunde heeft behaald. Omdat ze zelf last had van diverse allergieën, probeerde ze combinaties van technieken om acute allergische reacties te bestrijden. Na verloop van tijd ontdekte ze diverse therapieën die uiterst succesvol bleken. Later deed ze nader onderzoek naar deze combinaties, op basis waarvan ze het NAET-specialisme ontwikkelde. Maar waren die combinaties werkelijk toevallig of putte ze uit haar intuïtieve kennis? Zeker, haar kennis en ervaring gaven haar het gereedschap om deze allergietherapie te ontwikkelen, maar hoe wist ze de specifieke combinaties te vinden die succesvol bleken?

Dit is de vraag voor alle onderzoekers, ondernemers en kunstenaars. Welk deel van de nieuwste ideeën is afkomstig uit de verzamelde logische kennis en ervaring, en hoeveel is te danken aan instinct en intuïtie, aan een inspiratiebron die veel verder strekt dan ons beperkte reservoir? Zou het zo kunnen zijn dat de mensen die verantwoordelijk zijn voor de meest geïnspireerde kunst, de meest innovatieve technologie en de grootste wetenschappelijke doorbraken, simpelweg op het universele bewustzijn afstemmen? Veel succesvolle mensen zullen je altijd vertellen dat ze inderdaad hard werken, maar dat er op zeker moment een vonk oversloeg, dat ze een intuïtieve ingeving kregen waardoor ze enkele stappen op de weg naar succes konden overslaan.

Een student van mij zegt: 'Intuïtie kan je gewoon beter maken in alles wat je doet.' Gebruik dit essentiële gereedschap dus als onderdeel van je gehele pakket aan vaardigheden in je werk. Neem even de tijd om 'af te stemmen' als je iemand ontmoet, als je een nieuw project of een nieuwe kans aangeboden krijgt, als je in een nieuwe situatie belandt of met een verandering in omstandigheden geconfronteerd wordt. Besteed aandacht aan die waarschuwende 'prikkels' die zonder enige reden lijken op te komen. En verwerp niet bij voorbaat de ideeën en inzichten die op een bepaald moment dwaas lijken; op de lange termijn kunnen ze heel profijtelijk blijken. Je zult ontdekken dat je intuïtie op het werk je succes aanzienlijk kan vergroten!

22
De politie helpen en voorwerpen (en mensen!) terugvinden

In januari 1993 was ik te gast geweest bij het radioprogramma van Larry King, waar ik over intuïtie had gesproken en voor diverse bellers een reading had gehouden. Laat op de avond kreeg ik een boodschap van mijn secretaresse: 'Wil je commandant Joel Dobis van de politie van Zilwaukee in Michigan bellen?'

Zoals de meeste mensen die een telefoontje van de politie krijgen, ging ik snel na wat er de afgelopen weken was gebeurd. Nee, ik was niet door het rode licht gereden en had geen snelheidsovertredingen gemaakt... ik had al mijn belasting betaald... ik was niet eens in de buurt van Zilwaukee geweest. Waarom zou een politiecommandant mij bellen? Hij had vast en zeker mijn hulp nodig.

En zo was het ook. Tijdens het radioprogramma had ik verteld dat ik met politierechercheurs in Californië had samengewerkt, en dat had de interesse van Dobis gewekt. Hij vertelde me later dat hij nooit gedacht had dat hij nog eens een medium zou bellen. 'Ik ben realist," zei hij. 'Toen ik 22 was, kwam ik van de regionale politieschool en op mijn 27e werd ik politiecommandant in Zilwaukee. Ik heb met vrijwel alle aspecten van het politiewerk te maken gehad, maar nog nooit heb ik persoonlijk iets gezien dat ik niet kon verklaren. En ik heb al helemaal nooit iets met paranormale zaken van doen gehad. Maar nadat ik dat radioprogramma had gehoord terwijl ik in mijn auto aan het patrouilleren was, reed ik naar een café waar mijn brigadier na het werk wat zat te drinken. Ik nam hem apart en zei: 'Brigadier, denk niet dat ik een klap van de molen heb gekregen, maar ik zat naar een medium bij Larry King te luisteren, en ik ga haar bellen om te zien of ze ons bij het oplossen van de moord op Michele Lalonde kan helpen.'

Ik belde Dobis later die avond op het bureau op. Hij zei dat hij met het dossier voor zich zat, en na enkele inleidende opmerkingen begon ik hem informatie over de zaak te geven. Later vatte hij de feiten voor me samen, die als volgt luidden: In 1992 had een passerende visser onder een brug langs de oever van de Saginaw een verlaten, uitgebrande auto gevonden. Hij belde de politie om te melden dat hij op de achterbank botten had zien liggen. Dobis had de visser opgehaald, waarna ze naar de plek waren gereden waar de auto achtergelaten was. De auto was zo zwaar verbrand dat zelfs de banden gesmolten waren. Maar op de achterbank waren nog botten te herkennen die op de ribben van een klein kind leken. Het lichaam was verder volledig door het vuur verwoest zodat de politie alleen aan de hand van de kentekenplaat de zoektocht naar de onbekende dode moest beginnen.

De auto stond op naam van Michele Lalonde, een 21-jarige stripteasedanseres in een plaatselijke club. (De politie identificeerde Michele aan de hand van twee tanden; meer was er niet over van haar schedel na de brand.) Ze was drie dagen eerder voor het laatst gezien, toen ze met een vriendin in het nabije Lansing was gaan dansen. Michele had achter het stuur gezeten en haar vriendin na afloop thuis afgezet. Daarna had niemand Michele nog levend gezien.

Commandant Dobis liet huiszoeking doen in de flat van Michele. Er waren geen sporen van een vechtpartij te zien. De politie vond wel een reistas die Michele volgens de vriendin had meegenomen naar het dansen, zodat de politie wist dat ze die avond nog thuis was geweest. Maar wat er daarna gebeurd was, was een mysterie.

De politie begon een onderzoek naar Michele's achtergrond en relaties en richtte het vizier al snel op de vriend van Michele, Robert Brisbee. Hij had geen goed alibi voor die avond (hij was op een groot studentenfeest geweest) en ging zowel met Michele als een andere vrouw uit (die buitengewoon ontwijkende antwoorden gaf toen ze door de politie werd ondervraagd). Buren hadden gehoord dat Robert en Michele ruzie hadden gemaakt voordat ze die avond vertrokken was. Robert had geen auto, dus had Michele hem een lift naar huis gegeven, waarna ze was teruggegaan om haar dansspullen op te halen en naar Lansing was vertrokken.

Eerder had Robert relaties aangeknoopt met andere vrouwen in de club waar Michele werkte, die hij naar de bewuste plek onder de brug had meegenomen waar Michele's auto was uitgebrand. Er was ook een getuige die vertelde dat ze op zaterdagochtend een jonge zwarte man van de brug had zien weglopen (in een grotendeels blanke buurt). Maar ze kon de man niet identificeren en herkende Brisbee niet tijdens een confrontatie. De auto was zo zwaar verbrand en het bewijs tegen Brisbee zo dubieus dat Dobis eraan twijfelde of hij ooit arrestaties zou kunnen verrichten in de zaak Michele, laat staan iemand veroordeeld zou krijgen. Maar zoals hij later zei: 'Sommige zaken krijgen voor agenten een speciale, persoonlijke betekenis, en ik wilde die zaak voor zowel Michele als haar ouders echt rond krijgen.' En daarom was hij bij mij gekomen.

'Wat u die eerste avond deed, was gewoon griezelig,' vertelde Dobis me later. 'U zat in Californië en ik in Michigan, maar 25 minuten lang vertelde u me alles over mijn zaak. U noemde de brug, de brand, de naam van het slachtoffer en van de verdachte, evenals de namen van diverse andere betrokkenen. U had die informatie onmogelijk tevoren kunnen weten, zelfs niet als u de zaak had kunnen onderzoeken voordat ik u belde, omdat we de meeste feiten niet naar buiten hadden gebracht om het onderzoek niet te schaden en omdat we nog geen arrestaties hadden verricht.'

Commandant Dobis was erg enthousiast, net als ik. Hij vroeg of ik tijd kon vrijmaken om naar Zilwaukee te komen. Ik stemde toe; ik was toch al onderweg van Californië naar New York en kon gemakkelijk een stop inlassen. Dobis wist het voor elkaar te krijgen dat de gemeente mijn vliegticket en hotel betaalde. Hij vertelde dat hij al zijn moed bijeen had moeten schrapen om de kamer van de wethouder binnen te lopen met het volgende verzoek: 'Luister, ik wil een medium laten overkomen, voor haar vliegticket betalen en haar op kosten van de stad in het Sheraton laten logeren.' Dobis wist het zeker mooi te brengen, want de manager stemde direct toe. (Ik vraag me nog steeds af hoe die kosten verantwoord werden in het financiële jaarverslag van de gemeente.)

Enkele dagen later vloog ik dus naar Michigan, waar ik door Dobis van het vliegveld werd opgehaald ('Ik herkende u direct zodra ik u zag,' herinnert hij zich) en we naar Zilwaukee reden. Op mijn dringende verzoek reden we direct naar de plaats van de misdaad en niet naar het hotel. In de auto van Dobis begon ik een gesprek met Michele, de jonge vrouw wier lichaam daar was gevonden. Ze vertelde me dat er een zwangerschap en een abortus waren geweest die met haar relatie met Robert Brisbee te maken hadden. (Dobis zei dat naast hijzelf nog slechts één persoon daarvan op de hoogte was.)

Na een poosje ging ik naar mijn hotel. We wilden de volgende dag een opzetje proberen, waarbij ik van een microfoon voorzien zou worden en een gesprek met Beth, de vriendin van Robert Brisbee zou aanknopen. Ik hoopte dat ik haar ertoe kon verleiden iets te zeggen waardoor er een opening in de zaak kwam of dat ze me misschien bij Brisbee zelf zou introduceren. Het opzetje lukte perfect (al herinner ik me nog dat ik naar het toilet ging en me afvroeg of de politie me in de auto via de microfoon zou kunnen horen). Ik ontmoette Beth en ze ging akkoord met een reading; ze zou Brisbee meebrengen. Helaas weigerde Brisbee ook maar iets met me te maken te hebben. Zowel Dobis als ik waren teleurgesteld, maar ik beloofde hem dat ik op elk moment beschikbaar zou zijn als hij mijn hulp nodig had.

Maar terwijl hij me naar het vliegveld bracht, begon ik signalen door te krijgen die het belangrijkste aspect van deze zaak zouden blijken te zijn. 'Je krijgt hem te pakken,' zei ik tegen Dobis, 'maar het zal nog even duren. En binnen zes maanden zal hij weer een moord plegen of daartoe een poging doen. Je moet er alles aan doen om hem te pakken te krijgen. Ik voel dat hij een seriemoordenaar in spe is als hij niet gestopt wordt.'

De maanden daarop bleven Dobis en ik contact met elkaar houden. Op een dag belde hij me buitengewoon opgewonden op. 'Char? Je raadt nooit wat er gebeurd is. Ik zat vandaag aan mijn bureau toen ik een telefoontje uit een ander district hoorde binnenkomen over een poging tot moord. Ze noemden Robert Brisbee als verdachte. Char, het is vandaag op de kop af zes maanden geleden dat je zei dat hij weer een moord zou proberen te plegen!'

Het was werkelijk een bizarre misdaad. Beth, de vriendin van Brisbee, deelde een appartement met een meisje dat Sherry Desempler heette. Die avond was Beth bij Brisbee thuis op bezoek geweest. Brisbee, die geen auto had, zei tegen Beth dat hij wat te eten wilde gaan halen en nam Beth's auto mee. Hij reed naar haar appartement, waar Sherry zoals hij wist aanwezig was. Hij verschafte zich toegang tot het appartement met een sleutel die Beth voor hem had laten maken en liep de slaapkamer in waar Sherry lag te slapen.

Sherry schrok wakker in de volkomen donkere kamer omdat er iemand op haar ging liggen. Hij hield zijn ene hand over haar mond en de andere rond haar nek en probeerde haar te verkrachten. Sherry spartelde tegen en probeerde te gillen, waarbij ze haar belager diverse malen in zijn hand beet. Toevallig raakte ze met haar voet het lichtknopje zodat ze het gezicht van haar belager zag: het was Robert Brisbee, de vriend van haar kamergenote.

Brisbee maakte zich direct uit de voeten terwijl Sherry begon te gillen. Hij rende naar een kruidenier waar hij opzettelijk een fles sap kapot gooide en in zijn hand sneed om de beten van Sherry te maskeren. Hij meldde het voorval zelfs aan het personeel om zich een alibi te verschaffen, maar dat mocht niet baten. Sherry identificeerde Brisbee als haar belager en korte tijd later moest hij voorkomen. Brisbee werd tot vijftig jaar gevangenisstraf veroordeeld, die hij momenteel uitzit. Dobis heeft Brisbee herhaaldelijk naar de zaak Michele Lalonde gevraagd, maar hij weigert daarover te praten.

Dobis heeft ook meer dan eens geprobeerd mij in contact te brengen met Brisbee. Voor de rechtszaak over de poging tot verkrachting van Sherry Desempler bracht ik samen met hem een bezoek aan de gevangenis waar Brisbee vastzat. Ik hoopte nog steeds dat ik met hem zou kunnen praten en hem tot een bekentenis zou kunnen verleiden. Dobis liet me buiten de verhoorkamer wachten tot Brisbee werd binnengebracht. Daarna excuseerde Dobis zich even en opende de deur. Zodra Brisbee me zag, vloog hij de kamer uit, nog voordat iemand iets had kunnen zeggen. Terwijl Dobis achter hem aan ging, zei ik: 'Robert, praat toch met me,' maar hij wilde onder geen voorwaarde terugkomen. Brisbee wilde niets met me te maken hebben, ook al kon hij onmogelijk weten wie ik was. Ik kan alleen maar bedenken dat hij wist dat ik een bedreiging voor hem vormde omdat ik had herkend wie hij was en wat hij had gedaan. Ik weet zeker dat Brisbee Michele Lalonde om het leven heeft gebracht en als hij op aarde niet voor dat misdrijf berecht wordt, dan zal dat zeker aan gene zijde gebeuren.

Tot op de dag van vandaag spreken Dobis en ik elkaar wel eens. Hij is een toegewijd politieman en een deugdzaam mens die bereid is zijn eigen twijfels en vooroordelen opzij te zetten om me over een zaak op te bellen. 'We hebben de beste mensen die we kenden bijeengebracht, onder wie de forensisch patholoog die de zaak Jeffrey Dahmer heeft gedaan,' zegt hij. 'Ik heb Char gebeld omdat ze de beste is. Ik hoopte dat ze iets zou zien dat ik over het hoofd had gezien, zoals een aansteker of een papiertje met een vingerafdruk erop, iets op de plek van de misdaad waarover ze me kon vertellen en dat ik kon ophalen. In plaats daarvan gaf ze me een hoop specifieke informatie, en belangrijker nog, ze vertelde me dat Brisbee weer een moord zou proberen te plegen. Ik heb er diverse rechercheurs naar gevraagd, maar geen van hen kon een verklaring vinden voor de details die Char wist te vertellen.'

Ik schrijf er niet veel over, maar ik heb de politie bij een aantal gelegenheden geholpen. Ze hebben me bij diverse moordzaken en vermissingen geraadpleegd. Eerlijk gezegd vraagt het nogal wat van een rechercheur om met mij samen te werken, gezien de houding van de meeste politieambtenaren tegenover mediums. Maar als we allemaal onze ego's opzij kunnen zetten en ons uitsluitend op het oplossen van de zaak richten, kunnen de resultaten verbazingwekkend zijn.

Ik ben ook geraadpleegd door familie van vermisten om te zien of ik informatie kon geven die voor de politie nuttig was. Dit zijn vaak erg trieste zaken, omdat deze mensen ernaar snakken een punt te zetten achter de zaak, hetzij door de vermiste terug te vinden, hetzij doordat de ontvoerder of moordenaar achter de tralies belandt. Ik vraag vaak om een voorwerp dat aan de persoon in kwestie toebehoorde, zoals een tandenborstel, een kledingstuk, een geliefd stuk speelgoed als het een kind was, enzovoort. Deze voorwerpen bevatten een residu van de individuele 'energie-duimafdruk' van de eigenaar die ik kan gebruiken om af te stemmen op diens verblijfplaats. Een foto kan ook nuttig zijn; als ik naar een foto van iemand kijk, kan ik vaak bijzonderheden over hem doorkrijgen. In de zaak Kim LaVallee bracht zijn moeder een jas en een foto van haar zoon mee. 'Char werkte enkele uren lang in volle concentratie met de jas van onze zoon en zijn foto,' herinnerde ze zich. 'Het leek wel alsof Kim iets tegen haar te zeggen had, dat hij iets duidelijk wilde maken.' Ik kreeg direct door dat Kim vermoord was en gaf zijn moeder de namen van de mannen die het gedaan hadden. Ze werden gearresteerd en veroordeeld wegens moord en zitten nu een straf van 25 jaar uit.

Helaas hebben niet alle zaken waarin ik geconsulteerd word zo'n duidelijke afloop. Hoewel ik vaak precies kan zien hoe een misdaad werd begaan en door wie, heeft de politie hard bewijs nodig, dat soms niet voor het oprapen ligt. Ik geloof dat het mijn werkelijke taak is om de families te helpen enige rust te vinden en wellicht hun verdriet iets te verzachten. Met wat geluk kan ik tegelijkertijd de opsporingsinstanties een kleine hint in de goede richting geven.

Mensen vinden als je ze nodig hebt

Intuïtie kan ons ook bij andere gelegenheden dan politieonderzoek helpen mensen te vinden die we moeten spreken. Veel cliënten vertellen me voorvallen als het volgende: 'Ik moest die-en-die spreken om een belangrijk project te voltooien, en raad eens wie ik op de parkeerplaats tegenkwam?' Ik geloof dat ons zesde zintuig ons kan helpen op het juiste moment op de juiste plek te zijn. En in sommige omstandigheden kan het nog wel meer steun bieden!

Een man die ik 'Neil' zal noemen vertelde me ooit een mooi verhaal over zijn persoonlijke instinct om iemand te vinden. Neils vrouw was advertentieverkoopster en was met zwangerschapsverlof, maar ook thuis bleef ze aan het werk. Ze onderhield het contact met relaties, belde voor kopij en regelde zaken voor haar klanten, maar toen ze weer op het werk kwam, kreeg ze geen commissie over deze werkzaamheden. Ze ging in beroep en het conflict werd aan het oordeel van een arbiter onderworpen.

Neil dacht dat het een gelopen race was, maar de eigenaar van het bedrijf loog, waarop de arbiter Neils vrouw in het ongelijk stelde. 'Toen de uitspraak over de post binnenkwam en ik de argumenten van de arbiter las – ze sloegen nergens op en van de weergave van de getuigenverklaring deugde niets – sprong ik bijna uit mijn vel,' zei Neil. 'Tegen het avondeten zei ik tegen mijn vrouw: "Ik moet even naar buiten." Ze vroeg: "Waar ga je naartoe?" "Dat kan ik niet zeggen want ik weet het niet," antwoordde ik.

Ik stapte in de auto, reed de hele stad door en sloeg linksaf de parkeerplaats van een supermarkt op. Ik stapte uit de auto, liep de winkel in en begaf me direct naar de vleesafdeling en... daar stond de arbiter! Ik liep op hem af en zei: "We hebben vandaag uw uitspraak ontvangen," waarna ik hem in overduidelijke bewoordingen de mantel uitveegde. Ik draaide me om en liep de winkel uit. Het gaf me een geweldig goed gevoel.

Toen ik die avond het huis uit ging, wist ik niet waar ik heenging en wie ik zou tegenkomen; ik wist alleen dat ik in de auto moest stappen en moest gaan rijden. Toen ik de supermarkt zag, wist ik dat ik daar naar binnen moest, ook al was ik er nog nooit geweest, en ik wist dat ik naar de vleesafdeling moest. Het is bijna onmogelijk een arbiter nog eens te spreken als de uitspraak eenmaal gedaan is, en normaal zijn ze ook telefonisch heel moeilijk te bereiken. Je hebt gewoon heel weinig kans om je afkeuring over een beslissing kenbaar te maken. Omdat ik mijn instinct volgde, werd ik direct naar deze man gebracht zodat ik hem kon laten weten dat hij de feiten in de zaak van mijn vrouw verkeerd geïnterpreteerd had.'

Het antwoord op die brandende vraag: 'Waar zijn mijn sleutels?'

Het vermogen van onze intuïtie om op vermiste zaken en mensen 'af te stemmen' is op meer manieren nuttig dan bij het oplossen van een misdrijf of het terugvinden van een vermiste. Ben je ooit iets kwijtgeraakt, zoals belangrijke papieren, waarnaar je een half uur of langer moest zoeken? Intuïtie kan in dergelijke situaties buitengewoon nuttig zijn. Stop even met zoeken en probeer intuïtief af te stemmen op de plek waar ze zijn. Schakel je ratio uit en stel de vraag: 'Waar zijn die papieren?' en let dan op wat er het eerst bij je opkomt. Het is niet gegarandeerd dat je het zoekgeraakte voorwerp altijd vindt, maar als je aandacht aan je intuïtie schenkt, wordt dat wel waarschijnlijker.

Een jonge vriendin van mij maakte zich op om met haar vriend naar de videotheek te gaan, terwijl hij als een razende naar zijn lidmaatschapspasje zocht. Terwijl hij steeds gefrustreerder door het appartement rende, zei ze tegen hem: 'Stop!' Ze keek hem even aan, en zonder te weten waarom, liep ze naar hem toe en stak haar hand in een van zijn jaszakken. Voila! Daar was het pasje. 'Dit overkomt hem voortdurend,' zegt ze tegen me. 'Op een dag was hij een boek kwijt dat hij overal liep te zoeken. Ik nam even de tijd om rustig te worden en zag direct een beeld van hem waarin hij in bed lag te lezen. Ik zei: "Kijk eens bij het bed," en daar lag het boek natuurlijk. Misschien denk je dat ik het boek in de slaapkamer had gezien, maar het was van het nachtkastje gevallen en zat klem achter het bed. Ik ben er vrij goed in om iets intuïtief te vinden als ik er niet als een razende naar op zoek ga en mezelf even de tijd geef om te visualiseren. Dan zie ik in gedachten een beeld en loop direct naar de plek waar het voorwerp is.'

Intuïtie kan ons niet alleen helpen dingen te vinden die we al bezitten, maar kan ons ook naar dingen brengen die we behoren te hebben. Diverse mensen die ik ken zijn door hun intuïtie naar de plek geleid waar ze zouden moeten wonen. Mijn vriend Stuart de producer zegt: 'Telkens als ik een appartement of huis huur, bespaar ik de makelaar ontzettend veel tijd, omdat ik op het moment dat ik binnenkom al weet of ik daar zou kunnen wonen. Het is een volledig intuïtieve reactie. Ik zeg: 'Ik zou hier nooit kunnen wonen' of 'Hier ga ik wonen.' Ik volg die intuïtieve reactie altijd, en nog nooit is die onjuist geweest.'

Mijn zus Alicia ging ooit op zoek naar een groot fornuis, maar haar intuïtie voerde haar naar een heel nieuw huis. Enkele jaren geleden wilden Alicia en haar man het huis renoveren waarin ze al twintig jaar woonden. Alicia is dol op koken en had altijd al een professioneel Viking-fornuis met een hele trits branders in haar keuken gewild. Daarom lieten ze binnenhuisarchitecten komen en tekeningen voor een nieuwe keuken met fornuis maken. Maar telkens als ze met de verbouwing wilden beginnen, kwam er iets tussen. Alicia maakte er dan een grapje over en zei dat ze gewoon op een ochtend wakker wilde worden en dan een nieuwe keuken met fornuis voor zich zou zien.

Nadat de verbouwing voor de zesde keer was uitgesteld, begon Alicia te wanhopen en zo langzamerhand te geloven dat de verbouwing nooit zou plaatsvinden. Juist die dag liep een patiënt haar praktijk binnen die een foto op haar schoot legde en zei: 'Ik hoor dat je op zoek bent naar een huis met een groot Viking-fornuis.' Op de foto stond een prachtig appartement in het complex waar de patiënt woonde, precies met het fornuis dat Alicia wilde hebben. 'Er zijn niet veel mensen die Viking-fornuizen kopen of zelfs maar weten wat dat is,' zei Alicia later. 'En toch stond het op de foto, precies wat ik zocht.' Alicia zei tegen de patiënt: 'Ik ben niet op zoek naar een huis; we zijn net de keuken aan het verbouwen.' Maar de patiënt antwoordde: 'Waarom al die moeite? Hier is het fornuis dat je zoekt; er zit alleen een ander huis omheen. En ik weet dat dit appartementencomplex je heel goed zou bevallen. Het zou voor jou en je man in dit stadium van jullie leven ideaal zijn.'

Alicia nam de foto daarom mee naar huis en liet die aan haar man zien, alleen om te tonen wat een interessant toeval ze had meegemaakt. Kun je nagaan hoe verrast ze was toen hij zei: 'Laten we er eens gaan kijken!' Toen ze de flat dat weekend bezichtigden, zei haar man zodra ze de keuken in liepen: 'Kijk nou eens, Lee, precies jouw fornuis!' De prijs van de flat was dat weekend juist verlaagd. Ik hoef je niet te vertellen dat ze de koop sloten en er tot op de dag van vandaag heerlijk wonen.

Maar daarmee is het verhaal nog niet afgelopen. De vrouw die het oude huis van Alicia kocht, werd daar eveneens intuïtief naar toe gedreven. Het huis werd half januari te koop gezet, wat niet het beste moment is om een huis in Michigan te verkopen. In het tweede weekend dat het op de markt was, ging de telefoon en zei de vrouw: 'Ik zit voor uw huis met mijn zus. We zijn verdwaald omdat we de verkeerde afslag hebben genomen. Ik ben op zoek naar een huis en zag het bord in uw tuin staan. Neemt u me niet kwalijk, maar we zijn hier nu toch. Mogen we even binnenkomen om te kijken?' De vrouw vond het een prachtig huis en kocht het binnen enkele weken.

Verborgen schat in San Juan Capistrano

Martha Gresham gebruikt eveneens haar intuïtie als ze moet beslissen waar ze gaat wonen en wanneer ze moet verhuizen. Maar enkele jaren geleden gaf ik Martha een reading waarin ik haar een huis zag kopen dat een grote invloed op haar leven zou hebben, en haar ook nog enkele onverwachte voordelen zou opleveren. Ik zei tegen haar: 'Ik zie een oud huis met zuilen aan de zijkant en balken vanbinnen. Het is verwaarloosd en het lijkt erop dat bijen of zo aan de zijkant naar binnen gedrongen zijn. Ik denk dat je dit huis gaat kopen. Het zal erg snel gebeuren en je zult de koop in zeer korte tijd moeten sluiten. En trouwens, ik zie ook een soort schat in de kelder; een soort zilverschat in de aarde, misschien onder een steen.'

Het is maar goed dat Martha een beschaafde dame is, anders had ze me verteld dat ik gek geworden was. Ze had net een schitterende flat in een zeer exclusief appartementencomplex gekocht, zo'n gebouw waarbij je bijna moet wachten tot er iemand overlijdt voordat je erin komt. Ze dacht dat ze nooit meer zou verhuizen, en opeens kwam ik haar vertellen over een verwaarloosd huis met een schat in de kelder! Maar anderhalve week later belde Martha's dochter haar vanuit San Juan Capistrano in Californië op, niet al te ver van Martha's woonplaats. Ze zei: 'Mam, ik heb daarnet een oud huis gezien waar je zeker een kijkje moet nemen. Het is een prachtig oud huis met wat grond erbij, direct langs Ortega Highway. Waarom ga je er niet eens kijken?' Martha reed er de volgende dag heen, en zag het huis dat ze volgens mijn voorspelling zou kopen. Er stonden zuilen, er waren bijen die de zijkant van het huis waren binnengedrongen, er waren balken in het huis. 'Ik kreeg kippenvel, waarna ik direct verliefd werd op het huis,' vertelde Martha me later. 'Als ik eromheen liep, zag ik al voor me hoe het er opgeknapt uit zou zien. Zelfs toen de oude eigenaar me vertelde dat er al een optie op het huis liep, deed ik toch direct een bod. De optie ging niet door en het huis was van mij.'

Maar ik had ook gelijk toen ik zag dat Martha de koop heel snel zou moeten sluiten. Ze moest haar flat verkopen én de eigenaar van het huis een ander huis in ruil aanbieden, en de hele transactie moest in 45 dagen afgerond zijn. Talloze details moesten snel worden geregeld. Midden in die hectische tijd belde Martha me op en zei: 'Ik kan het allemaal niet goed met elkaar rijmen, maar ik weet alleen dat ik dit huis blijkbaar moet hebben.' Ik zei tegen haar: 'Er is iets met documenten in een andere stad. Ik zie een Vicky die morgen op reis gaat, en die documenten worden in een lade gestopt. Je moet haar direct bellen.' Martha wist dat de eigendomsruil door een bank in een ander deel van Californië afgehandeld zou worden. Daarom belde ze de bank en vroeg naar Vicky.

'Hoe kent u Vicky?' vroeg de bankmanager.

'Als ik u dat vertel, zult u me niet geloven, maar ik doe het toch maar,' antwoordde Martha. 'Een medium vertelde me dat ze zich opmaakt om ergens heen te gaan.'

'Dat klopt,' zei hij verrast. 'Ze vertrekt morgen naar Hawaï.'

'Wilt u tegen haar zeggen dat deze transactie voor haar vertrek afgehandeld moet worden, anders ben ik mijn huis kwijt,' zei Martha.

Gelukkig kon Vicky die dag alles nog afmaken. 'Ik had deze koop nooit kunnen sluiten als jij niet had gezien dat ik het kon,' vertelde Martha me na afloop.

Maar Martha's 'karma' met het huis was nog lang niet voorbij. Zoals je weet had ik gezegd dat er een schat in de kelder begraven lag. Welnu, enkele maanden later belde Martha me in grote opwinding op. 'Je raadt nooit wat er gebeurd is,' zei ze. 'We zijn direct na de koop met de verbouwing begonnen, en mijn man Dick heeft daar steeds toezicht over gehouden. Gisteren vloog ik naar San Francisco om tapijt uit te zoeken en nog enkele andere zaken voor de verbouwing te kopen. Ik bel mijn man nooit 's ochtends op als ik onderweg ben, maar vanochtend had ik een overweldigende aandrang hem te bellen. Ik stond op het punt een taxi te nemen en liet zelfs de chauffeur wachten zodat ik Dick kon bellen.

Zodra Dick de telefoon opnam, vroeg ik: "Wat doen ze vanochtend aan het huis?" Hij zei dat ze de kelder gingen vrijmaken zodat ze een betonnen vloer konden storten. Ik zei: "Vergeet niet wat Char over die verborgen schat zei. Ik zou er maar direct heengaan om te kijken of ze iets opgraven."

Zodra Dick had opgehangen, liep hij de achterdeur uit zodat hij in de kelder kon komen. Op dat moment verscheen de werkman die beneden had staan graven boven aan de keldertrap. Dick vertelde me dat de man hem met ogen zo groot als schoteltjes meedeelde: "Ik heb zojuist een metalen kist opgegraven." Dick en de werkman liepen de kelder in en maakten de kist open. Er bleken zilveren munten met een waarde van vele duizenden dollars in te zitten. Ze bleven graven en vonden een tweede kist, die ook boordevol zat met zilveren munten. Dick was zo opgewonden dat hij me direct wilde bellen, maar hij had geen telefoonnummer in San Francisco waar ik te bereiken was!

Toen ik die avond thuiskwam, lagen de munten op de eettafel uitgespreid. Ik hoef je niet te vertellen hoe opgewonden ik was. Als jij die voorspelling niet had gedaan dat we een schat in de kelder van dit huis zouden vinden, dan zouden we er zeker nooit naar hebben gekeken.' Ik wil er ook nog op wijzen dat Martha's eigen intuïtie haar een hint gaf over de dag en het vrijwel exacte tijdstip waarop de schat zou worden opgegraven!

Steeds weer merken mensen die naar hun eigen intuïtie luisteren dat hun leven verrijkt en gemakkelijker wordt. Als je iets zoekmaakt, als je een belangrijk besluit moet nemen, als je niet goed weet wat je moet doen, neem dan even de tijd om je innerlijke stem te raadplegen. Kijk welke gedachte er opkomt, vanuit een andere plek dan je eigen verwarde geest. Let op het gevoel dat zegt: 'Die, niet deze!' Als je de tijd neemt om in harmonie te blijven met wat het universum voor je in petto heeft, dan zul je verrast staan over de resultaten: je zou je eigen schat wel eens kunnen vinden, of die nu verborgen is of niet!

23
Het verdriet over de dood verlichten

Een van de weinige zekerheden die we bezitten is dat we allemaal van dit leven naar een volgend niveau zullen overgaan. Als we met onze dierbaren aan gene zijde kunnen spreken, dan kan dat iets van het verdriet na de overgang verzachten. Maar soms wordt ons ook de troost geboden dat we tevoren weten wanneer die overgang zal plaatsvinden. Hoewel dit pijnlijk kan zijn, kan deze wetenschap toch een enorm geschenk zijn, dat ons in staat stelt afscheid te nemen, on-afgemaakte zaken af te handelen en ons in het algemeen op het ver-lies van de lichamelijke aanwezigheid van onze dierbaren voor te be-reiden.

Weet je nog dat ik zei dat ik nooit in een reading de dood zal voor-spellen? De reden daarvan is dat ik geen God wil spelen met mijn ga-ve en omdat ik geloof dat er te veel factoren zijn die het lot kunnen veranderen, waaronder ook de wilskracht van dierbaren. Enkele jaren geleden maakte mijn goede vriendin Mary Sarko een moeilijke tijd door: haar man, moeder en vader lagen allemaal tegelijkertijd in het ziekenhuis. Mary heeft geen kinderen en ook geen broers of zussen, en daarom leek het erop dat ze al haar naasten ineens zou verliezen. Mary's echtgenoot was er het slechtst aan toe. Hij had zelfs een bijna-doodervaring waarin hij zijn overleden moeder en dochter op hem zag wachten. Hij was werkelijk gelukkig en klaar om te gaan, maar Mary wilde hem niet loslaten. Terwijl hij in het ziekenhuisbed lag, zei ze tegen hem: 'Waag het niet me te verlaten!' Haar wil was zo sterk en zijn liefde voor haar was zo groot dat ze hem letterlijk het leven weer in trok.

Was hij voorbestemd om te sterven maar wilde hij niet? Ik ben ervan overtuigd dat hij had kunnen overgaan, maar ervoor koos het niet te doen, en wel omdat Mary zo'n sterke persoonlijkheid is en zo intens van hem hield. Maar ik geloof ook dat onze dierbaren het ons soms kenbaar zullen maken als het hun tijd is om te gaan, en soms zal onze intuïtie daar aanwijzingen voor geven. 'Jarenlang zei mijn man tegen onze kinderen: "Zorg goed voor mama want als ik vijftig ben, zal ik overlijden," herinnert een van mijn studenten zich. 'En inderdaad viel hij op zijn vijftigste dood neer.' Het universum kan ons er ook op voorbereiden om nare perioden te doorstaan. Enkele jaren geleden was ik in Cleveland in Ohio voor een optreden in een van de tv-ontbijtshows. Ik zat in een limousine omdat ze me naar Sea-World brachten voor een spotje, en opeens dacht ik: 'De volgende keer dat ik in een limousine rijd, is bij een begrafenis.' Ik wilde niet dat het mijn vader was, maar ik dacht het wel. Twee weken later overleed hij.

Sommige mensen lijken erg gevoelig voor de energie die iemand omringt als de dood aanstaande is. Ik heb verhalen gehoord over jonge kinderen die graag bij iemand zijn, zoals hun opa of oma, en opeens erg van streek raken als ze bij diezelfde persoon in de buurt komen. Zou het kunnen dat ze de energie van iemand opvangen die dicht bij de dood is? Een man vertelde me een verhaal over een ontmoeting met een buurvrouw in een koffieshop. 'Ik stond in de rij op mijn koffie te wachten en zag mijn buurvrouw naar de deur lopen. Terwijl ik haar nakeek, dacht ik: 'Ik zal haar nooit meer zien.' Ze leek helemaal niet ziek, maar ik kon het gevoel niet van me afzetten. Drie dagen later kwamen er enkele buren bij me langs om geld in te zamelen voor een boeket bloemen bij de begrafenis van deze vrouw. Op dezelfde dag dat ik haar had gezien, was ze om negen of tien uur 's avonds ziek geworden en diezelfde nacht nog overleden.'

Enkele jaren geleden woonde een jonge studente van me bij haar ouders in Brooklyn en haar oma woonde in het appartement boven hen. Mijn studente was een lang weekend bij vrienden buiten de stad op bezoek geweest en kwam om half twee 's nachts thuis. 'Het was een lange rit geweest en ik was erg moe,' herinnert ze zich. 'Ik ging het huis binnen, ging op bed zitten en begon mijn contactlenzen uit te doen, toen ik opeens de merkwaardige gedachte kreeg dat ik naar boven moest om mijn oma gedag te zeggen. Mijn oma was dol op gezelschap, maar het was nu half twee en ik wist dat ze allang sliep. Ik had haar vlak voordat ik het weekend wegging nog gezien en ik wist dat ik haar de volgende dag kon zien. Ik stond echt op het punt naar bed te gaan. Ik had het gevoel gemakkelijk kunnen negeren, maar in plaats daarvan dacht ik: Nee, niet zo lui doen. Als je eenmaal boven bent, ben je blij omdat ze het zo leuk vindt je te zien.'

Ze ging naar boven en maakte haar oma wakker om gedag te zeggen. Ze kletsten nog wat (haar oma kon haar ogen maar even openhouden, maar ze praatte met haar ogen dicht verder) waarna mijn studente zei: 'Goed, oma, ik zie je morgen weer,' waarna ze naar beneden liep en naar bed ging. De volgende dag ging ze meteen naar haar werk zonder de gelegenheid te hebben eerst haar oma nog gedag te zeggen. Later die dag werd haar oma tijdens een wandeling door een vrachtwagen aangereden. Ze werd naar het ziekenhuis gebracht, waar ze twee maanden lang grotendeels in coma lag voordat ze overleed.

Mijn studente zei tegen mij: 'De volgende dag zeiden mijn twee zussen, mijn broer en mijn ouders allemaal: 'Ik had haar vandaag moeten ophalen.' 'Ik zou vandaag nog langsgaan.' 'Ik had haar zo graag nog eens gezien.' En ik voelde me ontzettend gelukkig dat ik ertoe aangezet was naar boven te gaan en haar die nacht nog welterusten te wensen. Dat was de laatste keer dat ik mijn oma zag zoals ze werkelijk was.'

'IK VOELDE ZIJN GEEST DOOR ME HEEN GAAN'

Boodschappen van een naderende dood kunnen verschillende vormen aannemen. Een cliënte vertelde me ooit dat ze haar overleden vader de laatste paar maanden dicht bij zich had gevoeld en geloofde dat dat kwam omdat het niet goed ging met haar moeder. 'Misschien is hij er om haar door deze tijd heen te helpen of om haar aan te moedigen omdat het haar tijd nog niet is. Of misschien is hij er om haar te helpen overgaan. Ik weet het niet, maar het is een troost voor me zijn geest zo dicht bij me te hebben.' Soms melden mensen dat ze de gezichten van hun dierbaren werkelijk jonger en serener hebben zien worden naarmate het moment van de overgang naderbij kwam. 'Mijn vader was al lange tijd ziek, en op de dag dat hij overleed, zag hij er beter uit dan in de maanden daarvoor,' vertelde een vrouw me.

Jeannie Starrs-Goldizen had zowel haar echtgenoot als haar zoon verloren, en in beide gevallen was ze voor hun overlijden gewaarschuwd. 'Mijn man Marty lag in het ziekenhuis in Phoenix in Arizona voor een operatie,' herinnert ze zich. 'Terwijl hij daar lag, schoot er een bloedprop in zijn been los die een longembolie veroorzaakte. De artsen gooiden me de kamer uit terwijl ze hem probeerden te redden, dus daarom ging ik naar buiten. Het was boven de dertig graden, en ik kreeg bijna stuiptrekkingen van de zenuwen. Opeens keek ik op en zag een vallende ster. Tegelijkertijd kon ik werkelijk iets door me heen voelen gaan. Het is een gevoel dat ik niet onder woorden kan brengen; het was een warm, sereen gevoel. Ik zei tegen mezelf: 'Oké' en liep het ziekenhuis weer binnen. Net toen ik bij Marty's kamer aankwam, liepen de artsen naar buiten. Ik zei: "Ik weet het, hij is dood." Ze keken me aan alsof ze wilden zeggen: "Hoe…" Ik zei tegen hen: "Het doet er niet toe hoe ik het weet; ik weet het gewoon." '

Toen Jeannie's zoon Clint overleed, ontving ze ook diverse intuïtieve waarschuwingen. De avond voordat hij stierf, werd ze opeens wakker uit een diepe slaap. Met een asgrauw gelaat en trillend als een espenblad liep ze haar kamer uit. Haar twee dochters vroegen: 'Wat is er met je?' En Jeannie zei: 'Jullie broer gaat dood.'

De volgende dag ging Jeannie naar haar werk bij een medische firma waar ze rond één uur naar het toilet ging. 'Toen ik bij de wasbak stond, zag ik een fel lichtblauw licht rond een witte aura die zich uit mijn lichaam verspreidde,' vertelde ze me. 'Ik wist dat daar iets stond. Ik vroeg: "Goed, waarom ben je hier? Wat is er aan de hand?" Opeens wist ik dat dit weer een teken was.'

Die avond kwam er rond acht uur een politieman aan de deur. Jeannie zei: 'U bent hier om te vertellen dat mijn zoon dood is.' De man stond werkelijk perplex! Hij vroeg: 'Hoe wist u dat?' En Jeannie zei: 'Laten we zeggen dat ik bezoek heb gehad.' Clint was eerder die dag inderdaad overleden. Dit soort boodschappen geven ons niet alleen een lichamelijke ervaring van het overlijden van onze dierbaren, maar ze bevestigen ook dat er een energie is die het lichaam na onze dood verlaat.

De weg banen

Soms krijgen we het geschenk dat we weten dat iemand van wie we houden gereed is om te overlijden, bijvoorbeeld na een lange ziekte. Om in deze periode bij een dierbare te zijn, vraagt heel veel van een mens, maar het kan ook een tijd zijn vol diepe liefde, heling en geloof. En als we intuïtief verbinding maken met de liefde die ons op die momenten van overgang omringt, dan kunnen we het overlijden voor onszelf en onze dierbaren aan beide zijden van de scheidslijn gemakkelijker maken. We kunnen hen met onze zegen laten gaan, in de wetenschap dat hun dood hen van het verdriet en het lijden aan deze zijde bevrijdt. De dood is niet rampzalig, lijden wel. Als iemand van wie je houdt, lijdt en je weet dat een langer verblijf op aarde alleen maar meer pijn betekent, probeer dan alsjeblieft zoveel van hen te houden dat je hen kunt loslaten.

Mijn vriendin Hope had vorig jaar een dergelijke ervaring toen ze haar vader aan pancreaskanker verloor. 'Hij had al een tijdlang allerlei kwalen, maar pas acht weken voor zijn dood bleek dat hij kanker had,' herinnert ze zich. 'Mijn hele familie waakte bij hem in het ziekenhuis, maar ik nam het min of meer over. Het was heel belangrijk voor me om bij hem te zijn, en vooral om hem toestemming te geven om te gaan. Ik wilde hem laten weten dat wij het wel zouden redden en dat er voor mijn moeder gezorgd zou worden, dat niemand teleurgesteld in hem was en dat we van hem hielden, en dat het goed was niet te blijven vechten. Het is moeilijk als iemand van wie je houdt stervende is. In zeker opzicht wil je hem niet laten gaan en je moet jezelf en de stervende ervan overtuigen dat het goed is, dat ze geweldig werk verricht hebben toen ze hier waren en dat ze daar aan gene zijde mee doorgaan.

Die periode met mijn vader was een prachtige, intieme ervaring.

Ik praatte de hele tijd tegen hem. Ik zei dat ik zeker wist dat hij zijn best had gedaan en dat ik spijt had van het verdriet en de zorgen die ik hem in de loop der jaren had aangedaan. Om dat te kunnen, om daarover te praten, was echt geweldig, in plaats van net te doen alsof er niets aan de hand was. Aan het eind kwam er een grote gemoedsrust over ons allemaal. En het rare was dat mijn vader steeds maar zijn hand opstak en naar mensen bleef zwaaien die niemand kon zien. Mijn broer dacht dat het een reflex was, maar ik wist dat hij zwaaide naar de mensen van wie hij hield die al overleden waren, en die op hem wachtten.'

Dit gevoel van de aanwezigheid van overleden dierbaren op het moment van de dood is een van de meest voorkomende ervaringen van degenen die hun eigen intuïtie goed weten te gebruiken. Mijn studente Marilyn was in de kamer toen haar tante op honderdjarige leeftijd overleed. Marilyn vertelde me dat het leek alsof ze zag dat haar grootmoeder (die vele jaren eerder overleden was) haar tante in haar armen nam zodra die stopte met ademen.

VERGEVING EN LIEFDE

Hoe kunnen we degenen die ons verlaten hebben en naar gene zijde zijn overgegaan dan helpen? Veelal begint het met vergeving en het eindigt altijd met liefde. De grootste energie, de meest helende energie en de sterkste kracht in het universum is de liefde. We kunnen onze liefde blijven schenken aan mensen die overleden zijn, en dan vooral door aan hen te blijven denken. Het denken is ons kanaal naar de geestenwereld; het is de manier waarop geesten met ons communiceren en vice versa. Als een overleden dierbare zonder enige reden in je gedachten verschijnt, dan komt dat meestal doordat die in de buurt is. Het is een geweldige gelegenheid om weer met hen in contact te komen en hun je liefde te sturen. Als ik overleden geesten liefde wil schenken, begin ik ermee een wit licht ter bescherming rond mezelf te plaatsen en vervolgens ook rond hen. Vervolgens zeg ik een gebed voor hen op waarin ik om de zegeningen van het hoogste niveau van goedheid, liefde en wijsheid vraag dat we God noemen. Bidden is tenslotte slechts een andere manier van denken, maar dan met een hoger doel. Uiteindelijk stuur ik mijn liefde en goede wensen naar hen, waarbij ik hun laat weten dat ik van hen houd, dat het goed met me gaat en dat alles in orde is.

Onze gedachten en goede wensen kunnen onze overleden dierbaren absoluut goed doen. De meeste spirituele tradities in de wereld erkennen dit; daarom steken we kaarsen voor de doden op en gedenken we elk jaar hun geboorte- en sterfdag. Het is net alsof je hun batterij met de energie van jouw liefde voedt. Voel je je niet beter als iemand aan je denkt of naar je vraagt? Hoe aangenaam is het niet als iemand je oprecht geïnteresseerd vraagt: 'Hé, hoe gaat het met je?' Misschien ben je depressief of bedroefd en lijk je het leven niet meer aan te kunnen, en dan zegt iemand opeens: 'Kan ik iets voor je doen?' waarna het allemaal toch weer iets gemakkelijker wordt. Het gaat erom liefde en zorgzaamheid aan anderen te schenken, waar we ook zijn, ongeacht de afstand in tijd, ruimte of astraal gebied die ons mogelijk scheidt. Liefde is de verbindingslijn die ons altijd aan elkaar en aan het hoogste niveau van universele goedheid bindt.

24
Slot: het leven is een school, en we zijn hier allemaal om te leren

Stel je voor dat je weer op de middelbare school of de universiteit zit en diverse verplichte vakken volgt. Je leest de boeken, volgt de lessen, bestudeert het lesmateriaal en leert de stof in elk geval goed genoeg om voor de tentamens te slagen. Tijdens je studie vormen die lessen een belangrijk deel van je leven. Je gaat helemaal op in geschiedenis, meetkunde of Engelse literatuur, in biochemie of muziektheorie. Je geeft alle energie die nodig is om het materiaal tot je te nemen, en daarna ga je weer verder.

Ons leven hier op aarde verloopt net zo. Het leven is een school en we zijn hier om bepaalde lessen te leren; en telkens als we terugkeren zijn dat andere lessen. Deze 'levenslessen' zijn bedoeld om ons als zielen te helpen groeien. Als we hard werken en studeren en doen wat we moeten doen terwijl we hier zijn, dan 'slagen' we. Dat betekent dat onze ziel naar een steeds hoger niveau groeit. Als we onze lessen niet goed voltooien, dan worden we steeds weer teruggestuurd om onszelf te verbeteren, wellicht met meer toezicht en hogere straffen.

Denk nog eens terug aan de lessen op school. Hoeveel herinnerde je je twee jaar na je examen nog van biologie, geschiedenis of wiskunde? Waarschijnlijk niet veel. Je herinnert je die kennis misschien nog omdat je die nodig hebt, maar je zit er zeker niet meer zo diep in als toen je de lessen volgde. Dat gebeurt eigenlijk ook als we naar gene zijde overgaan. Een poos lang onthouden we alle bijzonderheden over ons leven hier, maar uiteindelijk nemen we de herinneringen en de lessen die we geleerd hebben mee en ontwikkelen ons tot een hoger niveau of reïncarneren, zodat we hier een hele reeks nieuwe lessen kunnen leren.

We worden voortdurend op de proef gesteld. Steeds weer krijgen we opdracht meer te leren, meer te zijn, meer lief te hebben en met meer inzet voor onszelf en anderen te zorgen. Intuïtie is gewoon een van de hulpmiddelen die we kunnen gebruiken om de tests die we krijgen te doorstaan en de lessen die we opgedragen krijgen te leren. En als we onze intuïtie leren gebruiken, dan kunnen we die ook inzetten om anderen bij hun lessen te helpen.

Het lijkt erop dat sommige mensen zwaardere beproevingen moeten doorstaan dan anderen. Ik kan je niet vertellen waarom; misschien is het een karma uit een vorig leven, misschien hebben ze een groot voorbeeld nodig zodat ze een cruciale les leren, misschien is de beproeving die ze doormaken op een of andere manier nuttig voor anderen. Maar ik geloof dat God ons nooit iets geeft dat we niet kunnen doorstaan. En als ik eerlijk ben, dan komen de zwaarste beproevingen die we moeten doorstaan vaak uit het volgen van onze intuïtie voort. Het is wel voorgekomen dat ik een sterk intuïtief gevoel had dat tegen alle logica in ging, en dat ik moest beslissen of ik werkelijk genoeg in mijn zesde zintuig geloofde om mijn instinct te volgen. Ik zal echter altijd volhouden dat de meeste mensen er uiteindelijk baat bij hebben als ze hun innerlijke stem volgen.

Mijn vriend Gary zei ooit tegen me: 'Jarenlang maakte ik me voortdurend zorgen over mijn toekomst en zat ik steeds over het verleden te mokken. Ik dacht altijd aan de dingen die ik had moeten doen en daardoor negeerde ik het heden. Maar opeens realiseerde ik me dat er altijd goede en slechte tijden zullen zijn en dat de slechte tijden meestal de lessen zijn die we moeten doormaken om van de goede tijden te genieten. Het verleden is niets anders dan de ervaringen die we moesten doormaken om van het heden en de toekomst te genieten.'

In dit laatste hoofdstuk wil ik je enkele lessen voorhouden die we volgens mij allemaal moeten leren terwijl we ons in onze levens op aarde ontwikkelen. Door ze in deze vorm te gieten, hoop ik dat je deze lessen zo snel mogelijk weet 'op te pikken'.

Les 1: we zijn verantwoordelijk voor ons leven.

Het gaat niet om het voorspellen van de toekomst, maar om de keuzen die we onderweg maken. We kunnen niet altijd weten wat werkelijk voorbestemd is, en we kunnen niet altijd weten welke van onze keuzen onze bestemming veranderen of vervullen. We moeten daarom zelf de verantwoordelijkheid voor ons leven nemen en actie ondernemen zodat we de lessen kunnen leren die het universum voor ons in petto heeft. Sarah, een van mijn studenten, zei tegen me: 'Mensen moeten voor hun eigen daden verantwoordelijk zijn. Je kunt de verantwoordelijkheid niet afschuiven en zeggen: 'Ik mag dit van mijn godsdienst niet doen', 'Mijn werk staat me dit niet toe'. Nee, jij maakt je keuzen, je bent verantwoordelijk voor je eigen leven. En veel mensen willen dat niet horen. Ik zeg tegen iedereen die voor een reading bij me komt: 'Luister, ik accepteer de verantwoordelijkheid voor wat ik zeg, of dat nu goed of fout is. Maar je moet zelf beslissen wat je doet met wat ik zeg. Het is jouw leven.'

Zelfs nu er overal zoveel over eigen verantwoordelijkheid gesproken wordt, lijken we nog altijd een excuuscultuur te handhaven. 'Ik ben zo omdat ik misbruikt werd', 'Ik ben zo omdat ik dik ben', 'Ik heb nooit de kans gehad', 'Ik heb verder toch geen keus?' enzovoort. Veel aanhangers van de new age-beweging gebruiken het excuus van de predestinatie. Ze zeggen dat het in de sterren geschreven stond dat ze nooit financieel succes zouden boeken, dat ze hun zielsverwant in dit leven niet zouden vinden of dat ze kanker zouden krijgen. Maar die uitspraken zijn meestal slechts een excuus om geen actie te hoeven ondernemen. Ja, sommige dingen zijn voorbestemd omdat we een bepaalde les moeten leren, maar het lot kan op allerlei manieren al dan niet ingrijpend wijzigen door onze eigen inspanningen. Misschien is het voorbestemd dat je je zielsverwant niet ontmoet, maar dat hoeft je er niet van te weerhouden zeer intense, waardevolle relaties aan te knopen. Misschien heb je veel financiële problemen, maar je kunt wel degelijk proberen te leren er beter mee om te gaan zodat je in elk geval een geregeld leven kunt leiden. Misschien krijg je zelfs een ernstige ziekte, maar als je de lessen leert die daarmee verbonden zijn – geduld, bereidheid voor je gezondheid te vechten, de hulp van anderen accepteren, vrolijk zijn ondanks de pijn – dan kan dat jouw leven en dat van je naasten toch verrijken.

Mijn cliënte 'Rosalie' zei ooit: 'Het vraagt veel moed om persoonlijke verantwoordelijkheid te nemen, met alle pijn en angst die daarmee kunnen samengaan, en de zware lessen te doorstaan. Blijf gewoon vragen: "Wat kan ik hieruit leren?" Ik stel mezelf voortdurend die vraag. Daardoor blijf ik geconcentreerd op wat ik leer en richt ik me niet op alle andere dingen die tegelijkertijd gebeuren.' Een andere studente voegt daaraan toe: 'Toen ik eens in een uiterst onverkwikkelijk proces verzeild raakte, vertelde ik mijn advocaat over deze filosofie. Ik zei: 'Weet je, zelfs als we deze zaak verliezen weet ik dat ik er iets van zal leren dat me in de toekomst van pas zal komen.' Waarop hij zei: 'Als je dat werkelijk gelooft, ben je onoverwinnelijk.'

Les 2: 'oordeel niet, laat over je oordelen.'

Een van de belangrijkste lessen die we volgens mij allemaal moeten leren – of misschien blijven leren – is dat we niet over anderen moeten oordelen. Het mooie van het leven is nu juist dat we allemaal verschillend zijn, met verschillende behoeften, gaven, vaardigheden en keuzes. Je weet niet waarom iemand doet zoals hij doet. Je kunt anderen niet begrijpen totdat je hun leven hebt geleid of misschien zelfs hun levens, als ze steeds weer op aarde terugkeren. Ik zeg niet dat we daden die anderen kwetsen moeten tolereren. Maar we besteden enorm veel tijd en energie aan het oordelen over anderen, kritiseren ze voor wie ze zijn en niet zijn, wat ze al dan niet gedaan hebben en of ze in onze ideeën passen over hoe iemand zou 'moeten' zijn.

Dit is vooral waar als het op seksualiteit aankomt. Ik geloof dat het in onze wereld een groot probleem is dat we de seksuele voorkeuren van anderen niet accepteren. Sommigen zijn heteroseksueel, anderen biseksueel, weer anderen homoseksueel. En wat dan nog? Maar vanwege de oordelen die de samenleving velt zijn veel mensen bang omdat ze niet in contact kunnen komen met degene die ze werkelijk zijn, of ze zijn kwaad omdat ze het gevoel hebben dat ze vanwege hun seksuele voorkeur niet geaccepteerd worden. Of ze accepteren zichzelf niet omdat hun ouders dan zouden zeggen: 'O mijn God, niet mijn zoon, niet mijn dochter!' Als mensen hun ware seksuele energie ontkennen of onderdrukken, zullen ze vaak uit evenwicht raken en problemen in hun leven veroorzaken. We moeten met onszelf in het reine zijn als het om deze belangrijke energie gaat. En dat betekent dat we ons vrijelijk kunnen uitdrukken, met de beperking dat we anderen geen schade toebrengen. Seksuele energie is belangrijk; we moeten er in harmonie mee zijn, die begrijpen en er waarachtig over zijn, omdat we alleen in de waarheid vrij zijn. Ik geloof dat we er niets aan kunnen doen wie we zijn of wat onze behoeften zijn. We kunnen er niets aan doen als we geen prachtig lichaam hebben, niet slim zijn in de gewone betekenis van het woord of als onze seksuele voorkeur ingaat tegen wat de maatschappij als 'normaal' beschouwt.

Ik denk dat we primair de verantwoordelijkheid hebben om alle mensen met begrip en mededogen te bezien. Intuïtie stijgt boven elk ras, elke kleur, seksuele voorkeur, maatschappelijke klasse, politieke voorkeur en geloofsovertuiging uit. Het is aan ons om verder te kijken dan alles wat ons scheidt en te zoeken wat ons bindt. Tenslotte is elke geest uit dezelfde energie opgebouwd, en voor zover ik weet hadden energiemoleculen er geen belangstelling voor om over andere moleculen te oordelen.

Als we niet over mensen oordelen, maar in hen juist het beste proberen te zien, dan kunnen ze ook het beste in zichzelf zien. Het is net alsof je een kind opvoedt. Het beste dat we onze kinderen kunnen bieden is een atmosfeer van onvoorwaardelijke liefde waarin niet geoordeeld wordt. We houden allemaal van kinderen; we hebben allemaal behoefte aan die zorgzaamheid en ondersteuning, zo niet van anderen, dan toch wel van onszelf.

Nogmaals, ik zeg niet dat mensen elkaar mogen kwetsen. Maar zoals een wijze spirituele meester ooit zei: 'We kunnen de zonde haten terwijl we de zondenaar liefhebben.' We kunnen ons best doen om mensen op de houding en het gedrag te wijzen die hen naar een hoger niveau van goedheid, licht en liefde zullen opheffen.

Laat je verwachtingen over mensen dus los. Probeer niet degene te zijn die de controle heeft als het om anderen gaat. Probeer die 'ik weet wat goed is'-houding los te laten. Laat de mensen van wie je houdt op hun eigen manier groeien. Als ze het vragen, bied hun dan je wijsheid aan, alles wat je tijdens je verblijf op aarde geleerd hebt. Maar het beste dat we hun kunnen geven is onze liefde, niet ons advies, en zeker niet ons oordeel.

Les 3: het geheim van het leven is evenwicht.

Hier volgt een parafrase van de grote dichter Khalil Gibran in zijn boek *The Profet*:

Zonder de energie van Haat begrijpen we de volle energie van Liefde niet.
Zonder Treurnis begrijpen we de volle energie van Geluk niet.
Zonder het Kwade begrijpen we de volle energie van het Goede niet.
Zonder Chaos begrijpen we de volle energie van de Vrede niet.

Alles is een energiecyclus die voortdurend tussen yin en yang stroomt, tussen positief en negatief, vrouwelijk en mannelijk, geven en ontvangen. Alles in de wereld heeft zijn tegenpool. Waar kwaad is, is goed. Waar liefde is, is haat. Waar chaos is, is vrede. Een batterij werkt alleen als die een negatieve en positieve lading heeft. Sommige mensen op deze aarde zijn voorbestemd om chaos en ellende te veroorzaken. Maar móeten we ook slecht worden? Moeten we chaos creëren? Moeten we martelaars of moordenaars worden? Natuurlijk niet. Maar we moeten wel erkennen dat het kwaad bestaat. In vrijwel iedereen schuilt goed en kwaad, en als het kwaad de overhand krijgt, pas dan op.

We moeten begrijpen dat het kwaad bestaat zodat we negatieve neigingen in onszelf en anderen kunnen bestrijden. Vergeet niet dat goed meer macht heeft dan kwaad. Ons doel is het positieve, het goede en het liefhebbende bijeen te brengen zodat we vrede op aarde kunnen proberen te brengen. We moeten leren om negatieve elementen bewust te bestrijden, zowel in onze ziel als in onze gedachten, en er dan zover bovenuit te stijgen dat we de ware eigenliefde leren. Dan kunnen we de goedheid, het geluk en de vrede voor altijd in ons hart bewaren.

Evenwicht is de sleutel om onszelf gezond te houden. Het is voor iedereen belangrijk om emotioneel, psychisch, spiritueel en lichamelijk in balans te zijn. Als we op een bepaald gebied niet in evenwicht zijn, dan loop je een goede kans dat negatieve energie zal binnendringen. Als we lichamelijk niet in balans zijn, worden we ziek. Als we emotioneel niet in balans zijn, dan raken we van streek of worden depressief of manisch. Als we psychisch niet in balans zijn, krijgen we allerlei gedragsproblemen. Als we spiritueel niet in balans zijn, dan stellen we ons open voor de negatieve energieën uit de astrale wereld. We moeten ook evenwicht zien te houden tussen onze geest en onze emoties. Ik geloof dat de ware wijsheid uit de perfecte balans tussen weten en voelen voortkomt.

Als je in evenwicht wilt blijven, moet je goed voor jezelf zorgen, vooral als je je intuïtie gebruikt. Het is heel gemakkelijk om bij dit werk uitgeput te raken, om jezelf steeds weer in dienst van anderen te stellen omdat daar zoveel behoefte aan is. Maar je moet je er goed van bewust zijn hoe snel je batterij uitgeput raakt door alle inspanningen en dan de tijd nemen om jezelf weer op te laden, op wat voor manier dan ook. Ik maak lange wandelingen, bel vrienden op om te kletsen, ik lees of ga naar een film. Maar ik weet wat mijn grenzen zijn en vraag anderen mijn grenzen te respecteren. Weet je, er is een verschil tussen egoïstisch zijn en eigenliefde hebben. Egoïsme houdt in dat je je eigen behoeften vooropstelt, bij eigenliefde zeg je dat jouw behoeften ertoe doen. Om in evenwicht te blijven moet je ook je eigen behoeften in aanmerking nemen als je anderen helpt.

Als we in evenwicht zijn, is het veel gemakkelijker om op de hoogste niveaus van wijsheid en goedheid afgestemd te blijven. We worden dan niet zo sterk in beslag genomen door onze eigen besognes en het is gemakkelijker om aan anderen te geven terwijl je ook voor jezelf zorgt. En het is gemakkelijker om niet te zwaar op de hand te zijn! Als je de zaken te serieus neemt, ben je niet in evenwicht. Vaak kan intuïtie ons gevoel voor humor gebruiken om de bewuste geest te passeren en indringende boodschappen te geven. Ik herinner me dat ik eens aan de telefoon zat met een vriend en een grapje maakte, waarop hij vroeg: 'Waarom zei je dat?' Het bleek dat de grap te maken had met wat hij op dat moment doormaakte, en die grap gaf hem een zeer indringende boodschap.

Ik zeg graag tegen mensen: 'Kijk, ik heb niet alle antwoorden, maar ik weet dat er een plek is waar je evenwicht kunt vinden, waar je een gelukkig medium kunt vinden. Want dat is wat ik ben: een gelukkig medium!'

Les 4: verandering en groei zijn niet optioneel.

Niets blijft ooit hetzelfde. Onze aard en ons doel – zowel hier als aan gene zijde – is om te blijven groeien en veranderen totdat we het hoogste niveau van wijsheid bereiken. We moeten allemaal leren te veranderen bij veranderingen. Dat is een van de belangrijkste lessen die we kunnen leren.

Soms zal verandering ons pijn doen. Verandering kan betekenen dat we plaatsen, dingen en relaties moeten achterlaten die niet langer goed voor ons zijn. Toen ik pas begonnen was met het bestuderen van intuïtie en een professioneel medium werd, had ik het geluk dat de meesten van mijn vrienden en familieleden me daarbij van harte steunden. Maar anderen zeiden tegen me dat ik de weg kwijt was of niet helemaal lekker was, en dat ik maar beter weer gewoon lerares kon worden. Ik moest afscheid nemen van die mensen, want hun houding weerhield me ervan de veranderingen door te maken die voor mij nodig waren.

We hebben allemaal vrienden of familieleden gehad die weigerden ons te steunen bij veranderingen die wij noodzakelijk vonden, of die een verandering die al had plaatsgevonden niet accepteerden. Het vraagt moed om de relaties in je leven tegen het licht te houden en tot het besef te komen dat die relaties jou benadelen en je in je groei belemmeren. Maar als iemand je ervan weerhoudt te groeien, dan is het tijd om diegene daarmee te confronteren of om diegene uit je leven te laten vertrekken. Ik geloof dat vrienden en relaties op bepaalde momenten om bepaalde redenen in ons leven komen, en als die reden niet langer geldig is, verandert de vriendschap of verdwijnt die. Om er dan aan vast te houden, is hetzelfde als naar de universiteit gaan en dan proberen alle vrienden die je op de middelbare school had vast te houden. Dat kan niet; jij, en zij eveneens, veranderen te veel en te snel.

Intuïtie geeft ons het vermogen om in voortdurend veranderende omstandigheden te blijven 'drijven', zoals op een vlot in een snelstromende rivier. Elke beweging van een ander kan je eigen koers beïnvloeden, en omdat de toekomst elk moment kan veranderen door iemands eigen keuze of besluit, is het van het grootste belang om te allen tijde in harmonie te blijven met de energie om ons heen. Het is het verschil tussen met de stroom meegaan en tegen de stroom in proberen te roeien. Als we in harmonie zijn met het universum en als onze bezigheden ons een goed gevoel geven, dan lijkt de toekomst zinvoller te zijn, ook al veranderen de stromingen van onze bestemming voortdurend. We kunnen tussen de veranderingen van ons leven door varen om ons uiteindelijke doel te bereiken.

Les 5: we zitten allemaal in hetzelfde schuitje.

We zijn allemaal componenten van één geheel en moeten begrijpen dat we de macht hebben om niet alleen ons eigen leven maar ook het leven van de mensen om ons heen te vernietigen of te helen. We zitten allemaal in hetzelfde schuitje. Mijn groei zal jou helpen groeien en andersom. We moeten aandacht aan elkaar besteden en ons best doen elkaar in grote en kleine zaken te helpen.

Ik herinner me dat het ijshockeyteam van de Detroit Red Wings voor de tweede keer op rij nationaal kampioen werd. Ik zat naar de laatste wedstrijd te kijken, en na de overwinning nam het hele team één speler op de schouders. Was dat de topscorer van het team? Was het de doelman die zo'n spectaculaire redding had verricht? Nee, het was Vladimir Konstantinov, een speler die het jaar daarvoor een vreselijk auto-ongeluk had gehad. Hij had ernstig hersenletsel opgelopen en sinds dat ongeluk geen wedstrijd meer kunnen spelen, maar toch wilden de Red Wings erkentelijkheid tonen voor zijn bijdragen aan het team van het jaar daarvoor. Ze wilden hem laten weten dat hij altijd in hun team zou blijven.

Ik geloof dat mensen onder meer graag naar sport kijken omdat ze graag een team zien presteren. We moedigen allemaal graag ons team aan; het geeft ons een heerlijk gevoel van die energie deel uit te maken. Stel nu dat iedereen in jouw team zat? Wij maken allemaal deel uit van het team dat samen het universum vormt. Jouw daden beïnvloeden de mijne en de mijne beïnvloeden de jouwe. Het is onze taak om samen te werken en onze teamgenoten zo goed mogelijk te helpen, of we daar nu direct profijt van hebben of niet.

Mijn moeder is enkele maanden lang verzorgd door een fantastische vrouw. Toen ik haar op een avond naar huis bracht, hoorde ik opeens haar geesten en dierbaren tegen me praten. Ik stopte en zei: 'Mag ik je een reading geven?' Ik begon de boodschappen aan haar door te geven. Ik wilde haar leven op deze manier aanraken, niet om daar beter van te worden, niet omdat het mijn werk was, zelfs niet omdat ze zo goed voor mijn moeder zorgde (dat deed ze toch wel). Ik wilde het doen omdat ze in mijn team zat, het team van de mensheid, het team van de geesten. Mijn taak, en de taak van iedereen op aarde en aan gene zijde, is om anderen te helpen.

Denk dus aan de mensen die in je team zitten. En vergeet niet dat zelfs degenen die je gekwetst hebben, in je team zaten. Vergelijk het met tegen een ander team spelen in de sport: je tegenstanders zitten ook in je team omdat ze je iets geven om tegen te strijden! Op dezelfde manier zitten de mensen die ons tegenstand bieden in ons team omdat ze ervoor zorgen dat we groeien. Dus zelfs als iemand speciaal op aarde lijkt te zijn om jou de voet dwars te zetten, probeer dan te ontspannen en besef dat ze in de kosmische zin des woords aan jouw kant staan. Het leven wordt een stuk gemakkelijker als je iedereen als onderdeel van je team kunt zien!

Les 6: gebruik de gaven die God je gegeven heeft om de wereld te verbeteren.

Charles Spencer, de broer van prinses Diana, zei in zijn rede tijdens haar begrafenis: 'Diana, je grootste gave was je intuïtie, een gave die je wijs wist te gebruiken.' Diana gebruikte haar intuïtie met gratie en mededogen om mensen in nood te helpen. Het verdriet om haar dood was overweldigend in de gehele wereld en werd enkele dagen later nog vergroot door de dood van Moeder Teresa.

Het was een indrukwekkende ervaring om te zien hoe de wereld tot stilstand kwam, uit respect voor deze twee geweldige vrouwen. Enkele momenten lang waren miljoenen mensen verenigd in één universeel geweten: één geest, één gedachte, één gebed. Als onze wereld eens vaker één geheel zou kunnen worden, zonder vooroordelen, hebzucht of jaloezie en zich erop zou richten één probleem tegelijkertijd te helen, dan zouden we het lijden in de wereld enorm kunnen verminderen. Misschien was dat een van de beste lessen van die ervaring.

Ik geloof dat prinses Diana en Moeder Teresa hun overgang bijna tegelijkertijd maakten zodat de gehele wereld van hun voorbeeld kon leren. Deze beide vrouwen hadden buitengewone gaven gekregen. Beiden bezaten ze moed en offerden ze zich op om voor anderen te zorgen; beiden moesten ze enorme hinderpalen in hun leven overwinnen om een voorbeeld van mededogen te worden. En ieder van ons bezit een geest die het vermogen heeft volgens dezelfde normen te leven.

We maken allemaal deel uit van Gods energie in dit universum. Om de hoogste energieniveaus te bereiken en om in dat God-bewustzijn op te gaan, moeten we de gaven die we gekregen hebben gebruiken om anderen te helpen en de wereld te verbeteren. Of we nu de mensen helpen die het op aarde minder goed getroffen hebben of als engelbewaarders of geleidegeesten aan gene zijde opereren, we groeien alleen als we ons beste beentje voor zetten om de goedheid in het hele universum op een hoger niveau te brengen. Als we de les leren om een zo goed mogelijk mens te zijn en dan ons uiterste best te doen, dan hebben we al een grote stap gezet op weg naar het ultieme doel, te weten de absolute goedheid, wijsheid en liefde die God is.

Les 7: tevredenheid en dankbaarheid geven een bijzonder rijk leven.

Sommige cliënten van me voelen zich niet erg gelukkig. Als ze voor een reading komen, zeggen ze tegen me: 'Waarom heb ik niet de relatie die ik wil?' 'Waarom heb ik geen geld?' 'Waarom kan ik de perfecte baan niet vinden?' Ik zeg dan: 'Kijk, als je gelukkig wilt zijn, dan moet je je oefenen in tevredenheid en dankbaarheid. Ben je vanochtend weer wakker geworden? Kun je je armen en benen gebruiken? Heb je een dak boven je hoofd en eten op tafel? Dan ben je een stuk beter af dan heel veel mensen op deze planeet. Kijk eens naar Somalië, Rusland of India of de daklozen bij jou in de buurt. Die mensen zijn al gelukkig als ze genoeg te eten hebben om lichaam en ziel bijeen te houden. Er zijn delen van de wereld waar de mensen zich gelukkig prijzen als ze de dag doorgekomen zijn zonder te zijn neergeschoten.'

Ondankbaarheid is een trefzekere manier om jezelf van de kans te beroven ooit hogerop te komen. Wat geeft het dat je de geliefde, de auto of het werk van je dromen niet hebt? Als je dankbaar bent voor wat je nu hebt, dan wordt de kans dat je in de overvloed van het universum mag delen, een stuk groter. We moeten dankbaar zijn voor wat we gekregen hebben en tevreden zijn met wat we hebben. Tevredenheid heeft met onze houding te maken. Beschouw de beker als halfvol, niet als halfleeg. Als je die als halfleeg beschouwt, dan zul je onvermijdelijk jezelf, anderen, het lot of het universum daarvan de schuld gaan geven, zonder dat je daar verder mee komt. Natuurlijk, we moeten naar meer blijven streven. Natuurlijk, we moeten doelen hebben, zoals een relatie, een baan, meer geld of het helpen van meer mensen. Maar we kunnen nog altijd genieten van wat we op het moment bezitten, ook al werken we eraan te groeien en meer te worden.

Niets opent het hart zo volledig als dankbaarheid. Als je de les leert om in dankbaarheid en tevredenheid te leven, dan zal je overgang naar de geestenwereld gemakkelijk en natuurlijk lijken, omdat dat de energie is waarin de hoogste geesten voortdurend leven. Met dankbaarheid ben je met het hoogst mogelijke niveau van het universum verbonden. Je bent verbonden met niets minder dan het bewustzijn van God.

Ik geloof dat we de gave van de intuïtie krijgen om ons te helpen deze lessen te leren, naast vele andere, op onze reis door onze levens. Onthoud dat we, als we sterven, niet over onszelf oordelen op basis van onze rijkdom, schoonheid of ons succes. We zullen over onszelf oordelen op basis van onze daden, op basis van de hoeveelheid liefde die we onszelf en anderen gegeven hebben en of we in staat zijn elke dag met een schoon geweten in de spiegel te kijken.

Mijn gebed is dat we al onze krachtige intuïtieve vermogens gebruiken om de lessen te leren die we hier moeten leren en om op welke manier dan ook bij te dragen aan het creëren van het hoogste goed, zowel hier als aan gene zijde. Ik hoop dat dit boek je geholpen heeft om je ogen te openen voor wat er mogelijk is als je je door God gegeven intuïtie op een verantwoorde, vrije en doelbewuste manier gebruikt. Moge je intuïtieve reis je ertoe aanzetten de grootsheid van je eigen ziel te ontdekken en een leven vol tevredenheid, rust en vreugde te leiden!

Aanhangsel
Tien veelgestelde vragen over intuïtie en mediums

Ik hoop dat je een hoop ontdekt hebt door dit boek te lezen. Belangrijker nog, ik hoop dat je je eigen intuïtie op zoveel mogelijk manieren gebruikt. Om je te helpen bij je eigen ontdekkingsreis zal ik enkele van de meest voorkomende vragen beantwoorden die me door studenten en cliënten worden gesteld. Deze vragen kunnen je aanvullende informatie bieden bij het gebruiken en vormgeven van je eigen intuïtie en in de omgang met professionele mediums.

Hoe kan ik het verschil tussen intuïtie en vrome wensen onderscheiden?

Er zijn twee manieren waarop denken intuïtie in de weg kan zitten. Dit kan gebeuren als je verlangens je eigen gevoel over de waarheid blokkeren. In sommige gevallen vlucht je in de ontkenning als wat je wilt en wat je voelt niet in overeenstemming met elkaar zijn. Een andere hinderpaal voor de intuïtie is het zogenaamde wanhoopsdenken. Je intuïtie vertelt je dat alles in orde komt, maar je bent zo bang of er zo sterk van overtuigd dat alles zal mislukken dat je de zon niet meer tussen je zelf gecreëerde donderwolken door kunt zien schijnen.

Door ervaring kun je leren onderscheiden tussen intuïtie en *wishful thinking*. Hoe meer je je intuïtie gebruikt, des te sterker wordt je 'intuïtiespier', des te meer zelfvertrouwen krijg je en des te beter word je. Ik vertel mijn studenten zoveel mogelijk met hun intuïtie te experimenteren. Maar ik vertel ze ook dat ze hun gezonde verstand moeten gebruiken als ze hun inzichten in de praktijk brengen.

Als je intuïtie accuraat is, krijg je meestal wel een of ander teken. Er kan een telefoontje komen dat je geruststelt, je kunt bij het boodschappen doen iemand tegenkomen die iets te maken heeft met de persoon of de situatie waarover je meer wilde weten. Of je kunt een droom krijgen die je een aanwijzing geeft. Als je je intuïtie gebruikt, zul je al snel het verschil zien tussen een echte aanwijzing en een vrome wens, alleen al door wat er gebeurt. Daarna kun je nog eens overdenken hoe je tot die accurate intuïtieve ingeving kwam.

Ieders geest functioneert anders. Let op je eigen geest en zie hoe je intuïtieve informatie krijgt en hoe je soms in vrome wensen blijft steken. Doe dan je best om je eigen intuïtieve proces te volgen. Probeer te leren van de beste leraar van iedereen: jezelf.

ALS IK ZELF EMOTIONEEL BETROKKEN BEN BIJ EEN KWESTIE, KAN IK NIET 'AFSTEMMEN'. HOE KAN IK EEN ANTWOORD OP DE VRAAG KRIJGEN?

Het kan erg moeilijk zijn afstand te nemen tot een onderwerp waarbij we zelf betrokken zijn. Dat is een van de redenen dat de meeste mediums in readings voor henzelf lang niet zo goed zijn als in readings voor anderen. Hier is een oefening die ik erg nuttig vind als je sterk bij iets betrokken bent en een antwoord zoekt:

1. Maak een vraag van de kwestie. (Je weet dat het een enkelvoudige vraag moet zijn, dus niet: 'Ga ik trouwen en met wie?' maar: 'Ga ik trouwen?')
2. Schrijf je vraag op een vel papier en vouw dat op zodat je de vraag niet kunt lezen.
3. Schrijf vier andere vragen op afzonderlijke vellen papier. Deze vragen kunnen over jou gaan of over je familie, je vrienden, het universum of wat dan ook. Vouw elk vel papier op zodat je de vraag die er op staat niet kunt lezen.
4. Je hebt nu vijf vellen papier. Schud ze door elkaar en nummer ze van een tot en met vijf.
5. Stop de opgevouwen vellen papier in een hoed of kom. Zonder ernaar te kijken schud je ze weer door elkaar en kiest er een uit. Vouw het vel niet open en kijk niet naar het getal dat erop staat.

Houd het vel gewoon in je hand en laat gedachten en indrukken door je heen gaan. Het gaat erom dat je probeert een antwoord te krijgen op de vraag die op dit vel papier staat.

6. Schrijf je indrukken op of spreek ze in op een bandje. Als je klaar bent, kijk je naar het getal op het papier en schrijft dat naast je antwoord (of je spreekt het in).

7. Volg de stappen 5 en 6 bij alle vier de resterende vellen papier.

8. Vouw de papieren nu open en kijk hoe je elke vraag beantwoord hebt. Let vooral op het antwoord dat je gegeven hebt op de vraag waarbij je het meest betrokken was.

Deze oefening is nuttig om je bewuste geest helemaal uit te schakelen zodat je intuïtie je wijsheid kan verschaffen. Ik heb ook gemerkt dat het universum je uiteindelijk over vrijwel elke vraag advies zal geven, maar je moet je bewust blijven van je gehele omgeving. Op een gegeven moment komt er een aanwijzing, met name als je aan iets anders denkt! Maar als je erop gaat letten, dan kun je misschien wachten tot je een ons weegt. Niet op alle vragen is direct een antwoord mogelijk; misschien worden de kaarten nog geschud. Dikwijls is het het beste de vraag te stellen en er dan niet meer aan te denken. Laat het universum je het antwoord geven op een moment dat het verkiest. Houd wel je ogen en oren open zodat je het antwoord kunt vernemen als het gegeven wordt.

Waarom droom ik nooit over mijn overleden dierbare van wie ik zoveel hield?

Waarschijnlijk droom je nooit over je dierbare omdat je het te graag wilt en wil je de geesten te dicht bij je houden. Geesten moeten zich vrij voelen om terug te kunnen komen en met ons te praten.

Meestal merk ik dat degenen van wie we houden in onze dromen verschijnen als het echt noodzakelijk is, dus als ze een belangrijke boodschap over willen brengen of als we het bijzonder moeilijk hebben. Immers, als ik elke nacht over mijn vader droomde, dan zou ik niet meer op de droom letten! Maar als hij nu verschijnt, dan ben ik heel alert omdat ik weet dat hij me iets belangrijks probeert te vertellen.

Mijn zus Elaine zegt dat ze sinds de dood van onze vader in 1984 slechts tweemaal van hem gedroomd heeft. In de tweede droom hield hij iets vast dat ze niet goed kon zien en zei hij: 'Schatje, ik heb iets voor je.' De volgende dag kreeg Elaine te horen dat haar schoondochter voor het eerst zwanger was en dat jongetje werd naar mijn vader genoemd.

Maar ook al zie je je dierbaren niet in dromen, besef wel dat ze een groot deel van de tijd om je heen zijn. Je hoeft alleen maar met liefde aan ze te denken. Dan zullen ze zeker bij je zijn.

Wat moet ik doen als ik niet in harmonie met het universum ben en het gevoel heb dat er allerlei hinderpalen in de weg staan?

Het opwerpen van hinderpalen om onze verlangens te vervullen kan voor het universum een manier zijn om ons te beschermen. Hoeveel verhalen heb jij gehoord over mensen die thuis of op het werk vertraging opliepen waardoor ze een vliegtuig misten, waarna bleek dat dat vliegtuig verongelukte? Toen ze zich haastten om het vliegtuig te halen, hadden ze beslist het gevoel dat het universum wilde dat ze het haalden, maar ik weet zeker dat ze van gedachten veranderden toen ze het nieuws over die vlucht hoorden.

Als je je niet in harmonie met het universum voelt, moet je allereerst je intuïtie raadplegen. Probeer te voelen waarom alles niet loopt zoals jij het wilt. Misschien moet je een nieuwe richting uit gaan. Misschien moet je op je huidige plek blijven terwijl alle andere factoren je juist willen ondersteunen om je bestemming te bereiken. Misschien ontken je wat werkelijk in jouw belang is. Ga te rade bij je hogere zelf en kijk wat dat zegt, en probeer dan dat advies zo goed mogelijk op te volgen.

Waarom is er niet altijd direct een antwoord op een vraag?

Hoe de vraag ook luidt en wat de ervaring ook zal zijn, er kan altijd sprake zijn van een ontwikkeling. Niet alle dingen zijn voorbestemd. We leven in een universum waarin een vrije wil en vrije keuzen bestaan, en als je geen antwoord krijgt, dan betekent dat meestal dat er mensen zijn die nog geen besluit hebben genomen of dat er factoren zijn die nog niet uitgekristalliseerd zijn. Het kan de ene kant op gaan, maar ook de andere, en daarom kun je geen definitief antwoord verlangen. Wellicht ben je zelfs nog in staat de afloop te veranderen door je eigen gedachten of inspanningen.

Maar het komt ook voor dat we een antwoord niet mogen weten. Soms moeten we proberen zo goed mogelijk met een situatie om te gaan zodat we er na afloop op kunnen terugkijken en ervan leren. De belangrijkste lessen leren we door onze zwaarste beproevingen. Vertrouw erop dat het universum het beste met je voor heeft en doe je best, ongeacht wat het leven allemaal met je uithaalt.

Hoe kan ik mijn dierbaren helpen zich te ontwikkelen?

Er is een oud gezegde: 'Je kunt een paard wel naar het water leiden, maar je kunt hem niet dwingen te drinken.' Als mensen van wie je houdt problemen hebben – of erger nog, anderen problemen bezorgen – doe dan zoveel mogelijk je best voor hen. Bied hun alternatieven aan, laat andere manieren zien om aan hun behoeften te voldoen en deel je eigen inzichten en ervaringen met hen. Misschien kun je ze laten weten dat ze de consequenties van hun daden zowel hier als in het hiernamaals zullen voelen en helpt dat hen om hun gedrag aan te passen. Maar besef dat ze zelf de keuze moeten maken om te veranderen of dezelfde te blijven.

De enige voor wie je verantwoordelijk kunt zijn, ben jezelf. Als je in een situatie terechtkomt die ongezond voor je is of je niet verder helpt, dan moet je beseffen dat jij de enige bent die dat kan veranderen. Onttrek je aan die situatie, verander jezelf, of accepteer die en speel niet langer slachtoffer; je heb er immers voor gekozen te blijven. Maar besef dat je dierbaren voor hun eigen leven verantwoordelijk zijn. Je kunt ze zoveel mogelijk helpen, en ik geloof absoluut dat je voor een grote verandering in het leven van anderen kunt zorgen door ze de ogen te openen voor de gevolgen van hun daden, maar je kunt het niet van hen overnemen. Wees een gids voor hen en laat hen zelf kiezen of ze jouw leidraad aanvaarden.

HOE KAN IK WETEN OF EEN GEEST HOOG OF LAAG IS?

Ik geloof dat dit een terechte zorg is. Niet alle geesten hebben het beste met ons voor. Iemand schreef ooit: 'De duivel kan een aantrekkelijke gedaante aannemen.' Als ik een reading ga houden of een geest om me heen voel, neem ik daarom altijd even de tijd om mijn gebed ter bescherming op te zeggen en me met een wit licht te omringen. Als ik dat eenmaal heb gedaan, geloof ik dat mijn intuïtie me zal waarschuwen, ook al is er een lage geest die een aantrekkelijke vermomming aanneemt. Ik krijg dan het gevoel dat er niets niet klopt of ik bemerk iets in mijn omgeving dat me zal waarschuwen; ik zit bijvoorbeeld in de tv-gids te bladeren en dan valt mijn oog op de filmtitel *The Amityville Horror*. Het gaat erom dat we ons bewust moeten zijn van de signalen die het universum ons geeft.

Zelfs als ik voel dat een geest van een goede plek afkomstig is, dan zeg ik toch mijn gebed ter bescherming op en zoek ik bevestiging in signalen uit het universum. Het kan gebeuren dat een geest het goed met ons voor heeft, maar dat zijn advies toch niet optimaal voor ons is. (Denk aan de grootmoeder in hoofdstuk 6 die wilde dat haar kleindochter met een joodse jongen trouwde terwijl ze op een ander verliefd was.) Als je met geesten te maken hebt, moet je de informatie die je binnenkrijgt altijd aan de hand van je gezonde verstand nog eens beoordelen.

HOE KAN IK WETEN OF EEN MEDIUM OF INTUÏTIEF PERSOON OPRECHT IS OF NIET?

Het bezoeken van een goed medium zou hetzelfde moeten zijn als het bezoeken van elke andere vakman of vakvrouw. Als je een arts, tandarts of loodgieter uitkiest in de Gouden Gids dan moet je nog maar afwachten of ze capabel zijn. De meesten van ons gaan liever naar iemand die door een vriend, collega of iemand die we vertrouwen aanbevolen is. Ik meen dat hetzelfde voor een medium moet gelden.

Als je contact opneemt met het medium, dan moet je nagaan of je een goed contact met hem of haar hebt. Het is hetzelfde als naar een dokter gaan: je wilt het gevoel hebben dat je de ander kunt vertrouwen en een relatie met hem of haar kunt opbouwen. Als jullie persoonlijkheden botsen, probeer dan een ander te vinden die beter bij je past.

Ik geloof dat je tijdens een reading het gevoel moet krijgen dat het klopt wat mediums je vertellen. Ze leggen bijvoorbeeld iets uit over je verleden dat naar jouw gevoel klopt of ze praten over iets in het heden dat meer dan toeval is, waardoor er een gevoel van harmonie over je komt. Ik merk in mijn readings vaak dat ik slechts bevestig wat mijn cliënten al weten of voelen. Je moet je eigen radar vertrouwen als het erom gaat of een medium al dan niet betrouwbaar is voor jou. Kijk dan hoe het medium in jouw leven fungeert. Het is moeilijk een oordeel over een medium te vormen omdat de toekomst eerst moet gebeuren voordat bevestigd wordt wat je in de reading hoorde. Maar alle goede mediums willen graag inzicht geven in de exactheid van hun readings.

Er zijn trouwens veel goede mediums die geen namen of initialen kunnen doorgeven, maar die toch erg accuraat zijn. Ga op je eigen gevoel af als het om de exactheid van hun readings gaat en hecht er niet te veel waarde aan dat ze de naam van je oudoom Eugene niet weten.

Is een reading voor sommigen gemakkelijker dan voor anderen?

Ja. Het is me al diverse malen overkomen dat mensen me voor een reading belden en na afloop zeiden: 'Jij bent de eerste die een reading voor mij kon houden.' Maar het komt ook voor dat ik voel dat er een negatieve energie is die degene voor wie ik een reading houd probeert te blokkeren. Ik weet niet of ze hun eigen geluk saboteren of dat ze niet het gevoel hebben dat ze echte heling verdienen, of dat er een echte energieblokkade is, maar er zit iets in de weg. Ik kan dan weliswaar nog een reading houden, maar het is veel moeilijker. Ik moet mijn energie op hun niveau brengen, wat niet meevalt.

Er zijn ook mensen die sceptisch zijn en niet meewerken. Ik zeg bijvoorbeeld: 'Is er een R als eerste letter?' En dan antwoorden ze direct: 'Nee, ik ken niemand met een R.' Dan zeg ik: 'Ken je een zekere Robert?' 'Eh, ja, dat is mijn vader, maar die heb ik in geen tien jaar gesproken.' Ze zullen niet naar waarheid antwoorden, zelfs als ik gelijk heb!

Ik kan bij iedereen meestal wel wat doorkrijgen, maar het helpt me heel veel als mensen onbevooroordeeld zijn en over alle aspecten van hun leven nadenken. Het is beter als ze zich niet slechts op een bepaalde vraag of gebied richten. Onlangs hield ik tijdens een radioprogramma een reading voor een vrouw, en ik stelde haar diverse vragen over iemand met een eerste letter B, maar ze bleef maar zeggen dat ze in haar familie niemand met die letter kende. Uiteindelijk zei ik: 'Weet u zeker dat er geen Bob of Bobby is?' Ze antwoordde: 'Bobby Joe is mijn man.' Ze wilde niet dat ik over hem sprak en daarom dacht ze niet aan hem. Ze was dus niet onbevooroordeeld over wat er gebeurde.

Als je dus het meeste profijt van een reading wilt hebben, stel je dan zo onbevooroordeeld mogelijk op. Controleer alles nadat je de informatie gekregen hebt, maar blokkeer de informatiestroom niet met je eigen oordeel of gebrek aan concentratie. Onthoud dat een reading een teamprestatie is van jou, je medium, het universum en de geesten!

Wat is de beste voorbereiding
op een sessie met een medium?

Elk medium zal op een andere manier een reading voor je houden. Ik vraag mijn cliënten een lijst met namen van mensen die ze kennen op te stellen, zowel van levenden als overledenen. Als ik hun dan een eerste letter geef of een naam voor hen spel, dan hoeven ze niet hun hersens te pijnigen om een naam op te diepen die eigenlijk voor de hand ligt. Ik vraag mijn cliënten ook om vragen op te schrijven waarop ze graag een antwoord willen, maar ze mogen me die vragen niet stellen tenzij ik dat vraag. Meestal blijkt dat 90 procent van de vragen van mijn cliënten tijdens een reading beantwoord zijn zonder dat ze die vragen direct aan mij hebben gesteld.

Ik raad je ook aan niet al te veel te zeggen tijdens een reading. Ik merk dat mensen soms het medium informatie geven terwijl het medium die eigenlijk zelf had moeten doorkrijgen. Ik zou het medium situaties laten schetsen zonder zelf informatie te geven. En als je een vraag stelt – zelfs al is dat schriftelijk – vergeet dan niet dat het een specifieke, enkelvoudige vraag moet zijn. Vraag niet zoiets als: 'Ga ik trouwen en met wie?' Er zijn twee antwoorden op die vraag en dan wordt het veel moeilijker om af te stemmen. Ik raad mensen ook aan een lijst van vrienden of verwanten te maken die overleden zijn en met wie ze graag contact willen leggen. Aan het eind van een reading zeg ik: 'Heb je nog vragen?' en dan vraagt de cliënt: 'Heb je iets van mijn moeder (of oom of verloofde) gehoord?' Op dat moment stem ik af en vraag of die geest wil doorkomen. Als ze in de buurt zijn, dan krijg ik een initiaal, naam of symbool door waardoor ik weet dat ze het echt zijn. Soms zal de geest direct antwoorden, soms niet. Soms zijn ze elders druk bezig en moeten ze geroepen worden, zoals je ook iemand roept om aan de telefoon te komen.

De meeste mensen willen een reading omdat ze antwoorden willen op vragen over hun leven of over mensen die overleden zijn. Maar soms krijgen we antwoorden waarvoor we weliswaar niet zijn gekomen maar die toch belangrijk zijn. Een cliënt kwam onlangs voor een reading omdat ze dacht dat haar man haar bedroog. Maar ik kreeg door dat er een gezondheidsprobleem was en zei: 'Ik zie een cyste in iemands borst, hetzij de jouwe, hetzij die van je zus. Jullie moeten je beiden laten controleren.' De cliënte ging naar de dokter, die een gezwel vond dat kwaadaardig bleek te zijn. Er werd een borst weggenomen. Dat was voor haar belangrijker voor haar dan de echtgenoot die haar bedroog (hoewel we het daar ook over hadden). Probeer dus een open houding aan te nemen tegenover alles wat het medium je vertelt, en overdenk alles daarna nog eens met je gezonde verstand!

Wat ik mensen in elk geval altijd vraag, of ze nu bij mij of een ander medium komen, is om voor de reading een gebed ter bescherming op te zeggen. Je wilt immers dat het medium je informatie geeft die uit het hoogste niveau van goedheid, wijsheid en liefde afkomstig is, en als je om bescherming vraagt en jezelf met wit licht omringt, zal dat zeker helpen.